Coordenação: **Tatyane Luncah e Andréia Roma**

MULHERES do MARKETING
ELAS CONTAM COMO CONSEGUIRAM CHEGAR
NAS MAIORES EMPRESAS DO BRASIL

1ª edição

Editora Leader

São Paulo, 2018

Copyright© 2018 by Editora Leader
Todos os direitos da primeira edição são reservados à **Editora Leader**

Diretora de projetos: Andréia Roma
Diretor executivo: Alessandro Roma
Apoio editorial: Daniela Izzo e Jozi Alice
Produção editorial: Tauane Cesar
Atendimento ao cliente: Rosângela Barbosa, Juliana Corrêa e Liliana Araujo

Diagramação: Roberta Regato
Capa: Tito Ferrara
Revisão: Miriam Franco Novaes

Dados Internacionais de Catalogação na Publicação (CIP)
Bibliotecária responsável: Aline Graziele Benitez CRB8/9922

M96   Mulheres do marketing / Andréia Roma, Tatyane Luncah [coord.]. – 1. ed. – São Paulo: Leader, 2018.

ISBN: 978-85-5474-039-9

1. Marketing. 2. Mulheres. 3. Administração de empresa. I. Roma, Andréia. II. Luncah, Tatyane. III. Título.

CDD 658

Índice para catálogo sistemático:
1. Marketing: mulheres
2. Administração de empresa

EDITORA LEADER
Rua Nuto Santana, 65, 2º andar, sala 3
02970-000, Jardim São José, São Paulo - SP
(11) 3991-6136 / contato@editoraleader.com.br

AGRADECIMENTO

Ao longo da existência da editora Leader temos registrado as histórias de sucesso de executivos, empreendedores, lideranças masculinas e femininas. São centenas de pessoas que atingiram a alta performance e compõem um cenário em que a palavra de ordem é conquistar. São brasileiros e brasileiras que um dia almejaram ser bem-sucedidos, foram atrás de seus sonhos e provaram que tudo é possível quando se tem as competências adequadas.

Construímos, através dos depoimentos dessas pessoas extraordinárias, uma memória. Sim, o conteúdo deste ficará para sempre registrado e servirá de guia para aqueles que querem adquirir conhecimento e se desenvolver como pessoas e como profissionais.

Poder-se-á dizer que os conceitos e desafios vão mudar, que muita coisa ficará desatualizada. Em parte, sim.

No entanto, o conteúdo humano, os relatos verdadeiros e a fórmula que cada um descobriu para superar desafios, fazer as escolhas certas, encarar o que saiu errado, o relacionamento com as pessoas, todas essas questões e muitas outras estarão à disposição dos leitores para orientá-los e inspirá-los, hoje e sempre.

É muito emocionante ter em mãos mais uma obra em que as protagonistas são as mulheres, pois mostram que ao lado dos homens estão construindo uma sociedade melhor, mais igualitária e com oportunidades para todos.

Agradeço imensamente a Luiza Helena Trajano, por nos dar a honra de prefaciar esta obra, com seu importante aval a este projeto inédito. A presidente do Conselho de Administração do Magazine Luiza é uma das mais reconhecidas líderes brasileiras e sua história também está registrada em outros livros da Leader.

Agradeço à empresária Tatyane Luncah, nossa parceira em muitos projetos e que assina a coordenação deste livro comigo. Além de empreendedora vitoriosa, pois fundou e está à frente do bem-sucedido Grupo Projeto 10 em 1, em que o foco são o Marketing de experiência e o Marketing de propósito, por meio de suas iniciativas tem propiciado o empoderamento de muitas mulheres.

Obrigada, Tatyane, por seu apoio, por seu trabalho tão dedicado e criterioso.

Agradeço também a Sandra Martinelli, que participa como coautora, no capítulo "O papel do marketing no futuro de Antônia". Sandra é presidente-executiva da ABA (Associação Brasileira de Anunciantes), que apadrinhou esta obra e tem feito sua divulgação.

Não poderia deixar de agradecer o presente que nos foi oferecido pelo artista plástico Tito Ferrara, de São Paulo. A capa que criou dá um toque de sensibilidade a nosso projeto, pois traduziu exatamente nosso objetivo: mostrar a mulher empoderada, forte, mas que não perde a feminilidade jamais.

Tito Ferrara tem uma história inspiradora também. Após trabalhar como designer e diretor de arte, em 2011 resolveu deixar o trabalho que desenvolvia em agências de publicidade para focar exclusivamente a sua própria arte.

Gostaria de agradecer de maneira especial a cada uma das coautoras, ressaltando o que mais me tocou em seus relatos. Mas, duas razões me impedem de fazê-lo: seria o meu ponto de vista que estaria aqui exposto, e os leitores poderiam discordar, já que cada um tira as lições que melhor se adaptam a suas vivências.

E, depois, porque é hora de matar sua curiosidade e começar a conhecer essas mulheres e suas histórias maravilhosas!

Andréia Roma,
Fundadora e diretora de projetos
da Editora Leader

ÍNDICE

Prefácio 10

Introdução 12

1. Adriana Bahia 19
MARKETING & GENTILEZA: CONEXÃO TOTAL

2. Adriana Knackfuss 27
POSSIBILIDADES INFINITAS

3. Ana Beatriz S. Fuhrmann Basso 37
SOBRE DESENVOLVIMENTO, CARREIRA E GENEROSIDADE

4. Andrea Corrêa Baptista 47
UMA JORNADA PROFISSIONAL

5. Andréa Naccarati de Mello 57
FOLHA EM BRANCO

6. Andréa Rubim 67
A JORNADA É MAIS IMPORTANTE DO QUE O DESTINO

7. Andréa Sanches 75
O QUE APRENDI POR ONDE PASSEI

8. Anne Napoli 85
BUSQUE SEMPRE OBJETIVOS MAIORES

9. Christianne Toledo 95
NINGUÉM SE FAZ SOZINHO

10. Claudia Fernandes 105
E ASSIM TUDO COMEÇOU

11. Claudia Neufeld 117
ALGO QUE FIZESSE SENTIDO

12. Cristina Viana da Fonseca 127
DE MENINA MANDONA A LÍDER COM TERNURA

13. Daniella Barbosa 137
OLHOS ABERTOS PARA AS POSSIBILIDADES

14. Danielle Bibas 143
CAIXEIRA VIAJANTE

15. Elaine Póvoas 153
O BALANÇO ENTRE VIDA PESSOAL E PROFISSIONAL

16. Fernanda Dall'Orto Figueiredo 163
NÃO EXISTE RECEITA MÁGICA

17. Flavia Altheman 173
POR UMA GESTÃO SUSTENTÁVEL

18. Flavia Montebeller 181
ERA UMA VEZ...

19. Gabriela Onofre 191
SEJA DONO DA LOJINHA!

20. Gabriela Petrin Costa de Melo 203
FAMÍLIA, A BASE DE TUDO

21. Gabriela Viana 213
APRENDER SEMPRE

22. Giselle Ghinsberg... 223
AOS ANJOS DA MINHA VIDA, SONIA E RICARDO VINÍCIUS

23. Juliana Zaponi 233
MARKETING, UMA MATEMÁTICA FEMININA

24. Karen Fuoco Freitas Costa 243
"DESOBVIALIZE"

25. Laura Barros 253
LIDERANÇA, EMPATIA E PRAGMATISMO:
ENCONTRE O SEU ESTILO DE MARKETING

26. Laura Leal Noce 261
PARECE FÁCIL RESPONDER: AFINAL, QUEM É VOCÊ?

27. Luciana Resende Lotze 271
SONHOS, LIÇÕES E REALIZAÇÕES

28. Marina Mizumoto.. 281
MEU CAMINHO

29. Marly Parra 289
CONSTRUINDO A SUA MARCA

30. Paula Costa 297
PAIXÃO POR ENTENDER AS PESSOAS

31. Priya Patel 307
SONHAR E CRESCER

32. Rafaela Passos 315
OS DEGRAUS QUE CONQUISTEI

33. Sandra Martinelli 325
O PAPEL DO MARKETING NO FUTURO DE ANTÔNIA

34. Silvana Balbo 335
UMA CARREIRA COM PROPÓSITO

35. Simone Vidal 345
MARES CALMOS NÃO FAZEM BONS MARINHEIROS

36. Stephanie Christian Saeta 355
OS VALORES DE UMA JORNADA DE EVOLUÇÃO

37. Tatiana Brammer 365
SIM, PODEMOS!

38. Tatyane Luncah 373
O QUE A GENTE FAZ PODE MUDAR O MUNDO

39. Vanessa Vilar 381
LIDERANÇA COM PROPÓSITO

PREFÁCIO

por Luiza Helena Trajano
(presidente do Conselho de
Administração do Magazine Luiza)

O mercado está, finalmente, percebendo que a mulher, há muito tempo, é quem define o consumo da casa, passando a ser protagonista no sustento e na manutenção da família e de todas as suas atividades.

Demorou, mas os antigos estereótipos de Marketing em relação à mulher foram abandonados. Se isso não acontecesse, as marcas que não reconhecessem esse fato seriam deixadas para trás. Além disso, as mulheres ampliaram seu espaço no mercado de trabalho também na área de Marketing, com extrema competência.

Graças a esse aumento, o mercado se transformou e ganhou muito com a soma das características femininas, aliada ao masculino, agregando métodos e conhecimentos que foram permitidos à mulher desenvolver.

Mas esta é uma área que exige aprendizado constante, pois esse é um mercado que se transforma a cada dia, exige troca de experiências, tanto para quem já está ocupando posição de destaque como para iniciantes e até estudantes.

O livro "Mulheres do Marketing" concentra diversos assuntos essenciais para quem trabalha na área, como intraempreendedorismo, administração e as estratégias de executivas diretoras de grandes empresas e multinacionais.

Eu recomendo, boa leitura!

INTRODUÇÃO

Por Tatyane Luncah

INOVAR É NÃO SE CONFORMAR!

Nas páginas a seguir, você vai se deparar com as características dessas mentes brilhantes do Marketing. Mulheres que estão no *backstage* das marcas do nosso dia a dia e representam o verdadeiro sentido da palavra "multitarefas". Coordenar esta obra me trouxe ainda mais inspiração sobre o cenário da representatividade das mulheres em cargos superiores. Aqui, vamos refletir juntos e caminhar um pouco mais em direção à igualdade de gêneros, valorizando essas profissionais, que têm propósito firme, inabalável e se preocupam sempre em deixar um legado para as próximas gerações e construir um mundo melhor.

Durante algumas palestras ministradas em faculdades, pude perceber que a maioria das salas é composta por mulheres, mas quando essas mulheres se formam e vão para o mercado de trabalho o funil vai se estreitando cada vez mais, e apenas 12% chegam aos cargos de diretoria em uma empresa. Sabemos que existe um viés inconsciente e, nesta obra, vamos conhecer um pouco da história de cada uma e como fizeram para chegar lá!

Elas são multitarefas porque conseguem realizar diversas ações ao mesmo tempo, e ainda sim dedicam um tempo às suas famílias. São intensas, inconformadas e nunca "mornas", estão sempre dentro do seu propósito e empenham-se no cumprimento de suas metas.

A intuição também é uma valiosa característica dessas profissionais, quando aliada ao conhecimento e estudo, como boas marqueteiras que são, conseguem entender a fio o perfil de seus consumidores.

Introdução

Um livro cheio de encantos, começando pela capa do artista Tito Ferrara, que traduz a força das mulheres, representada em suas etnias. E ainda traz o leão que simboliza o Marketing, uma atividade comum em todas as empresas que têm como objetivo conquistar, fidelizar e crescer com cada cliente.

Crescer com eles e também através deles. Sabemos que o cliente compra valor, e aqui estaremos juntos pra comprovar o quanto essas líderes são congruentes em suas ações, empenhando seus valores pessoais e inspirando cada vez mais pessoas.

Para que você entenda um pouco mais sobre a origem do Marketing, vou lhe contar a história dele.

O que conhecemos por Marketing Moderno surgiu na década de 50, no pós-guerra e logo depois do maior avanço da industrialização mundial, período que fez com que a competição por mercados se acirrasse. Foi a partir daí que o cliente passou a ter mais poder de escolha, optando por um produto que poderia lhe trazer mais benefícios pelo preço mais justo.

E para que essas necessidades dos clientes fossem supridas, surgiu o Marketing. A palavra em Inglês "Marketing" significa "O mercado em ação", que para a Administração representa o relacionamento comercial entre empresa e cliente. Também se refere à utilização de todas as ferramentas possíveis de uma organização com o objetivo de levar mais satisfação aos seus clientes.

No Brasil, o conceito de Marketing foi introduzido em 1954 pela Escola de Administração de Empresas de São Paulo, da FGV - Fundação Getúlio Vargas.

A história do Marketing teve algumas fases no Brasil: a 1ª na década de 1950; a 2ª em 1960, a 3ª nos anos 1970; a 4ª na década de 1980 e a 5ª nos anos 1990 e início do século XXI.

1ª FASE – DÉCADA DE 50

Neste período, algumas marcas vieram ao Brasil e se estabeleceram, o que faz de muitas delas referências para o consumidor até hoje, são marcas como Leite Moça, Maizena, dentre outras. Mesmo com a escassez de recursos da época, essas marcas saíram na frente utilizando o rádio, revistas e jornais, além de participar do início da TV no país. São esses produtos que até hoje estão na memória dos brasileiros e, pela sua unicidade, a marca e o produto em si são facilmente confundidos.

O papel das agências de publicidade na época era desenvolver propagandas de acordo com as determinações das empresas americanas, o que não trazia muita liberdade de criação para os profissionais da área, muito menos a adequação das campanhas ao público brasileiro.

2ª FASE - DÉCADA DE 60

O contexto político também influenciou a história do Marketing. No início dos anos 60, com o regime militar, a economia teve uma enorme queda e muitos profissionais da área de propaganda e vendas tiveram de conter seus esforços.

No final dos anos 60, o movimento da economia ressurgiu, trazendo de volta os investimentos em Marketing. Como motivação, os investimentos em comunicação e transportes da época trouxeram um impulso na área do Marketing, consumidores e produtores puderam contar com mais facilidades e estruturas no sistema de mercado.

Um dos fatores mais importantes para o desenvolvimento do Marketing, sem dúvida, foi a facilitação da logística através da construção de rodovias e ferrovias. Com isso, notou-se, por exemplo, o aumento de redes de lojas especializadas no país.

3ª FASE - DÉCADA DE 70

O consumidor passou a comprar mais e, consequentemente, as indústrias também precisaram produzir mais, o que acabou direcionando grande parte dos investimentos aos processos de produção nas fábricas e não mais às estratégias de Marketing.

Mas, aos poucos, as indústrias perceberam que antes de vender os seus produtos eles precisariam fazer com que suas marcas fossem lembradas pelo consumidor. Nesse momento surgiu o termo "Marketing de Relacionamento com o cliente", também conhecido por "Marketing de Consumo".

4ª FASE - DÉCADA DE 80

Entre 1980 e 1995 houve um descontrole da inflação, este período foi conhecido como "anos das ilusões perdidas". A economia ficou estagnada e os investimentos em Marketing acabaram perdendo relevância. Para as indústrias, não fazia mais sentido investir em propaganda, uma vez que os seus consumidores tinham dinheiro apenas para a compra de itens essenciais.

O aprendizado nesse período foi muito importante, já que os profissionais de Marketing precisaram lidar com uma situação de crise de profissionais da área e de consumidores.

5ª FASE - DÉCADA DE 90

A década de 90 foi um divisor de águas, depois da crise. Com o surgimento do plano real, o Marketing voltou a ser o sistema mais indicado para obter resultados e, assim, passou a receber mais investimentos.

Nesse período a informática foi um fator impulsionador da economia e do processo de vendas. Com a preocupação de que os investimentos no geral não tivessem um retorno esperado, surgiu também o conceito de "Gestão de Risco".

Assim, o Marketing passou a ser mais flexível, com mais possibilidades, uma vez que se adaptou ao seu mercado de consumidores, cada vez mais exigentes.

O MARKETING DO SÉCULO XXI

O século XXI trouxe a globalização, e com ela a percepção e abordagem de "mercado único", em que a comunicação das marcas é dirigida para o público como um todo. Um exemplo disso são campanhas vindas da Europa que acabam sendo replicadas na América, ou vice-versa. Grandes companhias tendem a direcionar suas campanhas às suas filiais espalhadas pelo mundo.

E O QUE VEM A SEGUIR?

Atrevo-me a dizer que o "mais do mesmo" morreu, e que as pessoas não falam mais com empresas e indústrias, elas falam com pessoas! O Marketing, como sempre, encontrará grandes desafios para suas próximas estratégias, a regra não é mais vender, é encantar os clientes, é transformar cada compra em uma verdadeira experiência.

1

Adriana Bahia

MARKETING & GENTILEZA: CONEXÃO TOTAL

Adriana Bahia

Gerente de Pesquisa de Mercado da Bradesco Seguros

Pós-graduada em Pesquisa de Mercado e Opinião Pública pela Universidade do Estado do Rio de Janeiro. Atua há 18 anos em Inteligência de Mercado. Atualmente está à frente da Gerência de Qualidade e Relacionamento com Clientes, onde responde sobre todos os Indicadores de Satisfação de Stakeholders, Posicionamento e Recall de Marca, além de Estudos de Tendência e Inovação de Mercado.

Coordenadora do GT de Insights da ABA Rio e professora convidada da ESPM Rio (Escola Superior de Propaganda e Marketing).

adrianaffbahia@gmail.com
www.linkedin.com/in/adriana-bahia-b3a810144

Começo citando a bela obra do alemão Wim Wenders *Asas do Desejo*, considerado um dos melhores filmes da década de 80. A história se passa em Berlim e conta a experiência de dois anjos que circulam pela cidade de forma invisível, lendo os pensamentos dos seres humanos. O drama releva um paradoxo: um anjo querendo ser mortal para sentir as experiências humanas. Deixando a poética do filme de lado, não seria o grande desejo dos profissionais de Marketing: **conseguir penetrar no pensamento mais íntimo dos seres mortais, assim como fazem os anjos? Entender seus desejos, seus anseios e suas vontades?** Afinal, como disse Jaime C. Troiano, e eu concordo plenamente com esta afirmativa: "O consumidor diz o que pensa, mas faz o que sente, e não há como construir marcas sem entender de pessoas".

Entender de pessoas é a minha inspiração diária e foi com esse propósito que cheguei à área de Marketing, através do **delicioso mergulho no mundo das pesquisas.** Quem é de fato o meu cliente? O que ele pensa? O que ele quer? Como gostaria de ser tratado? O que busca nas marcas com que interage no seu dia a dia? Como a minha marca impacta na sua vida? Ele está feliz com a minha marca? Incessantes esforços na busca de entender o comportamento do consumidor é a missão do profissional de Marketing e, puxando a sardinha para o meu lado, é o papel do pesquisador, que também pode ser conhecido como **o gerador de *insights*.**

Às vezes esquecemos de que também somos clientes e, como tal, qual é o nosso desejo senão sermos bem atendidos e principalmente respeitados nos nossos direitos. **Queremos o simples: o básico bem feito.** Talvez alguns *millennials* não conheçam o músico e poeta brasileiro Gonzaguinha, mas a geração X vai lembrar-se destes versos, certamente: "A gente quer carinho e atenção/A gente quer calor no coração/A gente quer suar, mas de prazer/A gente quer é ter muita saúde/A gente quer viver a liberdade/A gente quer viver felicidade...". É, queremos sim **"carinho e atenção",** queremos ser surpreendidos positivamente, vivenciando novas experiências nas nossas relações com as marcas.

Gostar de gente é a premissa fundamental para entender de gente. Vou um pouco mais longe, quando somos apaixonados pela vida, valorizamos as experiências do cotidiano. Eu tenho várias paixões na vida: tomar um cafezinho com amigos, bater um papo agradável e revigorante para continuar a jornada do dia; sentir uma brisa fresca no rosto no momento da corrida de sábado – o vento batendo na pele suada é uma sensação maravilhosa –, ou conversar com o marido e meus filhos, Pedro e Mariana, na pizza familiar de sexta-feira à noite. **A vida é simples assim.**

Então, por que às vezes complicamos o simples?

Será que precisamos de tantas horas de reuniões nas empresas, seguidas de *e-mails* intermináveis, que muitas vezes apenas repetem o assunto que acabamos de discutir? Penso que nós, líderes, precisamos de uma pitada maior de ousadia e confiança dentro de nossas equipes. Alguém tem a resposta do porquê ainda somos tão burocráticos dentro das companhias, se vivenciamos a era digital? O avanço acelerado de novas tecnologias ainda não é suficiente para criarmos processos mais simples nas nossas atividades? Confesso aqui meu desapontamento com tantos processos 'engessados' que ainda temos nas empresas brasileiras, e na esperança que você, ao ler este livro, tome decisões cada vez mais **facilitadoras**. Momento de reflexão: **ser simples é ser feliz, e ter clareza de propósitos.**

Falando de felicidade, a CVA Solutions, empresa de pesquisa, e a TheWill2Grow, empresa de *Executive & Life Coaching, entrevistaram 5.200 brasileiros em todo* o País para aprofundar o conhecimento sobre o tema. O que leva as pessoas a obterem resultados mais positivos em suas vidas? Através de uma visão psicológica, comportamental e social apresentada pelos autores, chegaram à seguinte conclusão: as classes mais altas são mais felizes que as classes mais baixas. Esse resultado parece óbvio, não é mesmo? No entanto, a pesquisa aponta que a renda domiciliar contribui para o aumento da felicidade sim, mas até um determinado valor. A partir de nove salários mínimos a felicidade sentida tende a ficar estável e o aumento da sensação começa a depender mais de outras variáveis, como espiritualidade, qualidade dos relacionamentos familiares, amorosos e sociais, empatia, tolerância com o outro e, principalmente, **ter um propósito ou objetivo na vida.**

Qual o nosso propósito de vida? Sente-se, que lá vem uma história de como um simples cafezinho pode mudar a vida de uma pessoa para sempre. Um executivo contou em um dos *workshops* de líderes que a sua mãe foi a pessoa mais gentil que conheceu durante a sua vida, e que através de um ato de gentileza praticado por ela, há mais de 35 anos, ele ingressou na organização em que atua até os dias de hoje, ocupando atualmente o cargo de diretor-presidente. O que a mãe dele fez? Vendo que alguns senhores, que desembarcaram de um pequeno avião que acabara de pousar num pequeno aeroporto no interior do Rio Grande do Sul, procuravam tomar um café no balcão do pequeno bar fechado que ficava na pequena sala de desembarque, ofereceu o café que estava preparando para seu marido que trabalhava como controlador de voo nesse aeroporto. Esse grupo de senhores era composto por profissionais de um dos maiores bancos do País, que agradecendo o gesto da mulher, e vendo que ela estava aflita por notícias de seu filho que estava procurando emprego, ofereceram uma oportunidade para ele, mesmo sabendo que ele, com apenas 18 anos, não tinha experiência profissional, dizendo: **"Se seu filho tiver a metade da generosidade que a senhora teve em nos servir este café, ele poderá ter um futuro brilhante no banco".** A generosidade da mãe definiu a carreira do filho. No mesmo momento em que ele expressava a sua bela história de vida, eu me questionava: **"Como meus filhos me percebem? O que pensam de mim?"** Imediatamente reafirmei um dos meus propósitos de vida: quero de fato adquirir o hábito de ser gentil.

Gostamos de mandar e não de servir, não é mesmo? Então, a partir deste momento faço um convite a vocês, leitores: exercitar a prática do servir. Que tal servir um cafezinho fresquinho para o seu time, ou para o seu gestor, ou para o seu colega ao lado? Mas pratique esse pequeno gesto naturalmente, de forma verdadeira e espontânea. Depois desse exercício gostaria de saber a sua experiência com esse pequeno gesto de gentileza. Combinado?

Novo momento de reflexão: "Assim como o sol derrete o gelo, a gentileza evapora mal-entendidos, desconfianças e hostilidade". (Albert Schweitzer)

Dia a dia na área de Marketing – **loucura geral**. A maioria dos colaboradores está ligada em 220 volts, como eu, é claro. Sempre planejando os melhores eventos, preparando *releases,* gerando mídias espontâneas para manter a marca presente, selecionando a campanha publicitária mais estratégica, monitorando a logomarca, pesquisando a satisfação dos clientes, realizando *benchmarking* para posicionamento de mercado, selecionando convites e brindes, divulgando as ações da companhia internamente, criando conteúdo relevante para a presença *online* da marca. A lista de atividades é interminável no mundo da mídia e da comunicação.

No meio do caos da área de Marketing encontramos os incríveis *millennials*: Mariana, Lena, Pedro, Carol, Felipe, Juliana, Karin, Luan, Lalume e tantos outros, além da minha maravilhosa equipe de pesquisa, é claro. Jovens apaixonantes, inteligentes, com pensamento rápido, flexíveis, práticos, simples, e que vivem viajando – literalmente. "Enxergam a vida através de uma tela de celular e querem mudar o mundo", como diz Walter Longo, presidente do Grupo Abril. Com eles aprendo a não ter "aquela velha opinião formada sobre tudo". Pode acreditar, essa relação é para mim muito **energizante**. Em contrapartida, a troca com os meus amigos da geração X – que estão no comandando das equipes – me fortalece e auxilia nas tomadas de decisões. Conviver com essa mistura de gerações é a fonte da minha inspiração para desenvolver novos estudos. Celebremos a diversidade dentro das empresas, a pluralidade de perfis – o diferente –, pois é assim que se fortalecem as relações corporativas. Fica a dica – **Aceite o novo e o diferente de você.**

Uma das competências necessárias para o profissional de Marketing é a visão globalizada. Não podemos limitar o nosso campo de atuação e, principalmente, de conhecimento. Como conquistar e reter o cliente sem ter interdependência entre as áreas da companhia? Marketing precisa interagir com as áreas de: produtos, TI, comercial, financeira, e com outras que se fizerem necessárias. Dica: levante da sua cadeira, deixe o celular na mesa e vá conversar pessoalmente com o seu cliente interno, com seus pares, com pessoas de outros departamentos, escute a 'dor' das outras áreas, saia do seu mundinho, você não pode ser o "cego do castelo". Construa pontes, conexões nos relacionamentos e depois me conte como foi o *tour* da experiência de ouvir o outro. Um detalhe: o exercício do diálogo é contínuo. **Resultado esperado com esta ação: soluções mais criativas e acertadas.**

Praticamos a diferença no Marketing ou em qualquer área da companhia desde que sejamos atuantes, inovadores e principalmente gentis. Até a tecnologia do *big data* precisa de uma mente brilhante para analisar as informações das diversas fontes de dados e gerar insumos poderosos. Não seremos substituídos por 'seres robóticos', fiquem tranquilos. **Somos seres com automotivação e persistência. Eu acredito. E você, leitor?**

Fazer mais com menos. Vivemos a era da revolução tecnológica, mudanças socioeconômicas importantes, tais como: maior longevidade, trabalho flexível e empoderamento feminino. "65% das crianças entrando no ensino fundamental irão trabalhar em carreiras que ainda não existem." - *The future of Jobs, World Economic Forum, Jan 2016*. O mundo passa por uma profunda transformação, precisamos gerar resultados no presente e construir o futuro. Como fazer? Aposte em ações simples: trabalhe com vontade, com ética, seja transparente e verdadeiro. Precisamos ir muito além dos índices de satisfação dos clientes, é necessário **entender a 'alma' do novo consumidor.**

Para terminar: a Terra está em movimento. Tudo na vida é movimento. As organizações estão em constantes mudanças e é claro que o Marketing e as marcas também se movimentam e são vivas. Está tudo integrado e ligado em redes. **Então, conecte-se. Invista em você, pratique a gentileza e seja feliz!**

2

Adriana Knackfuss

POSSIBILIDADES INFINITAS

Adriana Knackfuss

Graduada em Design Gráfico com MBA em Marketing e Negócios pelo Ibmec, dedica sua carreira à indústria digital brasileira desde 1999. Ao longo dos anos, teve a oportunidade de trabalhar em agências de comunicação e também na Globo.com. Desde 2007 na Coca-Cola Brasil, atuou dez anos na área de Marketing, tendo o incrível desafio de conectar marcas e consumidores todos os dias. Em junho de 2017, assumiu a vice-presidência de transformação digital, e tem a responsabilidade de promover uma mudança significativa na forma como a empresa faz negócio, a partir da lógica digital.

A adaptabilidade vem se firmando como a competência pessoal mais importante para o mercado de trabalho e para outros aspectos de nossas vidas. É ser capaz de estar em um ambiente que muda o tempo inteiro, porque esse é o novo normal. Essa característica e meu gosto por mudança e desafio são os principais responsáveis pela minha virada profissional, pela minha entrada na área de Marketing, em 2003. Ao mesmo tempo, também são alguns dos responsáveis por minha permanência e evolução no setor.

Faço parte de um grupo ainda muito pequeno no País e no mundo de mulheres em cargos de liderança. Desde junho de 2017, sou vice-presidente de Transformação Digital da Coca-Cola Brasil, uma área nova na empresa. Cheguei ao posto dez anos após a minha entrada na companhia. Atualmente, de dez vice-presidentes da Coca-Cola Brasil, três são mulheres, e sou a única que tem filhos.

Existem inúmeras perspectivas em relação à questão da liderança feminina, obviamente. Do meu ponto de vista, tenho analisado as dificuldades de duas formas paralelas. As barreiras individuais que as mulheres enfrentam: insegurança, sensação de não dar conta, achar que não é capaz, não ter *benchmarkings*, referências.

E as barreiras estruturais. Por exemplo, desde pequenos, ouvimos que mulher é boa em Português e homem, em Matemática. Muitas aceitam como verdade, e não há como subir em uma empresa se você não é boa com números. Falta de apoio da família ou do companheiro é outro grande problema, assim como a falta de ambição. Percebo muito que, no geral, a curva de crescimento profissional estabiliza quando a mulher chega ao nível gerencial. É a mesma época em que ela se casa, tem filhos. E é nesse patamar que a trajetória profissional do homem dispara.

Já a minha trajetória profissional foi iniciada em 1997. Formada em desenho industrial, comecei a trabalhar com foco em estratégia digital. Em 2000, ingressei no departamento de criação da Globo.com e atuei como *designer* sênior em vários projetos relevantes, como o *reality show* Big Brother Brasil. Mais tarde, passei a me interessar por mais que apenas o detalhe, por mais que tamanho da fonte ou a cor do fundo da página. A área de produto despertou minha curiosidade, e resolvi ampliar meu conhecimento em Marketing.

Cursei dois MBAs, em Marketing e em Gestão de Negócios, no Ibmec, custeados por mim mesma, e consegui mudar de setor dentro da organização. Trabalhei como gerente de produto e participei, por exemplo, do lançamento da Globo.com como um *Internet Service Provider*.

Um convite inesperado mudou ainda mais o rumo da minha carreira, em 2007. Um antigo chefe foi para a Coca-Cola Brasil como gerente de Marketing digital e me chamou para trabalhar como terceirizada. Embora houvesse riscos e estivesse deixando a segurança de uma empresa que vi crescer, uma equipe próxima, aceitei, pedi demissão. E acabei tendo sorte. Ele foi promovido, e fui contratada para sua vaga.

Esse primeiro ano na empresa foi intenso. Cheguei com uma disciplina nova (digital) em uma área nova - a Comunicação Integrada de Marketing havia sido criada em 2006. Não havia ainda o entendimento da importância da área digital para a companhia. Ao digital era destinado um pedaço pequeno da verba. Trabalhávamos com uma complexidade enorme, com 13 agências digitais diferentes, uma para cada marca, o que causava dificuldade de gerenciamento. Também não tínhamos processos estabelecidos e métricas que nos auxiliassem.

O passo seguinte foi maior. Meu ex-chefe pediu demissão, e assumi a gerência de Marketing digital. E para ficar no cargo percebi que muitas mudanças eram necessárias no departamento, porque era um ambiente pouco acolhedor. Fizemos concorrências, selecionando agências pequenas e criativas. Trouxe um time, estabelecemos as métricas, os processos. Era uma rotina puxada, não tinha *home office*, muitas vezes trabalhava na empresa nos fins de semana. Em meio a esse furacão ainda me casei.

Começamos a colher os frutos do que foi implementado já no ano seguinte. Consegui me conectar bastante com o time global da The Coca-Cola Company. O Brasil virou referência, dentro da empresa, do trabalho de Marketing digital. Conseguimos trazer agendas bem inovadoras, como a proposta digital para a Coca-Cola Zero (hoje, com o nome de Coca-Cola zero açúcar), que havia sido lançada em 2007. Fizemos uma campanha muito grande, com destaque para o celular customizado de Coca-Cola zero açúcar, com conteúdo embarcado.

Com o resultado desse esforço, passamos a questionar o motivo pelo qual separávamos o digital do restante das áreas da empresa. Nesse momento, fui promovida ao cargo de gerente de Conexões com o Consumidor. Com um time bem maior, passei a olhar a mídia integralmente, toda parte de TV, rádio, enfim, todos os pontos de contato, incluindo digital.

Meu primeiro filho, Gabriel, nasceu em 2010. No fim de 2013, chegou o Rafael. Como todas sabemos, não é simples conciliar as demandas do trabalho com a criação dos filhos. Mas meu marido, Guilherme Maia, *designer*, sabe que a tarefa é do casal. Ele não ajuda, ele divide. Temos juntos um projeto de família, que inclui nossos trabalhos.

Para fazer esse projeto funcionar, acredito que não é preciso separar o profissional do pessoal. Ao contrário, envolvo os dois mundos. Os meninos vão à empresa, conhecem as pessoas que trabalham comigo. Não me importo de sempre estar conectada. Aliás, prefiro, porque posso sair mais cedo alguns dias, ficar com eles, e resolver o que precisar *online*. Minhas horas livres são deles.

Ainda assim a culpa aparece, claro. Não estou disponível o tempo todo. Durante as viagens, posso ficar 15 dias longe de casa. Numa ocasião, depois de um telefonema do meu filho mais velho, se não fosse a ponderação de meu marido, teria adiantado a volta para casa. Mas a verdade é que não seria uma mãe melhor se deixasse o trabalho, porque não estaria feliz.

Logo após meu retorno da licença-maternidade, em abril de 2014, outras mudanças vieram. Assumi uma nova função: diretora de Real Time Marketing. Fui a primeira pessoa do mundo a ter essa posição dentro da The Coca-Cola Company. E não era pouco o que se esperava do setor, tínhamos quatro meses para montar a grande operação que seria o Marketing da empresa durante a Copa do Mundo da FIFA 2014, no Brasil.

Gosto da folha em branco. De ter a liberdade de construir, de tentar e também de errar. Aprendi também que é importante não termos vergonha de admitir nossas qualidades. Digo sempre para não ter medo de dizer em que se é bom. E sou boa com a folha em branco, em pensar o futuro.

De abril a junho de 2014, fizemos funcionar a operação de *real time*, que pode ser resumida como estratégia cujo objetivo é criar um vínculo entre a marca e seu público-alvo ao mesmo tempo que o evento está sendo realizado. Éramos cerca de 50 pessoas trabalhando em um *bunker* no subsolo da companhia. Um grupo tomando decisões em tempo real, criando conteúdo em tempo real.

Esse foi o primeiro momento em que nosso trabalho apareceu para fora de forma muito positiva. Tanto dentro da The Coca-Cola Company como para o mercado brasileiro. Isso porque a operação fez com que a empresa atingisse métricas de liderança, como de marca mais associada ao evento. O fato é que o *real time* virou um *case* importante no mercado de comunicação.

No ano seguinte, assumi como diretora de Comunicação Integrada de Marketing. De novo, repensei toda a estrutura da área, com ênfase na lógica de *real time*. E com os Jogos Olímpicos Rio 2016, que aconteceriam em dois anos. Vínhamos da experiência vitoriosa da Copa do Mundo da FIFA 2014. Durante esse ano, exercitamos essa lógica do *real time* em campanhas normais, ao mesmo tempo em que alimentamos a expectativa do que seria feito para as Olimpíadas.

E foi nessa época também que caiu para mim a ficha da importância da liderança feminina. Vindo de uma estrutura relativamente pequena, de digital, não imaginava que fosse ficar tanto tempo em uma empresa como a Coca-Cola Brasil. Mas, de repente, me vi líder de uma área grande, com enorme responsabilidade. Olhando para o lado, havia poucas mulheres liderando e, olhando para cima, menos ainda. Comecei a fazer um trabalho com a equipe sobre liderança feminina, trouxe uma *coach*. Por ser um tema importante para mim, continuo participando de eventos fora da empresa.

Se em 2014 era *real time* para o Brasil, em 2016 fizemos para o mundo. Exportamos o conteúdo. Trabalhamos com o time global. Saímos do *bunker* da Copa para o Boulevard Olímpico. Havíamos conquistado credibilidade. Eram cem pessoas trabalhando direto, como uma grande redação de jornal no final do dia, com geração de conteúdo em tempo real. Dessa vez, estávamos conectados não só com time global, mas com eventos, música, *shows* ao vivo.

Depois desses dois grandes palcos, a pergunta que pairava era o que viria em 2017. A companhia entendeu que deveria ser o ano de sair do *real time marketing* para a *real time operation*. Em junho, fui promovida a vice-presidente de Transformação Digital, com o objetivo de levar essa lógica que aplicamos no Marketing para a empresa como um todo.

Minha trajetória tem esforço, dedicação, alguma sorte. Mas também foi o encontro das coisas de que gosto com uma empresa que me ajudou a descobrir em que sou boa. Porque também tem esse fator. Às vezes, o lugar em que você está não favorece essa autodescoberta.

Tenho uma autocobrança muito alta, mas não acho que é por ser mulher. Talvez por ter vindo de espaços menores, do digital. Passei muito tempo tendo que provar que o que eu fazia era importante. Em 2016, entrei na lista do *Woman to watch in Brazil*, mas a coroação, o fechamento de todo esse meu processo dentro da área de Marketing foi a Coca-Cola Brasil ter conquistado pela primeira vez o Prêmio Caboré, o mais significativo na área de comunicação.

Além de toda a agenda digital, tenho como premissa para a Transformação Digital a diversidade. Afinal, se é uma área de mudança, a própria equipe tem de ser a transformação. Formei um time que agrega diferentes minorias. Temos a chance de construir um setor que seja um exemplo para a companhia.

Sempre foram muito importantes para mim as atividades fora da empresa. Tenho tido a oportunidade de fazer contatos. Conquistei um *networking forte*. Cada pessoa que conheço é algo novo que estou aprendendo. Tenho participado de agendas fora da companhia que não estão relacionadas diretamente à Coca-Cola Brasil, falando sobre digital na maioria das vezes. A resposta não vai estar aqui de jeito nenhum. A resposta vai estar fora. Quanto mais ficarmos trancados, menos estaremos acertando.

Comecei a desenvolver cedo muitas das características que me ajudaram a traçar minha trajetória profissional, com inspiração familiar e da escola. Sempre fui independente, corria atrás do meu dinheiro, vendia brigadeiro. Quando meus pais, Celina Batalha e Irocy Knackfuss, ambos professores universitários, se separaram, fui para Tiradentes, Minas Gerais, com minha mãe, e voltei para o Rio aos 12 anos para viver com minha avó. Estudei no Colégio de Aplicação da Universidade Estadual do Rio de Janeiro (UERJ), um lugar de diversidade social e econômica. Aos 18, fui para os Estados Unidos morar com um tio.

Mas escolher a profissão não foi fácil. Muitas dúvidas, que só terminaram no dia em que fui ver uma exposição de desenho industrial da Escola Superior de Desenho Industrial (Esdi) e fiquei encantada. Fui muito feliz na faculdade, achei que tinha me encontrado profissionalmente. Até que comecei a pensar em tantas outras discussões interessantes que aconteciam longe da tela do computador. O *design*, naquele momento, me parecia muito específico, e sou mais do todo.

Na família, tenho fortes figuras femininas que me inspiraram. Minha mãe, que sempre trabalhou muito, e minha tia, Natalie Batalha, astrofísica da Nasa. Mesmo com toda sua dedicação aos quatro filhos, em 2016, foi eleita uma das cem pessoas mais influentes do mundo pela revista *Time*. Fora da esfera familiar, minha principal referência é a CEO do Facebook, Sheryl Sanberg, uma voz ativa no que tange à liderança feminina no mundo.

Não é um caminho fácil, ser mãe, ser executiva, mas é possível. Com a ajuda da família, com a divisão das tarefas, mostrando aos filhos que o trabalho pode ser também uma fonte de prazer, não apenas necessidade. O Marketing, especialmente essa parte de tecnologia, continua em meus planos de futuro. É onde gosto de estar. Mas tenho grande vontade de dar aulas na universidade.

    Mesmo sendo poucas em cargos de liderança, acredito que as mulheres estão ocupando com eficiência diversos espaços no mercado do Marketing. No entanto, o maior desafio nos últimos anos é que a área está sendo drasticamente transformada. O que será do Marketing ninguém sabe mais. Antigamente, era pautado em publicidade, em construção de marca, com modelos tradicionais. Atualmente, esses temas fazem parte, mas não são a única forma. O trabalho do profissional de Marketing aumentou em complexidade enormemente. Antes era uma fórmula de bolo. Agora, as possibilidades são infinitas.

3

Ana Beatriz S.
Fuhrmann Basso

SOBRE DESENVOLVIMENTO, CARREIRA E GENEROSIDADE

Ana Beatriz S. Fuhrmann Basso
Diretora Executiva de Marketing

Filha de Sergio e Marilia Fuhrmann, esposa do Carlos Eduardo e mãe da Gabi e da Manu. Paulistana criada em Curitiba, formada em Administração de Empresas com especialização em Marketing. Trajetória profissional que inclui passagens pelas áreas de Vendas, Trade e Marketing, adquirida em empresas de segmentos, porte e origens distintas. Aprecia viagens e experiências e não abre mão de um papo sobre a jornada humana.

linkedin.com/in/anabeatrizbasso

Nasci em São Paulo, sou a mais nova dos quatro filhos. Apesar de muitos acharem que a vida de caçula é mais fácil, desde cedo aprendi que precisava me destacar de alguma forma para ter a atenção dos meus pais. Poderia ter feito isso de muitas formas, mas optei por estar sempre com as minhas obrigações em dia e levar a vida com leveza e bom humor, o que de certa forma é como vivo até hoje! Aos sete anos me mudei com minha família de São Paulo para Curitiba, no Paraná, e aí tive que desenvolver algumas das habilidades que me ajudam tanto até hoje: adaptação a novos ambientes e facilidade nos relacionamentos interpessoais.

Aos 18 anos, após retornar de um intercâmbio de um ano nos Estados Unidos, me vi pensando no que queria fazer no futuro, enquanto o prazo para as inscrições para os vestibulares se aproximava. Não via em mim a vocação para as profissões mais tradicionais, e cursos como Medicina, Direito ou Engenharia passaram longe de minha lista de opções. Pesquisando nos livros disponíveis da época (*internet era pouquíssimo disponível naqueles longínquos anos 90), optei pelo curso de* Administração de Empresas, inspirada pela minha irmã mais velha (que sempre admirei) e também pela possibilidade de ter um leque amplo de atuação. Uma aposta pouco inspiradora, mas que felizmente se mostrou correta e que me trouxe até aqui. Comecei a fazer estágios já no início da faculdade, e passei por empresas, bancos, até chegar a minha primeira experiência em Marketing, na época como *trainee* em uma multinacional de bens de consumo. Dois anos depois, já me tornava gerente de produto e minha paixão pela área teve começo ali. Lembro-me do orgulho que sentia quando os projetos em que trabalhava por tantos meses chegavam ao ponto-de-venda, com forma e vendas! Antes de chegarmos ao tempo em que todos na empresa falam sobre ter foco no cliente, isso já fazia parte da minha rotina, assim como na de todos que trabalhavam nessa área. Imaginávamos o cliente manuseando nosso produto, falando dele com amigos, recomendando. Exatamente o que faço até hoje, mas com ferramentas, tecnologia e termos novos! Fiquei por mais três anos nessa empresa e então optei por uma mudança para São Paulo, aliando uma oportunidade profissional do meu marido à busca de novos desafios e aprendizados que tinha na época. E aqui estou há mais de dez anos. Logo após a minha chegada, trabalhei por dois anos em uma empresa nacional de bebidas, que passou de uma gestão familiar a uma gestão profissionalizada e depois para a familiar novamente. Fui da área de *trade*, também da área de vendas, e nessa época tive a minha primeira filha, a Gabriela. Optei por não retornar à empresa após a licença-maternidade e aproveitei aquele tempo com a minha filha com a consciência de que seria um período muito especial para ambas. Não tive a preocupação de voltar ao mercado antes do tempo, o que foi uma das decisões mais acertadas da minha vida e me recordo desse tempo com muito carinho. Quando a Gabi fez seis meses, aceitei uma proposta que fez novamente meus olhos brilharem – estruturar a área de Marketing de uma empresa que estava nascendo. Era a minha oportunidade de voltar à área que tanto gostava e ainda uma oportunidade profissional única – não é todo dia que construímos algo do zero! Foram tempos de muito trabalho e também de muitas realizações, alegrias, aprendizados, algumas (poucas) frustrações e um orgulho enorme que carrego até hoje. Somado a isso, veio a construção de um time incrível, pessoas tão diferentes e especiais e que juntas faziam o impossível! Nesse momento, reconheci em mim outra forte competência: a de formar e gerir times de sucesso. E foi durante esse período que tive a minha segunda filha, a Manuela. Diferentemente da Gabi, a Manu teve que dividir a mãe com o trabalho muito antes do que imaginávamos, já que nasceu praticamente junto com a nova marca da empresa.

Depois de quase cinco anos de muitas realizações, era a hora de dar um novo passo na carreira. À frente, o desafio de consolidar uma marca no Brasil, que já era reconhecida em outros 43 países. Um desafio com algumas semelhanças à minha experiência anterior, pensando no que precisaria ser construído, mas com a diferença de ter para onde olhar – referências de outros mercados e equipes. Veio então a construção, a desconstrução e a reconstrução da equipe, mas as entregas chegaram, assim como a sensação de estar cercada de pessoas incríveis. A área de Marketing é, sim, apaixonante, mas acompanhar o desenvolvimento de pessoas que você gosta e admira provou ser ainda mais especial para mim. E acredito que isso veio junto com o meu amadurecimento profissional. No início, naturalmente, era muito focada nas minhas entregas individuais e no desenvolvimento da minha própria carreira. Hoje, me orgulho do desenvolvimento e das entregas dos outros, a quem eu pude de alguma forma apoiar ou até mesmo inspirar. E essa foi uma das minhas mais recentes descobertas: a de que eu posso inspirar outras pessoas!

E quando falamos em inspiração, precisamos mencionar algo que está muito relacionado a isso – a representatividade. Vejo que as empresas estão cada vez mais entendendo que a diversidade no local de trabalho é fundamental e que faz muito bem para o negócio, principalmente na questão de gênero. A trajetória profissional da mulher está muito ligada a sua vida pessoal e, portanto, as empresas que estão investindo em ambientes e jornadas de trabalho mais flexíveis, assim como em programas voltados ao público feminino (creches, espaço para amamentação etc.) se tornam muito mais atrativas para as mulheres, que querem crescer profissionalmente, mas precisam equilibrar suas outras funções – principalmente seu papel de mãe. Além disso, vejo que os homens também estão mudando e querem cada vez mais exercer um papel diferente na nova família – fugindo do antigo estereótipo de ser apenas o provedor. Isso faz com que os casais cada vez mais dividam as atividades familiares, o que tira um pouco da sobrecarga da mulher, criando um ambiente onde carreira e família podem ser equilibradas para ambos. Por falar em ambiente, um dos grandes desafios nas organizações hoje em dia é o de atrair e reter talentos e eu acredito fortemente que uma profissional que se sente apoiada e amparada pela empresa para poder cumprir também o seu papel de mãe pensará duas ou mais vezes antes de ir para uma nova empresa.

 Se essa profissional entende que essa empresa lhe permite conciliar seus diferentes papéis, certamente se sentirá muito mais engajada e motivada. Para mim, conciliar a vida pessoal com a profissional é um exercício diário de organização do tempo. Avalio minhas demandas e necessidades e com isso consigo planejar e ajustar minhas atividades. Minha família é e sempre será a minha prioridade, mas não necessariamente consigo dedicar a ela o tempo ou estar presente com a qualidade que gostaria. Saber lidar com isso é fundamental e, mais ainda, é contar com o apoio necessário – do pai/marido, da família, que precisam estar na mesma sintonia.

 Durante a minha carreira sempre tive que superar desafios e a complexidade deles aumentou com o decorrer dos anos. No início, prazos ou orçamentos muito curtos ou mudanças constantes em projetos eram as coisas que mais tiravam meu sono. Hoje, meu maior desafio é me manter atualizada perante tantas novidades e tecnologias, mas mais importante que entender sobre o que há de novo é selecionar o que de fato deve ser absorvido e aplicado nos meus desafios atuais. Vejo que muita gente adota novas tecnologias ou ferramentas sem saber exatamente o que vai ter de melhoria – o fazem apenas para ficar "por dentro"! Faço parte de uma geração que, apesar de não ter nascido com *internet* e tantas outras tecnologias, teve acesso a elas já no início da carreira, então de certa forma nós somos a geração do "meio", que está entre a geração analógica e geração dos nativos digitais. Nosso desafio, portanto, é incentivar e principalmente orientar essa nova geração, que traz não só o conhecimento digital em seu DNA, mas também a mentalidade de viver em um mundo *"em beta"*, em constante mudança e onde verdades absolutas e modelos de negócios infalíveis não existem mais.

 Quando entrei no mercado de trabalho, o telefone celular já existia e o acesso ao *e-mail* corporativo remoto também, mas no início era restrito aos cargos mais altos. Considero a tecnologia e a possibilidade de conexão 24 horas como uma grande aliada, mas a decisão de ser ou não a qualquer momento sempre foi minha. Em momentos que assim exigiram, fiz uso dela e me foi muito útil. Acordar no meio da noite preocupada com um *e-mail* que precisava ser enviado e poder resolver na hora, por exemplo, me traz grande alívio e não desconforto. O que não pode acontecer é deixar de aproveitar a sua vida além do trabalho, descansar nos finais de semana, viajar, conhecer novos lugares, estar entre família e amigos – coisas que fazem não só a vida mais feliz como também melhoram e muito o nosso desempenho no trabalho.

Meu principal conselho para quem ainda está na faculdade é para que aproveite esse momento para experimentar. Experimente trabalhar em áreas, funções e empresas diferentes. Em todas elas, reflita sobre o que você gosta ou não gosta. Isso vai ajudar na definição de qual caminho seguir e validar a sua escolha profissional. Isso também ajuda a identificar o ambiente e a cultura que mais se aproximam de seus valores, o que faz muita diferença na carreira das pessoas e muitas vezes elas não se dão conta!

Assim como as pessoas, as empresas são diferentes e nem sempre competência e habilidades técnicas são suficientes para garantir uma carreira de sucesso. Estar em um ambiente em que você se sinta bem, que consiga tirar o melhor de você, onde você não só sinta desafiado, mas também apoiado pode ajudar muito. Quando encontrar esse lugar dedique-se, faça mais que o esperado, isso é imprescindível para quem quer ter uma carreira de sucesso – ela não cai do céu. Além disso, não subestime as *soft skills,* ou seja, as habilidades comportamentais. Saber trabalhar em equipe, ter boa comunicação, ser resiliente e ter boa leitura de ambiente são competências fundamentais para ter sucesso no ambiente empresarial e podem ser aquele empurrãozinho extra para sua promoção. Talvez aqui as mulheres levem vantagem, já que são muitas vezes mais atentas a essas competências que os homens. Reconheça-as, reforce-as e aproveite!

Meus pais sempre foram minha grande inspiração e cada um contribuiu de forma diferente na minha formação. Meu pai me ensinou muita coisa, mas destaco aqui a importância de estar sempre próximo da família e amigos, combustível imprescindível para a nossa vida. Além disso, como profissional, sempre esteve à frente de seu tempo, estudando e propondo novas formas de enxergar as situações. Muito atuante em sua área, liderava grupos de discussão, entidades e nunca perdia uma oportunidade de juntar pessoas para uma boa conversa. Para promover tantos encontros, dedicava-se muito, mesmo com mais de 50 anos de carreira. Leitor voraz, consumia todo tipo de conteúdo, o que lhe permitia opinar e conversar sobre quase tudo. Um agregador nato e que sempre provocava e respeitava os diferentes pontos de vista, afinal, como ele sempre dizia: "Nem todo mundo pensa igual". Já a minha mãe é um exemplo de superação e otimismo. Passou por inúmeros desafios ao longo da vida, mas conserva um olhar extremamente positivo com relação ao presente e ao futuro e inspira muita gente a se sentir igual. Aos 74 anos de idade mantém-se ativa, buscando sempre estar atualizada, porém, sabe muito bem equilibrar sua vida profissional com suas outras paixões: estar na companhia da família e amigos e curtir uma praia!

Hoje em dia temos acesso a uma quantidade tão grande de informação que o grande desafio é escolher e dar conta de tanta opção! Além dos livros, há muitos *sites* interessantíssimos e o que gosto muito é de buscar pontos de vista diferentes sobre um mesmo tema (ler a mesma notícia em vários jornais, por exemplo). Além disso, gosto de ler e conhecer os mais variados assuntos e acho isso fundamental para minha atuação profissional. Saber das tendências da área, mas também das novidades em tecnologia (que já faz parte do meu dia a dia) é tão importante e interessante quanto ler sobre outros temas, como espiritualidade, viagens ou economia. Acredito que essa pluralidade é riquíssima e só faz bem, precisamos estar atentos às novidades da nossa área, mas também ao que acontece fora de nossa bolha.

Falando em livros, especificamente, meu gosto também é muito variado e depende muito do meu humor no momento. Quando leio um livro mais técnico, com mais relação com o meu trabalho, gosto de ler ao mesmo tempo outro de um gênero completamente diferente.

Minha grande paixão é viajar e vivenciar culturas diferentes das minhas. Se tem algo que me causa ansiedade é olhar um mapa e ver o quanto ainda falta do mundo para eu conhecer. Uma paixão que aprendi com meu pai ainda criança, que divido com meu marido e que felizmente estou conseguindo passar para minhas filhas.

Se tivesse que dar um conselho para alguém, diria que fosse autêntico. Não se torne parte da paisagem, uma pessoa morna e sem opinião, faça-se presente em todos os ambientes que frequentar. Conheça seus pontos fracos e trabalhe para melhorá-los, mas conheça ainda mais seus pontos fortes e reforce-os com afinco. Defenda seus pontos de vista com paixão e com respeito também, saiba escutar opiniões diferentes das suas. E, por fim, seja generoso. Com as pessoas que estão ao seu lado e principalmente com você mesmo.

4

Andrea Corrêa Baptista

UMA JORNADA PROFISSIONAL

Andrea Corrêa Baptista

Graduada em Administração de Empresas com ênfase em Marketing, com MBA em Marketing pela Fundação Instituto de Administração (FIA). Vinte anos de atuação na área de marketing e comunicação em multinacionais do segmento tecnologia em posições de liderança de pessoas, áreas e projetos (Brocade Communications Systems, Hitachi Data Systems, Hewlett Packard e Sage).

Ampla experiência em planos estratégicos de *marketing* e comunicação alinhados aos objetivos de negócios. Vivência internacional diversificada com participação e atuação em eventos nos EUA e Europa.

Membro do Comitê Estratégico de Marketing da Amcham Brasil e do Comitê de Mulheres do grupo de executivos Engage. Atua no programa social Looppers do Futuro e apoia causas que envolvem inclusão e diversidade. Apaixonada por comunicação. Nas horas vagas se dedica a escrever e à panificação caseira natural de longa fermentação.

acorrea2724@hotmail.com
www.linkedin.com/in/andrea-correabaptista/
https://rolandopicnic.com/

Escolher um curso universitário, muitas vezes, é uma tarefa complicadíssima. Para mim, não foi uma escolha fácil. Pensei em diversos cursos. Decidi fazer Administração de Empresas como uma forma de ganhar um pouco de tempo para entender o que realmente gostaria de realizar no futuro.

Foi só nos últimos dois anos de meu curso que optei por estudar Marketing e me encontrei. Para alguns jovens essa escolha é natural. Para outros, como foi o meu caso, é um momento de muita incerteza. A escolha do que fazer na vida em um mundo com tantas possibilidades, entre 17 e 20 anos de idade, soa assustador.

Explorar suas opções de forma realista, fazer um *test drive* com profissionais que atuam nas áreas de interesse, conversar e sentir o dia a dia são atividades que podem ser muito úteis nesse momento. É importante colocar a mão na massa sem medo e começar a traçar seu caminho. Para deixar esta fase mais leve: nenhuma escolha precisa durar toda a vida. Em uma sociedade em constante mudança, correções de rota em carreiras tornaram-se comuns.

A faculdade é uma escolha importante, mas sem dúvida o que desenha realmente o perfil de um profissional é a atitude dele diante dos desafios. Um excelente diploma não dá a garantia de uma carreira bem-sucedida. Atualmente, muitas empresas valorizam mais o comportamento do profissional do que o seu conhecimento. Com a criação dos meios digitais para acesso à informação, o conhecimento se tornou mais democrático.

Durante minha trajetória conheci profissionais brilhantes, extremamente comprometidos e proativos. A forma como você atua e se posiciona define quem você realmente é.

Iniciei minha vida profissional estagiando em uma consultoria de Recursos Humanos. Durante a faculdade, trabalhei também em uma agência de intercâmbio. Neste período, estava buscando o meu caminho, tentava encontrar de forma prática o que realmente me inspirava e chamava minha atenção.

Depois que me formei, trabalhei em uma multinacional britânica responsável por grandes eventos no Brasil. Na sequência, fui para um escritório de *design* e arquitetura promocional. Nas duas empresas atuei na área de atendimento. No entanto, ainda não me sentia satisfeita profissionalmente. Minha busca continuava.

Entrei na área de tecnologia por acaso. Recebi uma proposta para trabalhar em uma empresa nacional de tecnologia, onde acabei ingressando na área de vendas. Era o *boom* da *internet* e as empresas ponto-com cresciam vertiginosamente. A companhia sentiu a necessidade de criar uma área de Marketing mais profissional. Assim, assumi o setor de Marketing e de treinamentos da companhia. Foram quatro anos de muito trabalho que me abriram portas. Uma delas foi o convite que recebi para trabalhar em uma multinacional americana na área de armazenamento de dados, que estava iniciando atividades no Brasil. Nesse momento, naturalmente, descobri o sentido de *networking*.

A forma como você conduz o seu trabalho é a sua assinatura profissional. E isso, sem dúvida, abre horizontes, fortalece e nutre relacionamentos. *Networking* é uma palavra da moda, mas é essencial no meio profissional. Conceitualmente, indica a capacidade de estabelecer uma rede de contatos ou uma conexão com algo ou com alguém, considerando interesses comuns. Nessa relação deve haver um sentido de reciprocidade, uma troca. Nunca como algo "interesseiro", mas como um movimento que pode ser enriquecedor no meio profissional e, quem sabe, pessoal. Foram essas relações que me abriram horizontes profissionais desde então.

Naquele momento a empresa era uma *startup* e, em 2002, fiz parte do primeiro time da Brocade no Brasil como gerente de Marketing. Esta decisão foi ousada, troquei o confortável por algo desconhecido.

A ousadia destaca os profissionais em um mundo corporativo extremamente competitivo. Seja para uma mudança de carreira, de trabalho ou nas decisões do dia a dia. Ela não está somente ligada às grandes ideias disruptivas, mas também à capacidade de tomar decisões, de se adaptar às mudanças e de se reinventar em um período de transformações. **Mas, lembre-se, tomar uma decisão ousada requer responsabilidade e capacidade de assumir os riscos.**

Na empresa, éramos quatro funcionários identificando a base de clientes, necessidades do mercado, aproximando relacionamento com parceiros e posicionando o nome da companhia no País, por meio das atividades de *marketing*, comunicação e vendas. Não tínhamos escritório. Trabalhávamos remotamente e fazíamos reuniões em cafés. Naquela época, esse modelo de trabalho não era comum, como hoje. O time era pequeno, unido, havia sinergia nos valores pessoais e objetivos profissionais. Isso fez o mercado confiar na gente e foi essencial para superarmos os desafios iniciais do trabalho remoto. Montei um escritório em casa e, como tinha muita disciplina, trabalhava muito mais do que se estivesse em um ambiente da empresa. O meu desafio foi equilibrar a minha vida pessoal com a profissional.

Em um mundo conectado e com tantas pressões, essas duas dimensões se confundem. **Hoje prefiro pensar no equilíbrio entre qualidade de vida e carreira.** Focar em momentos de qualidade para mim, para minha família e para as pessoas que amo. Buscar um *hobby* também é fundamental. Uma atividade não relacionada ao trabalho que faça você se concentrar e se dedicar. Além da higiene mental, essa atitude estimula a criatividade na sua vida profissional.

Após dois anos, novamente as portas se abriram e, em 2004, voei para outros ares. Recebi uma proposta para trabalhar na Hitachi Data Systems (HDS), multinacional americana de tecnologia com foco em armazenamento de dados, que faz parte do grande grupo japonês Hitachi Ltd. Entrei como gerente de Treinamentos para a América Latina. Criamos a área de treinamentos da companhia, que naquela época não existia. Fechamos parceria com uma empresa que tinha presença em diversos países da América Latina. Negociamos valores, escopo contratual e todos os elementos importantes para a entrega do programa de treinamentos de acordo com o direcionamento global da companhia. Quando meu desafio inicial entrou nos trilhos fui convidada para entrar na área de vendas. Aceitei a mudança.

Mais uma vez a vida estava me proporcionando um novo momento profissional. **Dizer sim para novas experiências profissionais, mesmo as inusitadas, pode te levar a lugares que você nem imagina.** Essa fase na área de vendas trouxe uma grande bagagem para a minha carreira em Marketing.

Fui gerente de contas estratégicas e atuei em clientes de médio porte por meio de parceiros. Eu estava em um nicho em que não havia reconhecimento de marca. A empresa era muito forte no segmento financeiro. Tive diversos desafios e percebi que só teria êxito se desempenhasse o trabalho realmente em equipe. Tínhamos um ambiente de trabalho agregador e isso fez a diferença.

A capacidade de trabalhar de forma colaborativa é uma habilidade essencial no mercado de trabalho. Mas o que exatamente significa isso? **Em minha experiência, sempre procurei me comunicar com clareza, saber escutar, gerir relacionamentos e administrar conflitos.** Para se chegar a isso o melhor caminho é usar a **inteligência emocional**. Este é um conceito criado e difundido pelo psicólogo americano Daniel Goleman, que caracteriza o indivíduo capaz de identificar e lidar com seus sentimentos e emoções para o seu desenvolvimento pessoal e profissional. Envolve a **busca por autoconhecimento, motivação, autoconfiança, empatia e habilidades sociais.** Podemos ser fortes em algumas dessas áreas e deficitários em outras, mas, se quisermos, temos o poder de melhorar em qualquer uma delas. Esse é um processo contínuo que vale manter vivo em todos os momentos.

Nesse processo, saber ouvir é essencial. Há alguns anos participei de uma apresentação cujo tema era *Feedback is a gift*. Feedback significa realimentar ou dar resposta a um determinado pedido ou acontecimento, ou seja, uma devolutiva baseada na percepção do outro. A retroalimentação construtiva é essencial para evoluirmos como indivíduos e profissionais. O maior desafio ao ouvir um *feedback* construtivo, diferente de nossa expectativa, é a nossa própria resistência negativa. Por isso, avalie sempre. Feedback dentro das relações pode realmente significar um presente e um crescimento profissional.

No primeiro ano, atingi a minha cota de vendas e abrimos portas em novos clientes. Mas meu DNA estava em *marketing*. Decidi fazer MBA em Marketing na Fundação Instituto Administração (FIA). Em 2007 me desliguei da empresa.

Meu planejamento de carreira tinha como objetivo ter uma experiência em uma multinacional de grande porte. Em maio de 2007, recebi uma proposta da HP para assumir a posição de gerente de Marketing de Storage (linha de Armazenamento de Dados e Backup). A HP é uma empresa intensa, com valores bastante sólidos e me identifiquei muito com a companhia. Durante sua trajetória, desde as suas origens em uma garagem de Palo Alto, em 1939, ela se tornou uma das empresas de tecnologia mais importantes do mundo.

A empresa motivava os funcionários a definirem seu planejamento de carreira. No entanto, eu mesma conduzi esse processo. **Nós desenhamos o nosso plano de carreira. A busca por conhecimento e crescimento depende do nosso foco e determinação.**

Inicialmente, meu objetivo era fazer diferença no papel em que atuava. E assim cresci horizontalmente dentro da área de *marketing*. Participava ativamente da estratégia de vendas na unidade de negócios e de projetos que não faziam parte da minha função, mas que me davam visibilidade. Durante um período abracei também as atividades da área de Marketing de Serviços de Tecnologia e de Redes. No final de 2013, assumi a liderança da área como diretora de Marketing de *Enterprise Group*, que correspondia ao portfólio de infraestrutura e soluções para datacenter.

Sou apaixonada por comunicação. Nesse mesmo ano criei um *blog* pessoal (https://rolandopicnic.com/). O trabalho absorvia totalmente a minha vida e eu tinha a necessidade de escrever sobre minhas experiências pessoais e autoconhecimento. Ele continua firme e forte!

Ao longo do tempo construímos um time robusto de geração de demanda que foi fundamental para justificar os investimentos de *marketing* no País. Passei por muitas mudanças globais, como aquisições de companhias e a separação em duas empresas em novembro de 2015: HP Inc. e Hewlett Packard Enterprise (HPE). Como já atuava há anos na área de *Enterprise Group*, minha ida para a HPE foi natural. Vivi uma grande experiência com a implementação do novo nome e logo para o mercado.

Em 2017, entrei no time de liderança da companhia como *head* de Marketing. Assumi também as atividades de relações com a imprensa e atuei fortemente na estratégia de comunicação interna, junto com o líder de RH.

Nesse mesmo ano entrei no comitê de liderança de mulheres da HPE e no Comitê de Marketing Estratégico da AMCHAM. Participei de diversos eventos externos e de Grupos de Executivos de mercado. Dediquei-me a trocar conhecimento com o mercado e novamente a fortalecer meu *networking*.

Fiquei dez anos entre HP e HPE. Amadureci profissionalmente, adquiri uma experiência importante na gestão de áreas e liderança de projetos, principalmente em situações adversas. Saí da HPE em novembro de 2017, encerrei meu ciclo profissional e cumpri minha missão.

Em março de 2018 assumi um novo desafio, como diretora de Marketing da Sage para a América Latina, multinacional britânica com foco em *software* de gestão para pequenas e médias empresas. A empresa está crescendo no Brasil e eu estou muito energizada com este novo momento da minha carreira.

Continuo buscando realizar minha missão não só profissional, mas como ser humano. O trabalho ocupa uma grande parte da nossa vida e essa dedicação deve envolver um propósito. Não importa se a sua meta é ser um colaborador em uma empresa, um grande executivo de uma multinacional ou um empreendedor. **Se você tem paixão pelo que faz, ela o impulsionará a um objetivo maior.**

Grandes realizações são ingredientes que fazem o sucesso se tornar realidade. Mas pense: quando somos jovens, sonhamos com grandes conquistas. A dúvida é "como chegar lá?" Tenha garra, atitudes inspiradoras e persistentes. Esteja preparado para adquirir conhecimento, experiências e siga seus instintos para materializar seus sonhos.

A vida profissional é uma trajetória, nem sempre o trabalho que você sonha surgirá em um primeiro momento, mas continue perseverando, pois coisas positivas surgem ao longo do caminho. **Aproveite cada oportunidade, suba cada degrau, demonstre seu talento com atitude e determinação.**

5

Andréa Naccarati
de Mello

FOLHA EM BRANCO

Andréa Naccarati de Mello

Nascida em Santos, litoral do Estado de São Paulo.

É engenheira de Alimentos, formada pela Unicamp, Campinas (SP), 1987.

Especialização em Administração, Fundação Carlos Alberto Vanzolini, Universidade de São Paulo (USP), SP. MBA Executivo Internacional, Fundação Instituto de Administração (FIA - USP), São Paulo. É filha única, casada, quatro filhos. Incansável, persistente, apaixonada pelo que faz.

Atuou na Samsung, Mondelez, Unilever, Bestfoods.

Principais marcas com que trabalhou: Samsung, Tang, Knorr, Bertolli, Hellmann´s, entre outras. Prêmios recentes:

Cannes Lions Bronze 2018 (Tech Girls Samsung, Print & Publishing); AMPRO Globes Awards Ouro 2018 (Teatro para Todos os Ouvidos Samsung. Melhor ativação de marca e melhor projeto de responsabilidade social, ambiental e educacional); El Ojo de Iberoamérica Ouro 2018 (Àudio Acordes Samsung na categoria Digital & Social); LIA Bronze 2018 (London International Awards, Áudio Acordes Samsung); 31o Prêmio Marketing Best 2018 (Brand Building Samsung); D&AD Impact 2017 (Creative Impact/Health & Wellness for Theater for All Ears Samsung)

andrean.mello@gmail.com

Bem, vamos voltar um pouquinho ao passado porque com certeza explica muito o que sou hoje.

Sou filha única. Tive uma infância muito feliz. Era um pouco mimada, devo reconhecer. Lembro-me de que um dia, enquanto o meu avô dormia, pintei sua carequinha com canetinhas Sylvapen, e o coitadinho teve que ir a um velório naquela tarde com um chapéu na cabeça debaixo de um sol de 30 graus Celsius para esconder o meu malfeito. Mas logo dei um jeito de mudar, não se preocupem...

Fui sempre uma aluna exemplar. Adorava estudar, e não me contentava com os livros e exercícios dados pelos professores em classe. Sempre tinha muitos outros livros complementares para fazer mais e mais exercícios e aprender bem as matérias. Acho que era o que hoje chamam de "nerd" (antes era outro nome). Adorava matemática, e tudo que envolvia raciocínio e números. Era uma das melhores alunas da classe. Era muito esforçada e dedicada e não desistia nunca.

Aos finais de semana, sempre saía com minhas amigas para ir à praia, cinema, discoteca (era esse o nome que se dava à balada na época) para me divertir.

Fiz *ballet* no Teatro Municipal de Santos, adorava. Tocava piano, fazia Inglês, enfim, era multitarefa e não parava nunca.

E chegou a hora do vestibular. Fiz cursinho o ano inteiro junto com o terceiro colegial. Puxado, mas valeu a pena. Porém, tinha um probleminha... não sabia o que eu queria ser... e acabei prestando vestibular para Engenharia e Medicina. Medicina sim, e o pior é que entrei na faculdade... mas acabei optando por Engenharia. E foi aí que a fase de filha única mimada acabou. Tive que me virar sozinha e aprender como as coisas realmente funcionavam (andar a pé, pegar ônibus, comer no bandejão da universidade etc.).

Logo no primeiro ano consegui estágio, depois bolsa de Iniciação Científica, fiz estágios nas férias. Agora, recordando, eu realmente não parava... isso continua a explicar muito o que sou hoje...

E finalmente, no último ano da Unicamp, fui contratada pela Refinações de Milho Brasil (RMB, grupo Bestfoods) para ser gerente de Desenvolvimento de Embalagens. Foi um início de carreira muito bacana, aprendi muito. Vou pular os detalhes dos três anos em que fiquei nessa função para logo entrar na área de Marketing, que é o objetivo deste meu capítulo.

Depois de três anos nessa área, não estava feliz, e tive a oportunidade de ser transferida para a área de Marketing para ser gerente de Inovação da marca Hellmann's. Não preciso dizer que ADOREI!

Mas no início foi engraçado. Recebia os *layouts* para aprovação e, ao invés de avaliar o todo, pegava uma régua para verificar se as medidas estavam de acordo com a especificação (sem sentido para um marqueteiro, não é mesmo?). Um atendimento da agência um dia me chamou de "Andréa Milímetro". Mas esse meu lado engenheira durou pouco. Logo descobri o consumidor, essa pessoa linda que tem crenças e necessidades, e me apaixonei...

Na RMB, fiquei na área de Marketing por quatro anos. Tive o prazer imenso de trabalhar com a marca Hellmann's numa escola de Marketing fantástica, com profissionais experientes e com muita vontade de ensinar.

Lá, aprendi que para termos sucesso não precisamos criar tudo do zero. **Copiar com orgulho (*"copy with pride"*)** de outros países do *networking* da empresa, sim, é possível. Foi o que aconteceu...

Por volta do ano de 2002, Hellmann's precisava aumentar a conexão com seus consumidores. Eu soube que Chile e Argentina tinham excelentes *cases* da marca, pedi para viajar para conhecer, e o resultado foi colocarmos o filme argentino no ar dublado, após várias pesquisas no Brasil para provar que o filme dublado funcionava e que não havia necessidade de se abrir câmera no Brasil. Foi um sucesso para a marca, e uma quebra de paradigma para a empresa. Ficamos entre as marcas "Top of Mind" de um jornal que media isso mensalmente na época.

E chegou a hora de partir... Fui para a Unilever, onde trabalhei por 15 anos. Uma escola de Marketing por excelência. Trabalhei com marcas maravilhosas no Brasil, América Latina e Europa. Muitos aprendizados e desafios.

Olhando para trás, apesar das dificuldades, porque elas existiram, sim, como em qualquer outro lugar, o que mais gostei foram minhas passagens pelas posições regionais na Europa e na América Latina. Sempre digo que para trabalhar em **posições regionais a gente precisa de 3 Ps: Paixão, Paciência e Perseverança**. Isso porque tudo é muito político, precisa de muito alinhamento, muita conversa, muita argumentação e convencimento para as coisas acontecerem. Liderança não só com as subsidiárias, mas com as áreas multifuncionais para desenvolvimento dos projetos de inovação e de comunicação. Se não tiver paixão pelo que faz e muita paciência e perseverança, a pessoa pode desistir.

Mas hoje entendo que é isso que me move e me mantém tão motivada no meu trabalho em Marketing. Não desisto nunca porque adoro o que faço.

Meus aprendizados na Europa foram muitos, mas acho que o que mais me marcou foi me darem uma "folha de papel em branco" e dizerem que queriam lançar a linha de molho de tomates e *pesto* debaixo da marca Bertolli na Europa, em 2001. E fiz. Bertolli era azeite na Itália, marca de margarina na Inglaterra, e para se tornar uma verdadeira marca da culinária italiana com todos os benefícios provenientes da vida do Mediterrâneo, precisava se expandir para outras categorias de produtos. E expandiu para oito países da Europa, se me lembro bem, com meu primeiro filme regional.

Parece fácil o que foi realizado, mas se não tivesse feito várias **pesquisas** nos países para testar o conceito da linha e **provar que havia oportunidade de negócio**, o lançamento não teria acontecido.

Ainda em posição regional, mas agora na Unilever América Latina, em 2003, a estrutura regional também era embrionária. Novamente aquela **"folha em branco"** para criar a história. Voltam os **3Ps** à tona e vamos lá de novo. Seis anos de muitos desafios, alegrias, e algumas lágrimas (porque nem sempre é fácil, não é mesmo?). Tenho muito orgulho do meu trabalho estratégico e de comunicação realizados nessa época: **entendendo o consumidor a fundo**, mostrando para as subsidiárias que *insights* **universais movem as pessoas de todos os países,** que as pessoas (e os países) são sim parecidas, algumas vezes com nuances locais execucionais, mas **utilizar campanhas regionais é possível**. Quebrar o paradigma de que sou diferente, de aqui não funciona, foi um desafio aceito e cumprido. Muitas campanhas regionais foram criadas e implementadas, assim como campanhas desenvolvidas por países e utilizadas em outros. *"Copy with pride"* não é sinal de falta de criatividade, nem de incapacidade do time regional, mas sim **maturidade e experiência profissional para saber que o que importa no fim é o resultado, e não necessariamente quem fez.**

Mais ou menos nessa época, fiz meu MBA. **Atualizar-se é sempre necessário**, nunca deixem de fazê-lo.

Para uma das matérias do MBA, tive que ler o **livro "A estratégia do Oceano Azul – Como criar novos mercados e tornar a concorrência irrelevante",** de Kim W. Chan e Renée Mauborgne, que caiu feito uma luva para o desafio profissional que tinha pela frente. Criar uma categoria de produtos no mercado brasileiro, sair da comoditização dos atomatados e aumentar valor percebido e, consequentemente, o lucro. Desafio esse que envolvia, mais do que tudo, **pensamento estratégico**.

E, inspirada nisso tudo, trabalhei no desenvolvimento de um molho de tomate 100% natural numa embalagem revolucionária de *sachet* em 2008. Molho 100% natural, somente com tomates, sem corantes, aromas artificiais ou conservadores, e numa embalagem diferente da lata, que era a embalagem que dominava o mercado na época, foi algo muito inovador.

Estratégia vencedora sim, mas a **excelência na execução** trabalhada por muitas mãos pelas áreas multi**funcionais** fez a diferença.

Tudo sempre deu certo? Claro que não. Nem para mim, nem para ninguém. Todos temos casos de sucesso e não tão bons, mas a **experiência e aprendizados acumulados adquiridos na caminhada da vida vão nos capacitando a fazer cada vez melhor.**

Durante os meus 15 anos de Unilever tive os meus quatro filhos (sim, quatro!). Nunca tive nenhuma restrição profissional por ser mãe e mulher, tive muitas oportunidades inclusive de ser expatriada para a Inglaterra para exercer uma posição regional quando já tinha duas filhas. Meu crescimento profissional sempre veio como resultado do meu comprometimento com a empresa e com o negócio, e, claro, pelos resultados obtidos. Tudo sempre foi fácil? Claro que não, mas não entendo que tenha sido por ser mulher, ou mãe, mas por outras várias razões que acontecem na vida.

Já na Kraftfoods em 2009, hoje Mondelez, tive o prazer imenso de trabalhar com a marca Tang no seu melhor momento, quando estava sendo reposicionada para empoderar as crianças para mostrarem aos adultos que elas podiam fazer mais pelo planeta. Campanhas lindas saíram dessa estratégia, dentro do conceito criativo PREPAROU, BEBEU, FAZ, diferenciando Tang das demais marcas de suco em pó do mercado. Crescimento significativo de participação de mercado ocorreu graças a esse movimento da marca.

O que mais me encanta em Marketing é o friozinho na barriga que sinto cada vez que faço um trabalho estratégico de posicionamento e migração de marcas, até mesmo na hora de escrever ou aprovar um *brief* de comunicação. É sempre uma adrenalina deliciosa, um desafio novo pela frente. Alguns dizem que Marketing é uma arte, e concordo. **O Marketing de alto nível requer pensamento, profundidade, sensibilidade, curiosidade, interesse, poder analítico para "cavar" as oportunidades, as necessidades e *insights* das pessoas e consumidores antes de pensar como executar.**

Sim, em cada novo projeto de inovação, de comunicação, abre-se um mundo de novas possibilidades, e não tem fórmula para acertar a mão.

Só lembrar que, se não "cavar", as chances de se ter um resultado exitoso são muito baixas. **As pessoas precisam se conectar com as propostas das marcas, sentirem-se inspiradas por elas, para isso, as propostas dessas marcas precisam ser reais, verdadeiras e relevantes para elas.**

Falando em inspiração, tenho muito orgulho do trabalho sensível e diferenciado que estou conseguindo fazer na Samsung desde que entrei nessa empresa, em 2013 (estamos em 2018...) para humanizar a marca. Uma marca que evoluiu com o tempo, entendendo seu papel de inspirar e transformar o mundo através da tecnologia num primeiro momento, e agora propondo para as pessoas acreditarem e não desistirem nunca. ***"Walk the talk"***, desenvolver programas para empoderar as pessoas e mostrar que o que a marca fala é verdadeiro.

Algumas vezes, cheguei a dizer que se soubesse que iria me apaixonar pelo Marketing não precisava ter feito Engenharia, sofrido tanto com cálculo etc. Mas uma vez uma amiga me disse que esse meu lado engenheira (não mais "milímetro por sorte") é o que me faz ser tão orientada para resultados, ter toda uma visão de gerenciamento e coordenação multiáreas, que só vem a somar no Marketing. Parei para pensar...

Ao longo da minha vida profissional, entendi que desafios é o que me move. E não tem maior desafio do que entender o que move e o que inspira o ser humano.

Ser mulher nunca foi um desafio para mim em nenhum lugar que passei. Ser mãe só me fez crescer e entender que para dar conta de tudo precisava estar próxima de pessoas que me ajudassem na minha jornada pessoal e profissional. E por uma bênção sempre pude contar com elas no meu caminho.

Ser mãe é sim um desafio constante que adoro! Muita correria, mas muito gratificante. Levo na escola, trabalho muito, mas tento jantar com a família algumas vezes na semana para garantir relacionamento e conversa constantes.

Se pudesse resumir meus mais de 20 anos de aprendizado em Marketing, seria o seguinte:

- **Fazer o que se gosta** e **não desistir** do que se acredita.
- *"Copy with pride"*.
- *Insights* **universais** movem as pessoas de todos os países, e **utilizar campanhas regionais e globais localmente é, sim, possível**. A síndrome do sou diferente aqui não funciona, requer revisão e reconsideração. Pode acontecer? Claro, mas esse deveria ser o fim, e não o começo de uma discussão global, regional, local.
- **Atualizar-se** é sempre necessário.
- **Argumente com dados**.
- **Execução sem estratégia tem poucas chances de sucesso**.
- *"Walk the talk"*. Mostre para seu consumidor que a sua marca também faz a sua parte. Você irá criar identificação e inspirá-lo.
- **Trabalhar com times multifuncionais é chave do sucesso**. Diferentes experiências, competências, pontos de vista só fazem o projeto crescer.

Ser mulher é uma dádiva. Nascemos com dom de gerar, criar. Somos seres incansáveis e só temos que nos orgulhar disso. Dificuldades existem no caminho de todos, não nos abalemos. Lembremo-nos dos 3 Ps sempre: paixão, perseverança, paciência. E também dos parceiros da vida porque, sem eles, dificilmente chegaríamos aonde almejamos. Aproveitemos muito bem a nossa jornada!

6

Andréa Rubim

A JORNADA É MAIS IMPORTANTE DO QUE O DESTINO

Andréa Rubim
Gerente de Mídia e Digital na Dairy Partners of America

Possui mais de 12 anos de carreira divididos entre agências de propaganda e empresas multinacionais. Graduada em Comunicação Social com ênfase em Publicidade e Propaganda pela Universidade de São Caetano do Sul, ingressou na carreira e assim tem se desenvolvido, através da construção de marcas do Digital. Hoje, com expertise acumulada em Mídia e Conteúdo, lidera a transformação digital da DPA Brasil, principalmente na conexão entre marcas e consumidores.

Vice-presidente de Branding de Conteúdo da ABA (Associação Brasileira de Anunciantes).

Professora de Storytelling nos cursos Shift (de curta duração) da FIAP.

deiarubim@gmail.com
(11) 99275-6795

Gostaria de iniciar este capítulo com uma descoberta que fiz ao avaliar minha trajetória: a jornada é mais importante do que o destino. Este pode ser um pensamento um pouco clichê para começar a contar a história da minha vida até aqui, mas, toda vez que olho para os castelos que construí, eu sei que o verdadeiro valor deles está em cada pedra que coloquei e em cada pessoa que me ajudou.

Nasci em uma família comum, tenho um irmão, e até os dez anos tive uma infância feliz. Mas eu demorei bastante para entender o impacto de ter perdido minha mãe cedo. Cedo tanto para mim, com dez anos, quanto pra ela, com 42. Ninguém passa ileso por um acontecimento desses. Você perde uma mãe, uma melhor amiga, a primeira pessoa que te daria colo nas situações mais difíceis da sua vida. Entre muitos questionamentos, eu me perguntava: "Quem cuidaria de mim no dia do meu casamento?"

Eu cresci vendo meu pai e meu irmão serem duas pessoas fortes diante da situação e não me parecia ter outra opção a não ser aguentar firme o "tranco" também. E, como se poderia esperar, "aguentar firme o tranco" tem sido meu lema secreto desde sempre.

Como uma válvula de escape, durante a adolescência eu me propus a fazer de tudo. Eu me enfiava em todos os campeonatos de *handball*, futebol e vôlei da escola. Amassava com o pé 50 latinhas por dia, que iam para a reciclagem. Participava de oficinas esquisitas, como aquela em que recriaríamos a Pietá de Michelangelo – como se isso fosse possível – e eu fui a única inscrita. A escultura, claro, ficou horrível, mas minha vó fez questão de deixá-la na entrada principal da casa. O que eu mal sabia é que essa curiosidade e vontade de dar as caras me levariam ao que eu chamo de sucesso profissional hoje. Enfim, foram muitas as situações inusitadas, interessantes, que precisariam de muitos capítulos para serem relatadas.

Em oficinas um pouco menos desastrosas, aos 16 anos eu ganhei um concurso de fotografia e fiquei em terceiro lugar no de Jornalismo. Esses dois prêmios se transformaram em um trampolim para a Publicidade e Propaganda e, dois anos antes de prestar o vestibular, eu já tinha certeza do que queria seguir como profissão. Tão novinha assim, resolvi fazer um curso no Senac da Lapa, na capital paulista, e, uma vez que você nasceu e cresceu em São Caetano do Sul, na região do ABC, não sabe muito bem onde fica a Lapa, só sabe que tem um trem que vai para lá. Durante três meses, e contrariando a família inteira preocupada comigo, eu acordava sábado às seis horas da manhã e seguia de trem para aquele bairro. Meus companheiros de curso eram todos homens, publicitários formados, muitos deles nas maiores agências. Ninguém estava interessado no que eu tinha a oferecer e, quando os grupos se formavam, eu ficava sozinha... Mas, na minha cabeça, eu não tinha outra opção a não ser "aguentar firme o tranco", como sempre. E o que eu tirei de mais importante de tudo aquilo? Não foi o diploma do Senac com 16 anos. Eu aprendi com aqueles caras que ser publicitário era muito mais do que vestir algo moderno e ser um pouco esnobe. Na verdade, o nosso trabalho tem impacto na cultura, na sociedade. Eu decidi ser uma profissional generosa e doar conhecimento, todo dia, incansavelmente.

No último dia de curso, comendo um pastel com caldo de cana na Lapa, a minha carreira tinha começado. Daí em diante foi aceitar as notas baixas em Física e Química e voar em Humanas. Sabe o que eu pensava (e penso até hoje)? Pegue o que você tem de bom e melhore ainda mais. Coloque sua energia nas coisas que fazem o seu coração vibrar e a resposta vem rápido. Às vezes a gente perde tanto tempo tentando ajustar o que vai mal e tudo o que o mundo precisa é que sejamos felizes com as nossas escolhas.

A faculdade foi um sonho para mim. É claro que o primeiro ano é confuso para muita gente. Eu já estava morando sozinha, então precisava entender o que era ganhar dinheiro o mais rápido possível. Tenho uma lista variada de trabalhos que duraram um mês, como atendente de *telemarketing*, importadora de mercadorias em *sex shop*, vendedora de pisos e persianas. No fim, é tudo história para contar e eu sempre soube que isso viraria pauta em mesa de bar. Ou em entrevistas de emprego.

Meu primeiro estágio foi como Atendimento de Natura Cosméticos na Buzz Direct e parte do trabalho era cuidar de logística de brindes. Imagina só que aquele período de um mês em que eu fui importadora em um *sex shop* me deu uma baita noção de logística. Eu estava voando. Era a estagiária de Atendimento mais feliz da Zona Sul de São Paulo e cuidava com tanto carinho dos projetos da Natura que logo fui convidada para mudar para a Rapp Brasil e abraçar ainda mais programas da marca. O universo foi muito legal comigo. Quando pouco se falava em investimento digital em 2008, eu já dominava a arte do *e-mail marketing* e do monitoramento das comunidades do Orkut, que foi o início das redes sociais.

Depois de um ano e meio e uma proposta tentadora da Wunderman, eu entrei de vez no universo digital. O *briefing* na entrevista foi: precisamos de alguém que ajude a acelerar o crescimento do Twitter da Smirnoff no Brasil. Aquela rede social, o Twitter, ficou na minha cabeça como se fosse um mato alto que todos nós daquele time estávamos prestes a capinar. O lance de começar a carreira em agência digital é que as novidades aparecem aos montes toda semana, mas você precisa manter na cabeça que, no fim, é tudo sobre ser humano e não apenas tecnológico.

Eu tenho certeza de que as minhas estadias na Rapp Brasil, na Wunderman e na Riot me tornaram *expert* na área digital e, em 2011, isso se evidenciou quando eu percebi que muitas discussões que o mercado estava começando a ter eu já tinha vivido nos anos anteriores. No mesmo ano, uma das madrinhas da minha carreira, Chiara Martini, me chamou para compor o time digital da Heineken Brasil e isso foi um marco na minha história, pois mudou a minha vida toda.

Olhar grandes marcas do lado de fora faz tudo parecer mais fácil. Mas estar dentro da Heineken e começar a construção de uma mentalidade digital, em um mercado um tanto quanto machista, com clichês adorados pela indústria, de fato não era tarefa fácil pra ninguém. Não era sobre ter dinheiro suficiente para comprar TRPs, era sobre acordar toda segunda-feira e desafiar o *status quo*. E foi ali, no começo de 2012, que eu conheci a segunda madrinha da minha carreira, Daniela Cachich. Eu não exagero nada em dizer que às vezes, sentadas na sala da Dani, sexta-feira, oito da noite, parecíamos apenas meninas rebeldes contra um batalhão de inimigos, entre eles concorrentes, ou o próprio mercado. Soava óbvio migrar parte do investimento de TV para a área digital e parar de usar códigos tradicionais para vender mais cerveja. Mas quem estaria disposto a comprar essa briga na frente dos holofotes? Bom... Nós. E, seguindo a consistência de uma vida, não restava outra opção que não fosse "aguentar firme o tranco".

O que eu aprendi durante os anos de Heineken Brasil mudou a maneira com que eu me relacionava com o mundo. Errou? Corrija a rota e siga em frente. Está com problemas com alguém? Converse e resolva. Não está feliz? Mexa-se. Era tudo tão efusivo, que eu sem querer embarquei em outra jornada que transformaria a minha vida: a da autodescoberta.

Se você permitir, o trabalho te engole. Eu nunca quis que isso acontecesse comigo, porque a vida passa num piscar de olhos e de repente você esquece a sua própria identidade. Foi quando resolvi resgatar aquela adolescente curiosa que tentou recriar uma obra de Michelangelo e dei as caras em um, dois, três cursos de Nutrição. Achei que seria legal também entender de Astrologia, Misticismo, relacionamentos e até os elementos da natureza. É engraçado pensar que todos esses cursos dão a você um diploma no final. Para mim, sempre foi sobre assistir as aulas com o coração.

Lá para as tantas, eu tinha 28 anos e queria manter a energia fluindo sem parar. Então comprei um par de tênis e comecei a correr. No começo, a gente completa 1 quilômetro e se sente o Rocky Balboa no topo daquela escadaria na Filadélfia. Hoje eu tenho algumas meias maratonas, uma maratona e provas de *triathlon* no currículo da vida pessoal. É uma gratidão sem tamanho cruzar uma linha de chegada, só que você já experimentou fazer isso contando com a ajuda de pessoas que você ama? Não há como dividir aqui tudo o que a corrida também me ensinou. Precisaria de mais 50 páginas só para mim. Mas eu consigo resumir essa experiência em um conselho: mantenha a energia fluindo.

Se você conversar comigo pessoalmente, vai notar que eu incentivo com entusiasmo que se saia do mundo do Marketing com certa frequência. É preciso observar as pessoas, a natureza, descobrir cidades, ou redescobrir a sua própria cidade, quantas vezes quiser. Sabe aquele convite para um evento aparentemente banal à noite? Bom, pode te apresentar pessoas inesquecíveis. As mulheres mais poderosas que conheço têm um repertório de dar inveja, e esse é o caminho que eu quero para mim.

Agora eu estou à frente da área de Mídia e Digital da Dairy Partners of America, trabalhando todo dia para construir e reinventar marcas tão tradicionais da Nestlé Brasil. Reinventar, aliás, é uma palavra mais forte do que parece. Quantas vezes na vida lhe dão essa oportunidade? Nesse processo, você volta a se conectar com cada cadeira pela qual já passou em outras empresas e se redescobre como profissional. O universo continua sendo muito legal comigo.

Hoje, com mais de 12 anos de carreira, alguns tombos e muitas pingas depois, eu tenho orgulho de coescrever um livro com tantas mulheres incríveis. Mas tenho mais orgulho ainda de saber que a nossa jornada juntas está só começando e ela será maravilhosa. Nós podemos nos sentir meninas rebeldes contra um batalhão de inimigos, a gente aguenta firme o tranco!

7

Andréa Sanches

O QUE APRENDI POR ONDE PASSEI

Andréa Sanches

Ao longo de sua carreira, teve a oportunidade de atuar nas diversas áreas do Marketing e também em agências de propaganda, branding e promoção. Formada em Comunicação pela Fundação Armando Álvares Penteado (FAAP), fez pós-graduação em Marketing na ESPM, MBA Executivo Internacional na Fundação Instituto de Administração (FIA) e cursou Liderança na London Business School. Atuou no mercado de cosméticos nas áreas de Marca, Comunicação e Inovação. Há quatro anos foi para o mercado de varejo de moda e atualmente é diretora de Marketing na Marisa, onde é responsável pelas áreas de Propaganda, Comunicação, Visual Merchandising, CRM, Planejamento Mercadológico e Pesquisa.

Depois de uma passageira vontade de ser arquiteta, ainda no colégio, decidi ser publicitária e nunca mais mudei de ideia. Posso dizer que tive sorte na minha carreira e continuo tendo. Por todos os lugares onde passei encontro um ponto em comum, muito aprendizado. E é sobre esse ponto de vista que resolvi escrever.

Comecei a trabalhar numa grande agência de publicidade, quando estava na faculdade. Trabalhei na área de mídia e diria que essa foi uma passagem de aquecimento para o mercado de trabalho. Eu adorava a agência, mas não queria fazer minha carreira em mídia e naquele momento minha ansiedade de principiante não me deixou esperar. Escrevendo isso me dei conta de que é exatamente essa característica que vejo hoje nos *trainees* e jovens profissionais que trabalham e trabalharam comigo ao longo da minha carreira, e que tentei inúmeras vezes convencer de que não é necessário essa pressa... Mas, pensando bem agora, vou mudar meu discurso, afinal, **ir em busca de um caminho mais curto deu certo**.

Fui trabalhar numa agência de promoção e posso dizer que, além de ter aprendido muito nessa área, considerada menos "glamorosa" pelos publicitários, foi naquela agência que vivi uma experiência que jamais esqueci e que teve muita importância na minha carreira. Atendi um cliente de uma grande empresa, que por motivos óbvios não vou citar o nome, que tinha o hábito de marcar reuniões no final do dia sem a menor necessidade. Ao longo do tempo essa situação foi ficando frequente e piorando, pois o tal cliente passava parte do tempo falando ao telefone. Eram conversas particulares que ele não fazia questão de esconder... Eu ficava constrangida e o restante da equipe também.

A única certeza que tínhamos era que não havia necessidade de estarmos ali. Eu estava no começo da minha carreira, mas não podia acreditar que aquela situação pudesse ser normal. Resolvi conversar com meus superiores, que levaram o caso a sério. A história chegou ao presidente da agência, que tomou uma decisão surpreendente para mim naquela época. Abriu mão da conta, por não admitir que aquilo acontecesse na sua agência. Esse homem é João De Simoni, um dos grandes nomes do *marketing* promocional no Brasil e que certamente não tem ideia da importância daquela atitude na minha carreira. Ali eu aprendi que **não devemos nos submeter a nada que vá contra nossos princípios**, independentemente do cargo, posição ou de quanto dinheiro possa estar envolvido numa situação.

Depois dessa experiência, tive a oportunidade de trabalhar numa área que estava começando a ganhar força no Brasil naquela época, o *marketing* de incentivos. Fui trabalhar fazendo prospecção de clientes. O trabalho consistia em vender campanhas de incentivo.

Fazia reuniões com muitos executivos, na sua maioria homens, muito mais experientes e quase sempre muito mais velhos do que eu. Naquela época, o mercado era muito mais dominado por homens do que hoje. Lembro-me, como se fosse hoje, que a roupa que eu usava tinha uma importância enorme para que eu fosse respeitada. *Jeans*, nem pensar. Estava sempre com ternos, *tailleurs* ou algo que pudesse me dar credibilidade. Hoje dou risada ao me lembrar disso... mas foi importante.

Percebi logo que eu tinha uma vantagem, eu sabia um pouco de algo que eles não sabiam quase nada. E essa foi também uma lição importante. Aprendi que **sempre podemos ter conhecimentos que outros com mais experiência ainda não têm** e assim ganhei autoconfiança. Hoje, com o rápido avanço da tecnologia, essa constatação é mais verdadeira do que nunca. Num mundo digital, vivemos cercados de meninos e meninas que dão um *show* de conhecimento, e temos que respeitar e aprender com eles.

Naquela época também vivi situações que infelizmente acontecem até hoje no mundo corporativo, em que executivos se colocam em posição inferior aos seus chefes, não têm opinião própria e fazem qualquer coisa para não perderem seus empregos. Isso sempre me indignou e me fez ser diferente. Sempre acreditei que se alguém me contrata é pra saber a minha opinião e não necessariamente para eu concordar com tudo.

Essa experiência com *marketing* de incentivo acabou me levando para outro lugar, uma agência de propaganda e *branding* que buscava alguém com experiência com canais de venda para atender um cliente de venda direta. Ali aprendi a importância do propósito nos negócios. Aprendi que uma empresa não existe só para dar lucro, mas sim para gerar valor. Aprendi **a importância e o papel de uma empresa na sociedade**. Após três anos de muito aprendizado fui convidada a ir para a Natura, meu cliente até aquele momento. E ali pude vivenciar na prática os conceitos que havia aprendido.

Comecei minha jornada no mundo corporativo. Foi um período longo, uma experiência incrível. Meu primeiro desafio foi na verdade uma grande oportunidade na minha carreira. Fui responsável por conduzir o processo de mudança da marca Natura. Um trabalho extremamente prazeroso e de que tenho muito orgulho de ter participado. Uma empresa que naquele momento não tinha o tamanho que tem hoje, mas que desde seu início teve o seu negócio norteado por suas crenças, valores e visão de mundo. Por outro lado, trabalhar numa empresa que tem um propósito exige muita dedicação. Algumas pessoas que entrevistei em processos de seleção diziam que seu objetivo era qualidade de vida. E esse é um conceito relativo. O fato de uma empresa ter crenças e valores passava a impressão de ser uma espécie de paraíso, onde todos trabalhavam felizes e tranquilos e que às 18 horas voltavam para suas casas sem preocupação. Não é bem assim. Uma empresa que busca resultados e constante crescimento exige muito trabalho. Ali aprendi que **tudo pode ser sempre melhor**. A Natura é uma empresa extremamente exigente que tem o aperfeiçoamento contínuo como uma de suas crenças. Trabalhei muito e aprendi muito.

Certa vez um colega de trabalho me disse: "Você trabalha como um homem". Apesar de ser uma colocação machista, ela vem ao encontro de algo que acredito, não existem diferenças no mundo corporativo entre homens e mulheres. A exigência é a mesma. Não vou entrar aqui no mérito das diferenças salariais e de posição das mulheres em relação aos homens, pois, apesar de saber que elas existem, eu felizmente nunca as vivenciei. É claro que existem necessidades específicas, portanto, benefícios diferenciados. Sei que isso não acontece em todas as empresas, mas, por exemplo, a Natura oferece uma creche incrível para as mulheres que têm filhos. No entanto, isso não muda o nível de exigência. **Para quem quer ser uma executiva, dedicação e muitas horas de trabalho é um requisito**. Isso não significa abrir mão de outras coisas na vida, como família, amigos e diversão. Voltando ao conceito de qualidade de vida, isso depende de cada um e de suas prioridades. Se a realização profissional não é algo importante na sua vida, não opte por uma carreira executiva. Agora, se você considera importante, sem dúvida isso fará de você uma pessoa melhor em todos os âmbitos de sua vida.

Eu nunca tive nenhum questionamento sobre isso. Minha escolha foi por uma carreira executiva e isso me deu grandes conquistas. Por outro lado, me incomoda como as mulheres executivas são vistas. Eu aprendi no trabalho a tomar decisões, fazer acontecer, resolver, orientar outras pessoas, me posicionar, fazer valer minhas opiniões, enfim, ser responsável por muitas coisas, inclusive por resultados. Isso trouxe para minha vida pessoal uma imagem de uma pessoa que não tem problemas, porque se por acaso eles aparecerem certamente eu vou resolver e com facilidade. Não é bem assim.

Precisei de alguns anos de terapia pra encarar que sou, sim, essa executiva, mas que também sou frágil, tenho inseguranças, tenho medos, e que sou sensível, afinal, sou uma mulher! Chegamos aqui a um ponto em que sim, em alguns aspectos, **mulheres e homens são diferentes**. Abordar esse tema é uma ótima oportunidade pra tentar mudar esse estereótipo da mulher executiva. Tenho discutido isso com muitas mulheres que sofrem as consequências dessa forma como são vistas.

Depois de 11 anos numa mesma empresa senti necessidade de aprender coisas novas, conhecer outros mercados. Tive receio de me tornar uma especialista. Resolvi voltar para uma agência onde teria oportunidade de conhecer novos negócios. Assumi um grupo de atendimento numa agência de propaganda em que fui responsável por clientes de mercados bem diferentes, como alimentos, financeiro e farmacêutico. Foi um período bem interessante no qual pude constatar que **tudo que aprendi sobre *marketing* se aplica a qualquer negócio**. Aprendi muitas coisas e rapidamente me inseri nos novos negócios. Outro aspecto importante de aprendizado foi o de trabalhar com clientes multinacionais que têm uma dinâmica muito diferente de uma empresa brasileira, onde atuei por tantos anos. Aprendi que **flexibilidade é umas das características mais importantes para um bom profissional**. Saí fortalecida.

Chegou então o momento de dar uma pausa e voltar a estudar. Sempre gostei de moda e resolvi aprender sobre esse mercado. Não sabia naquele momento se trabalharia com isso ou não. Mas minha decisão foi a de estudar algo que me desse prazer.

Estudei a cadeia da moda, estilo, mercado de luxo, entre outras coisas. Interessei-me muito e comecei a pensar em atuar nessa área. Nesse momento, por uma questão pessoal me mudei para o Rio de Janeiro e fui trabalhar numa agência de propaganda. A vontade de trabalhar com moda ficou em *"stand by"*.

Foi uma jornada diferente, mas que também me proporcionou muito aprendizado. Comecei a trabalhar com um cliente de telefonia, mercado completamente desconhecido para mim até aquele momento. Além disso, morar no Rio para uma paulistana já é um aprendizado por si só. Aos poucos fui entendendo o jeito de trabalhar dos cariocas e compreendi que, apesar de muito trabalho, **é possível ter um dia a dia mais leve**, começando pela vista incrível que eu tinha todos os dias. Não sei se a paisagem maravilhosa e o orgulho que eles têm daquela cidade são as razões, mas de fato os cariocas levam a vida de uma forma mais leve. Foi uma ótima experiência, porém, a crise chegou e o mercado de propaganda sofreu um grande impacto. Algumas agências fecharam suas operações cariocas e outras tiveram que se reestruturar. Foi o caso da agência em que eu trabalhava.

Resolvi então que era hora de retornar pra São Paulo, onde, além de o mercado estar um pouco melhor, estavam minha família e meus amigos. Pensei então em tirar umas férias por lá e aproveitar aquela praia incrível que eu via todos os dias da semana somente pelo vidro do carro ou do escritório. Afinal, praia durante a semana é algo completamente diferente dos finais de semana lotados e um luxo que eu achei que merecesse naquele momento.

Pensei então em fazer contato com alguns *head hunters* e curtir a vida por uns meses.

Logo no início fui chamada para duas conversas. Na primeira, ouvi que meu currículo era excelente, mas que naquele momento havia poucas vagas no mercado, em função da crise. Eu respondi que esse não era um problema, pois precisava apenas de uma vaga.

Na segunda, logo na sequência, havia aquela tal vaga a que eu me referi. Uma posição de diretor de Marketing em uma empresa que estava querendo fortalecer sua imagem em moda e precisava de alguém com muita experiência em estratégia de *marketing*. Quando falei sobre minha trajetória, inclusive o período de estudos em moda, o *head hunter* disse que eu era a pessoa que estavam procurando. Em um mês, estava naquela posição e o sonho da praia durante a semana ficou para outro momento da vida.

Esse novo período também foi muito rico, com muito aprendizado. Comecei a trabalhar com varejo e essa experiência eu não tinha. Fiz um curso de *visual merchandising*, mesmo antes de começar a trabalhar. Esse era meu maior desafio, pois nunca tinha lidado com isso, sendo que minha vivência em empresa foi com venda direta.

A estratégia traçada era incrível e uma oportunidade enorme na minha carreira. Depois de um período de trabalho intenso me deparei com uma situação que ainda não tinha enfrentado. Mudanças na estratégia da empresa. Esse não seria um problema, afinal, flexibilidade, como já comentei, é uma característica fundamental para um profissional nos dias de hoje, com a velocidade das mudanças no cenário. Mas o ponto era outro.

Eu não concordava com o novo caminho e com as novas diretrizes. Passei um período conturbado, pois eu não estava feliz. Esse foi outro aprendizado, **se você não está feliz, trace um outro caminho**, pois isso não vai ser bom nem para você nem para a empresa.

Minha carreira sempre foi bem encadeada, meus conhecimentos anteriores sempre fizeram diferença nos próximos desafios. Acho que somando isso a um pouco de sorte, muita dedicação e prazer no trabalho, esse foi o grande sucesso da minha trajetória.

Contudo, tenho de destacar o peso que o prazer no trabalho tem nessa história. Trabalhar, ser uma executiva, encarar o mundo corporativo não é nada fácil. **Sem prazer, fica muito difícil.**

Passamos grande parte da nossa vida no trabalho e não dá pra achar que podemos ter uma vida de qualidade sem sentirmos prazer em grande parte do nosso tempo. Tenho visto muitas pessoas com ansiedade, perdendo o sono, irritadas, ficando doentes em função de uma insatisfação no trabalho. Essa reflexão é fundamental, prestar atenção nesses sinalizadores pode dar um alerta de que é hora de mudar. O problema não é necessariamente da empresa, mas da relação que você tem com ela. E, se não é possível mudar essa relação, o melhor é partir para outra.

Fui em busca de uma nova oportunidade. Assumi a diretoria de Marketing em uma outra empresa de varejo de moda, a Marisa, onde estou atualmente. **A empresa passa por um momento de transformação. O que acho incrível para quem está disposto a se dedicar.** E eu estou. Posso dizer que estou aplicando meus conhecimentos e aprendizados de todos os lugares em que estive até hoje e, é claro, aprendendo muito também. São muitos desafios, muito trabalho, mas cercada de pessoas com energia para a mudança e que compartilham o mesmo objetivo. Além disso, não posso deixar de dizer que tenho pelo meu líder muita admiração e isso faz toda diferença. Enfim, estou feliz e com a certeza de que em breve terei muito orgulho de mais uma etapa importante da minha carreira.

Essa é a minha trajetória profissional e um pouco do que pude aprender até aqui. Espero que ainda aprenda muito e que possa compartilhar não só através de um livro, como este, que foi uma excelente oportunidade, mas também com as pessoas com quem convivo todos os dias.

8

Anne Napoli

BUSQUE SEMPRE OBJETIVOS MAIORES

Anne Napoli

Diretora de Marketing

Na Vigor desde dezembro de 2011, é responsável pelas Áreas de Marketing, Inovação, Comunicação e Assuntos Corporativos.

Anne nasceu na França e se mudou para o Brasil no início dos anos 80. Graduada pelo European Business Program na França e na Espanha e pelo Insead (Institut Européen d'Administration des Affaires).

Trabalhou em empresas de bens de consumo como Phytoervas, Heublein, Unilever Bestfoods e Danone. Já liderou diversos processos estratégicos nas companhias em que atuou nos seus 25 anos de carreira.

Seu trabalho em Marketing e Comunicação foi reconhecido por diversas associações como: Indicação Caboré (Meio &Mensagem), Prêmio Colunista de melhor campanha, Prêmio Executiva de Marketing pela ABP (Associação Brasileira de Propaganda). Atualmente também é membro do conselho deliberativo do Ibramerc (Instituto brasileiro de Inteligência de Mercado) e participa de palestras para empresas sobre Marketing, Comunicação e Oportunidades nas carreiras no Marketing.

www.linkedin /Anne Napoli

Acredite. Quem entende o funcionamento da área de vendas está um passo à frente no trabalho de Marketing. Vivenciar a área comercial certamente ajuda a compreender melhor o consumidor, um conhecimento essencial quando falamos da criação de produtos e de campanhas publicitárias. Percebi isso ao longo de minhas experiências. Adianto que o Marketing não estava nos meus planos iniciais, mas me ganhou dia após dia, e, hoje, quando penso no início de tudo, cada etapa do caminho faz sentido.

Minha história nesse universo começa pouco depois de completar 17 anos, quando ouvi do meu pai: "Acho que você precisa almejar objetivos maiores". A frase me deu um frio na barriga, mas serviu de combustível para que eu cruzasse o oceano e fosse, com toda a minha sabedoria adolescente, experimentar a vida universitária na França. Eram os anos 80, não tínhamos *internet* nem as inúmeras facilidades de hoje para quem pretende viver fora do País.

No contexto, eu tinha alguma vantagem, já que sou francesa de nascimento. Com a família, me mudei para o Brasil ainda criança e, desde cedo, tive contato com a língua estrangeira no colégio franco-brasileiro onde estudei. Mesmo assim, mergulhar em uma cultura que já não fazia parte dos meus dias, sozinha e muito jovem, foi extremamente desafiador. Mas, como também dizia meu pai, "experiência de vida é a melhor escola". Não posso discordar.

Os estudos na França foram intensos, em todos os sentidos. Inicialmente, morei em um semi-internato, pois não conhecia ninguém. Seis meses depois, fui morar sozinha, algo tão libertador quanto assustador. Na época, desenhava-se o que viria a ser a União Europeia e as universidades de diferentes países começavam a firmar parcerias. Eu cursava Administração e ainda não fazia ideia de que era no Marketing que estava minha grande paixão.

O curso era dividido em dois módulos, um em Bordeaux, na França, outro em um país à escolha, pendente de aprovação curricular. Quando chegou o momento de partir para essa segunda fase, reconheci que sair da zona de conforto já fazia parte da minha vida. Por que destaco essa atitude? Porque a considero a chave do que chamamos de sucesso, pessoal ou profissional. Desafiar a si mesmo é um aprendizado constante, e a dificuldade nos faz cada dia mais fortes.

Em minha nova trajetória, escolhi a Espanha. Eu nunca tinha ido para lá e não falava uma palavra sequer do idioma. Lembro-me de passar dias e mais dias estudando sozinha, horas a fio. A meta era ser aprovada no módulo espanhol. E aí vem mais um aprendizado necessário para atingir seus objetivos: perseverança.

Dessa vez, dividi espaço em uma pensão com escritores, pintores e idosos por seis meses. Agradeço a todas essas pessoas por terem me ajudado a mergulhar na cultura espanhola rapidamente. Era uma época desafiadora para as mulheres. O país era mais fechado, tradicionalista e a representação feminina no mercado de trabalho era bem baixa. Como que por ironia, em meu primeiro estágio, acabei na área de vendas de uma distribuidora de bebidas alcoólicas – um segmento extremamente masculino. Precisei de humildade, uma imensa vontade de aprender e, novamente, perseverança para superar as barreiras.

Nesse período, entendi que vendas seria a base de tudo, e que o Marketing seria o meu caminho. Na rotina comercial, compreendi a complexidade do *trade*. Mais tarde, fui para a área de eventos e promoções. Fiquei lado a lado com o Marketing, entrei e nunca mais saí.

Agradeço ao meu pai por ter me incentivado a viver isso tudo. Às vezes, me perguntam se foi difícil trabalhar em ambientes mais masculinos. Posso dizer que tive a sorte de ter ao meu lado líderes com uma visão mais feminina do mundo, por assim dizer, personagens masculinos que nunca duvidaram da capacidade das mulheres com quem conviviam.

Da minha experiência fora do país tenho ótimas recordações. Ao terminar a faculdade e encerrar o contrato de trabalho, decidi voltar para onde tudo começou. Iniciei um novo ciclo profissional como gerente de produto na empresa de uma das empreendedoras mais competentes do Brasil. De lá, tirei a melhor lição: não existe regra mágica para vencer. A vontade de superação tem de estar em cada uma de nós. Coloque para você mesma objetivos grandes, não tenha medo dos desafios, pois eles nos fortalecem. Para construir algo, é preciso acreditar.

Foi bem nessa época que conheci meu marido. Hoje, já são mais de 20 anos de casados e dois filhos. A família que me apoia em todos os sentidos acompanhou o que viria a seguir.

Minha vivência fora do País colaborou para que eu fosse chamada por uma multinacional, mas esta experiência foi um fracasso. Não me encontrei na cultura da empresa. O jogo político era mais forte do que a essência do negócio. Com isso, saí e entrei em outra empresa, de outro segmento. Posso dizer que essa mudança abriu horizontes e sedimentou os meus conceitos de *marketing,* inovação, pensamento estratégico e comunicação, mas foi em "empresa de dono" que realmente aprendi a exercer o empreendedorismo e a visão integrada de negócio.

Segui no ramo de alimentos, área em que estou até hoje. Com 25 anos de carreira, percebo a importância da liderança dos meus chefes e que apostaram no meu talento. Por isso, digo: dê voz aos jovens, eles têm uma visão mais brilhante do mundo, e nenhum de nós nasceu com experiência.

Anos atrás, eu tinha uma folha em branco e uma ambição. Escrevi o que considerava ser uma visão do futuro, uma grande marca e empresa. Naquele momento, nada estava muito claro, mas persegui o objetivo mesmo assim, com o apoio de pessoas que também acreditaram nesse mesmo propósito. "Pensar grande dá o mesmo trabalho que pensar pequeno", dizia um de meus chefes.

Essa folha em branco também serve de analogia para o que representa o Marketing atualmente. Todo mundo sabe que a evolução tecnológica impulsionou mudanças velozes, mas há muito a ser desenhado. Chegamos ao ponto bruto da coisa, onde é possível monitorar e cruzar dados, mas essa combinação ainda não chega ao consumidor na forma de experiência ideal. Por isso, não dá para pensar os próximos anos do negócio sem a participação do Big Data e da Internet das Coisas (IoT), que cada vez mais estará na experiência de consumo.

Não muito tempo atrás, a maneira como analisávamos o comportamento do consumidor era estática. Fazíamos projeções e aplicávamos. Lá na frente, víamos se o plano havia dado certo. Agora, o contato com esse mesmo consumidor é constante. Como somos todos consumidores, sabemos: se a gente não gosta ou não aprova alguma coisa, fala na hora. Esse imediatismo pede respostas igualmente rápidas para reconhecer um erro quando ele ocorre ou para orientar melhor o consumidor. Ou seja, é preciso ter um canal aberto e um contato quase pessoal, e não limitar-se a um SAC (Serviço de Atendimento ao Consumidor) formatado e impessoal.

Nesse mecanismo, tudo está interligado: o motorista do caminhão que faz o transporte de produtos, o local de venda, a postura do vendedor, as notícias que saem na imprensa, o perfil do consumidor, os valores internos e a capacidade da empresa de resolver uma crise. Somos muitos, somos um.

Para as novas gerações que vão entrar no mercado, fica a ressalva de que o conhecimento do mundo conectado vai muito além de entender o funcionamento das redes sociais e das mídias digitais. Ter nascido com as novas tecnologias já inseridas na rotina é uma vantagem competitiva, mas não é tudo. O desafio, para elas, é entender (e aceitar) que nem tudo acontece tão rápido. A "cultura da instantaneidade" é perigosa, e muitos podem começar a carreira sem a noção de que uma dose de suor é inevitável ou de que enjoar de uma determinada tarefa não significa que você deve abandoná-la.

Já quem, como eu, viveu no mundo anterior à *internet* e experimentou a transição do analógico para o digital no ambiente de trabalho, pode afirmar: não deixe o comodismo dominar você. Nunca abandone a curiosidade, busque o novo, mantenha a mente aberta para os conhecimentos que você pode adquirir, não tenha vergonha de pedir ajuda se necessário. Acima de tudo, tenha atitude.

Cada uma dessas lições eu aprendi na prática, e costumo dizer que servem para todos. Nem todo mundo é formado em Comunicação ou Marketing, mas muitos têm vontade de empreender, por exemplo. Estudar em uma instituição renomada pode ajudar, mas pensar no que vem a ser uma boa formação vai além da sala de aula. É manter-se interessada e buscar entender, de todas as formas, o mercado em que você pretende entrar e o perfil de consumidor que planeja atrair. Vamos combinar que isso tudo não está condensado entre quatro paredes, certo?

Às mulheres, acrescento: não seja seu próprio obstáculo. Nos últimos anos, graças a bons laços construídos profissionalmente, fui chamada por algumas colegas para palestrar em empresas. A ideia é mostrar a jovens profissionais que é possível crescer e evoluir na carreira, sem estagnação. Percebi, palestrando e conversando com essas jovens profissionais, que, muitas vezes, colocamos nossas próprias travas. Baixa autoestima, experiências anteriores ruins, medo do erro ou do incerto. Os motivos podem ser diversos, apenas preste mais atenção aos desafios externos do que aos paradigmas internos. Todas nós somos capazes.

Como mulheres, temos em nossa história a luta por direitos e representatividade. Lembre-se de toda a persistência que foi necessária para que ganhássemos espaço. É óbvio que determinados mercados são mais duros, o que torna essa ascensão um pouco mais complexa. No entanto, acredito que, hoje, as empresas estão muito mais abertas a promover tanto homens quanto mulheres.

Um exemplo do que tenho visto no Brasil é que cada vez mais as companhias buscam mulheres para integrar seus conselhos administrativos, ainda dominados por homens. É uma movimentação recente e um pouco lenta, porém real e consistente. Percebi isso exatamente no momento em que comecei a participar desses grupos. O interesse por diferentes histórias e visões é crescente.

A essa altura, enquanto faço meu relato, penso nas muitas situações vividas, em quantas pessoas já cruzaram o meu caminho (e em como foram fundamentais), em como a rotina se tornou acelerada e no quanto a vida pessoal completa o que somos.

É até ironia, mas, quanto mais você faz, melhor você gerencia seu tempo. Quando o dia inteiro está à sua frente, e é livre, parece normal procrastinar. No meu caso, a família à minha espera – e tudo que gosto de fazer na companhia deles – me motiva a trabalhar mais focada, porque, no fundo, percebo que há pouco tempo.

Falar de uma boa administração das nossas horas diárias passa por reconhecer o quanto os avanços tecnológicos e a internet ajudaram a simplificar processos até então bem mais demorados – ou seja, economizar tempo. No entanto, é interessante pensar no quanto ainda é preciso evoluir quando o tema é qualidade de vida.

Veja a questão do formato de trabalho, por exemplo. Claro que, se falamos de serviços, o mecanismo é um pouco diferente, mas, em termos de indústria, o tradicionalismo ainda se mantém. Tratar de jornadas flexíveis e trabalho remoto não é discutir o futuro, mas o presente. Esses são diferenciais que não prejudicam a produtividade, atraem novos talentos e agregam quando pensamos em qualidade de vida, sobretudo se considerarmos as metrópoles, com suas grandes distâncias e trânsito pesado.

Entender que mudanças são bem-vindas, se abrir para as possibilidades e experimentar diferentes perspectivas é o primeiro passo para agregar inovação ao dia a dia e aos projetos. A partir disso, buscar o novo torna-se natural.

Em minha trajetória, tive a sorte e a oportunidade de participar do lançamento de dois produtos que movimentaram o mercado, a primeira bebida de soja em caixinha e o iogurte grego, uma tendência fora do País que conseguimos trazer para os consumidores. Tenho orgulho disso, da mesma forma como me orgulho das conquistas menores. Muitas vezes, passamos a vida inteira em busca do "grande acontecimento", o "blockbuster da inovação", e nos frustramos por não alcançá-lo. Inovar também pode ser um processo sutil e diário, o que de forma alguma merece menos crédito.

Seja entusiasta das suas conquistas, pequenas ou grandes. Cada uma delas é parte do legado que você vai deixar. Tenho convicção de que minha contribuição tem ajudado na construção de grandes marcas e empresas e sigo trabalhando para inspirar mulheres a quebrar paradigmas, ingressar e crescer na carreira. Cada vitória nesse caminho é um motivo de comemoração.

9

Christianne Toledo

NINGUÉM SE FAZ SOZINHO

Christianne Toledo

Sua trajetória profissional é um reflexo da paixão que tem por empreender, inovar e em especial por aprender. São 18 anos em marketing nas empresas: Editora Abril, Cargill - Seara, Banco Real e Santander, RaiaDrogasil e Casas Pernambucanas.

Graduada em Comunicação Social com ênfase em Planejamento Estratégico; possui MBA em Varejo de Moda e cursa MBA em Business Innovation. Tem especializações em Branding, Semiótica Psicanalítica, Marketing Cultural (UK), participou do IMS Executive Program em Stanford (USA) e do curso de Digital Acelleration da Hyper Island.

É mineira, casada com Nelson e mãe do Theo e da Ana.

Outra noite, antes de dormir, minha filha Ana (5) me pegou de surpresa com a seguinte pergunta: "A vida é cheia de coisas boas, não é, mamãe?" Sim, Ana, a vida é cheia de coisas boas! E, com isso, não encontrei outro jeito melhor de começar.

NINGUÉM SE FAZ SOZINHO I

Meus pais dizem que tive pressa para nascer, que aos oito meses de gestação empurrei meu irmão gêmeo para fora - nasci de pé – e chegamos ao mundo em casa mesmo, nos primeiros minutos do Ano Novo, numa cidadezinha ao sul de Minas Gerais.

Desde esse início de vida deliciosamente compartilhada, venho vindo curiosa e intensa, sempre disposta a viver de forma plena uma vida interessante. Desbravar e aprender muito para ser capaz de enxergar oportunidades, criar o novo e deixar um legado positivo no mundo são paixões que carrego desde que me conheço por gente.

UMA PERSPECTIVA

Saí da casa dos meus pais com 15 anos e fui para a capital estudar. Cidade grande, gente nova, muita responsabilidade e força de vontade – uma avalanche de novos repertórios. O meu mundo começou a crescer ali, pessoal e profissionalmente, já que cada movimento te define e prepara para o próximo.

Embora esse meu desafio estivesse vencido alguns meses depois, logo outro bateu à porta e o que já estava nos eixos mudou novamente. Tive que retornar ao Interior. Lidar com a frustração da "perda" do que havia construído e, de certa maneira, voltar ao ponto inicial. Sofri, mas criei consciência dessa resiliência tão necessária na vida e que, com humildade e generosidade, há todo um espaço para se reconhecer e recriar – foi bem importante.

E, como meus pais sempre foram convictos sobre o valor da educação e da independência financeira para uma vida plena no futuro, num esforço mútuo entre nós, fui de novo estudar e trabalhar na capital exatos dois anos depois. Só que, dessa vez, fui para São Paulo.

SONHANDO COM O POSSÍVEL

É preciso determinação e muita dedicação para ir dando passos adiante. As dificuldades são parte da dinâmica assim como são as pequenas vitórias cotidianas.

Consegui meu primeiro emprego em uma loja num *shopping* e me inscrevi num cursinho. Com o tempo fui trabalhar e estudar nesse mesmo cursinho na tentativa de focar ainda mais nos estudos e, no final do ano, prestei vestibular, passei e fui estudar Direito. Começava ali o que parecia ser um primeiro passo para a minha carreira profissional. Meu avô foi advogado, fiquei feliz, daria tudo certo!

A PERDA E O REENCONTRO DA DIREÇÃO

Agora era uma universitária e mais uma etapa ficava para trás. Uma nova vida começava e com ela uma série de outras novidades: nova casa, emprego para ajudar com os custos da universidade, rotina, amigos. As coisas estavam dando certo e todo o esforço valendo a pena até que... não me identifiquei com essa linda profissão. Cursei Direito por um ano e tranquei a matrícula. O bom de tudo o que já havia vivido até ali foi que ganhei maturidade para tomar decisões importantes como essa de trocar de curso, tentar me formar em algo que me completasse e, consequentemente, viver uma profissão integralmente conectada à minha identidade.

Fui assistir a algumas aulas de Publicidade e Propaganda e me identifiquei imediatamente. No meio do ano comecei novamente e, dessa vez, entendi que havia acertado de verdade. Sou apaixonada pela minha profissão.

O INÍCIO DO PRESENTE

Com bastante dedicação ao longo da faculdade e a experiência que havia construído em cada experiência até ali, concorri a uma vaga de estágio em Marketing numa grande editora. Foi uma experiência incrível, não só consegui o estágio que sonhava e batalhei para ser a escolhida como, dois meses depois, tive a oportunidade de ser efetivada na vaga de um analista que deixava a empresa.

Após um período de muito aprendizado na Editora Abril, apareceu uma oportunidade singular de, eu e meu marido Nelson, nos mudarmos para Londres. Fiz toda a lição de casa: fui ao consulado, pesquisei escolas, custos, regras e leis, fiz meu plano de viagem e pedi demissão.

Um grande passo: trabalhei e estudei durante todo o período em Londres, fiz amigos do mundo inteiro, viajei e, antes de voltar, concluí uma especialização em Marketing Cultural.

O ENCONTRO

De volta ao Brasil, a dúvida - a qual mercado me dedicar? Após alguns processos para recolocação, voltei para a Abril numa outra operação e fiquei na editora por mais um ano.

O viés empreendedor que havia descoberto quando decidi me mudar para Londres falou muito alto quando recebi o convite da Seara Alimentos para um projeto inovador de *CRM* que estava em criação por lá. Meu nome chegou por indicação de uma profissional da Abril muito competente e que conhecia bem o meu trabalho, me senti segura e topei na hora.

O interessante dessa vivência na indústria de alimentos foi a oportunidade de não só contribuir com a construção de um novo negócio como, principalmente, a oportunidade de trabalhar com *marketing* de produto. Desenvolver o sabor, cor, textura ideais, depois as embalagens, preço, marca, estratégias de vendas nos diferentes mercados foi fundamental para minha formação. Desenvolvi produtos para o mercado interno e externo e estava bem animada com essa posição quando começou uma intensa discussão de migração da operação de São Paulo para Santa Catarina. Com esse cenário em vista, acabei aceitando um convite para trabalhar na construção de um novo núcleo de comunicação no Marketing do Banco Real, novamente uma grande transição, dessa vez, para o mercado financeiro.

O ZEITGEIST

Se me perguntassem se me considero uma pessoa de sorte, uma resposta boa e sincera está nesta frase do filósofo Sêneca: "Sorte é o que acontece quando a oportunidade encontra alguém preparado". Portanto digo sem pestanejar que agarrei excelentes oportunidades e projetos com espaço para me dedicar e construir uma jornada sólida e alinhada às minhas crenças e capacidades. Ainda em termos de sorte, os times de líderes, pares e equipes sempre foram fundamentais e maravilhosos. Carrego muitos deles como amigos até hoje e, quando possível, no próprio time, já que, quando topamos com gigantes no caminho, por que não dar as mãos e seguir adiante juntos?

Esse terceiro desafio foi uma das experiências profissionais mais enriquecedoras e inspiradoras que tive em minha trajetória.

No Banco Real vivíamos o desafio de verdadeiramente criar e comunicar uma proposta de valor alinhada ao "espírito da nossa época" – ou *zeitgeist*. Foi a mais inovadora plataforma de construção de negócio, produto e comunicação pela qual passei. Encontramos espaço para execução de uma comunicação genuína e verdadeira além de participarmos de uma discussão bastante profunda sobre o papel dos bancos e a geração de resultados sustentáveis. A ideia era a da criação de "Um novo banco para uma nova sociedade".

Comecei em comunicação dirigida, mas logo depois, após proposta de um projeto de inovação à diretoria, minha chefe, eu e uma par está vamos rascunhando o que seriam as primeiras iniciativas em *marketing* digital do banco. Foram muitas as campanhas e ações até de fato conseguirmos compreender como se dava o comportamento das pessoas em comunicação em rede e como gerar valor para essa relação – era 2006/07 e foi como estar no lugar certo na hora certa.

Como sempre tive muito interesse em tudo o que fosse novo, visão e opinião somados a um pique enorme, isso me abriu portas, me levou a ganhar responsabilidades. As pessoas confiavam no meu trabalho e no jeito que pensava e atuava. Achei, nesse período, que estudar Marketing de Varejo de Moda me ajudaria a entender melhor esse tal "espírito do tempo" e encarei meu primeiro MBA.

No banco também passei por um ciclo de formação de Liderança em Sustentabilidade e uma especialização em *Branding*. Entendi que trabalhar numa empresa com interesse genuíno em formar seu time traz enormes ganhos para sua cultura e, consequentemente, para a própria marca. Descobri o valor de uma forte cultura corporativa, concordei com aquela identidade e valores e me senti em casa. Uma casa boa, inclusive, para acolher uma nova Chris quando, nessa época, nasceu meu primeiro filho – o Theo.

Após cinco anos no Banco Real, Grupo Santander Brasil e, por fim, Banco Santander - sim, tive o privilégio de participar de umas maiores fusões entre empresas no Brasil e aprendi como nunca nesse processo –, decidi mudar de rota e, dessa vez, seguir na mesma jornada que já virava uma tônica na minha carreira: mudar de mercado e empreender mais uma vez para seguir aprendendo e inovando.

MAIS UM PONTO DE VISTA

Recebi o convite de uma tradicional varejista brasileira para montar o núcleo de *marketing* digital na diretoria de Marketing. Foi uma oportunidade muito particular uma vez que, geralmente, os núcleos de digital no varejo eram muito mais alinhados às operações de *e-commerce* e eu, definitivamente, não entendia nada de *e-commerce* até então. A Casas Pernambucanas havia encerrado sua operação de *e-commerce* e precisava de um líder com experiência em relacionamento com o cliente, construção de marca em ambientes digitais e muita disposição e energia para criação de uma estratégia digital com a missão de direcionar os clientes para as lojas físicas. Prato cheio para um empreendedor que adora aprender.

Com humildade e muito senso crítico, fui conectando o que aprendia no varejo com o que havia experimentado no banco e, em alguns meses, montei um plano de trabalho e completei o grupo com um time multidisciplinar forte e muito focado, fundamental para produzirmos as evoluções que conseguimos em um curto espaço de tempo. Na sequência recebi o desafio de unir a esse núcleo o de comunicação dirigida e, algum tempo depois, chegou a área de propaganda e outros núcleos de comunicação. Quando vi, estava liderando a área de comunicação integrada da companhia.

Desenrolava-se, então, um desafio e tanto quando, no final de 2012, recebi um novo convite para mudar. Ponderei muito, já que era um projeto em que acreditava e havia brigado bastante para sua implantação, além de, no meio da negociação, descobrir que estava grávida da Ana. Mesmo assim decidi que a transição valia a pena e fui – grávida de cinco meses.

"O FUTURO É UM LUGAR QUE VOCÊ TEM DE CRIAR"

Se por um lado a oportunidade de evoluir na carreira, ganhar ainda mais experiência e liderar projetos alinhados às minhas crenças e valores falava alto e trazia segurança, por outro a transição para um mercado totalmente novo, em uma empresa em fusão e com cultura de gestão familiar, me assustou um pouco na partida. A boa notícia foi que, com a minha dedicação em estudar muito, discutir novos conceitos e, ao mesmo tempo flexibilizar convicções, fui ganhando a confiança e apoio do meu chefe, pares e time. Preparei a estrutura que precisava para começar e tirei minha licença maternidade três meses depois. Foi muito desafiador, mas um aprendizado riquíssimo para minha trajetória.

Tive todo apoio e cuidado nesse período e voltei no momento certo para continuidade da implantação do plano de trabalho que meu time executou com mestria durante a minha ausência.

Foram anos realmente muito especiais e criei uma relação com essa empresa que vou levar para sempre comigo. Cada minuto nesse varejo farmacêutico sempre foi muito intenso: montei a diretoria, revisei as plataformas de relacionamento e fidelidade das marcas, os modelos de lojas, fiz grandes projetos de identidade de marca e trabalhei com parceiros e profissionais incríveis. Crescemos mais de 80% no período, as ações valorizaram mais de 300% e eu descobri um mercado com o qual me identifiquei profundamente. Com um time coeso e visionário, a RD sempre atuou com propósito muito claro e legítimo somado a um plano de trabalho impecável e genuíno. A sua atuação sempre foi muito consistente e alinhada à sua crença e missão de cuidar de perto da saúde das pessoas. Isso faz toda a diferença quando falamos em criação de valor de longo prazo nas empresas.

Quando me vi, essa experiência tão única e alinhada aos meus valores tinha se tornado grande parte da minha vida e, com todo o envolvimento e intensidade que me são naturais, não havia muito mais espaço para nada que não fosse a rotina do trabalho e uma pequena agenda combinada com a minha família. Entendi que precisava novamente criar espaço para algo novo e então deixei fluir um convite para retornar às Casas Pernambucanas.

Melhorar a qualidade de vida e poder estar mais perto da minha família, contando com uma estrutura mais robusta, além de retomar a velocidade em inovação digital numa empresa conhecida e admirada por mim, foram os grandes motivadores da transição. Mudei e aqui estou desde então, empreendendo num ano especial em que a marca celebra 110 anos de existência, um fato histórico e bastante raro em nosso mercado e de que, claro, sinto um enorme orgulho de participar.

NINGUÉM SE FAZ SOZINHO II

Aproveito as linhas finais para ressaltar um ponto de vista do livro *"Outliers"*, do Malcolm Gladwell. Ao estudar as raízes do sucesso, Gladwell nos traz a seguinte visão: "... o êxito não é fruto apenas do mérito individual. Ele também resulta de fatores que garantiram a esses indivíduos a chance de cultivar seu talento intensamente e de forma peculiar, destacando-se assim como personalidades fora de série". Diz ainda que "todos os que se destacaram por uma atuação fenomenal são, invariavelmente, pessoas que se beneficiaram de oportunidades incríveis, vantagens ocultas e heranças culturais. Tiveram a chance de aprender, trabalhar duro e interagir com o mundo de uma forma singular".

Eu acredito que essa é uma excelente constatação. Eu não tenho uma filosofia de vida ou de trabalho, mas tenho sim a convicção sobre fazer o melhor possível, com a máxima dedicação e respeito pelas pessoas e pelo mundo.

Espero que minha história até aqui possa inspirar de alguma forma a trajetória de novos profissionais do Marketing e, acima de tudo, desejar que se divirtam muito e sejam felizes na sua jornada. Afinal de contas, a vida é cheia de coisas boas, não é mesmo?

Um grande abraço.

10

Claudia Fernandes

E ASSIM TUDO COMEÇOU

Claudia Fernandes

Há mais de 20 anos atua nas áreas de Marketing e Comunicação. Atualmente está à frente da Diretoria de Marketing, Comunicação, Branding e Cultura da Azul Linhas Aéreas Brasileiras.

Trabalhou nos Estados Unidos, México e Chile, tendo ocupado importantes posições, em renomadas empresas, como Editora Globo, Saatchi & Saatchi NY e México, McCann Erickson Event Marketing/Momentum e África Propaganda. No universo acadêmico, lecionou Planejamento Estratégico de Comunicação na FAAP-SP (Faculdade Armando Álvares Penteado).

Tem graduação em Comunicação Social – Publicidade e Propaganda pela PUC-RJ. Mestrado em Jornalismo pela University of Missouri-Columbia School of Journalism e cursos de especialização: Governança Corporativa pela Harvard Business School e Gestão de Marca pela New York University.

"Hélio Costa, de Nova York, direto para o Fantástico." E assim nasceu minha grande vontade de conhecer o mundo. O programa "Fantástico" era o pouco contato audiovisual que tínhamos com o mundo. Vem na memória aquela musiquinha que até hoje nos lembra que o fim de semana tinha acabado. Na minha casa não faltavam livros e jornais, mas eu queria mesmo era ser igual ao Hélio Costa, só não sabia ainda como chegaria lá. Já nessa época, alguns amigos tinham feito intercâmbio, achei que era caro e que não conseguiria pagar. A vontade era tão grande que nem procurei saber quanto era, fui direto me inscrever no American Field Service (AFS), que hoje é o Intercultura. Terminei o segundo grau e prestei vestibular para Comunicação Social.

Em meados de 1983, o processo de seleção do intercâmbio era complexo: prova de conhecimentos gerais eliminatória e muitas, muitas entrevistas. Era a minha última chance de fazer intercâmbio, já que a idade máxima era 18 anos e eu estava no limite. O foco era conseguir, e consegui: fui selecionada para o intercâmbio com bolsa parcial.

#partiumundo

As férias de verão de 84 foram as mais tranquilas da minha vida, passei no vestibular para a PUC-RJ (Pontifícia Universidade Católica) e com viagem marcada para o intercâmbio em agosto, então era só curtir o verão carioca.

Finalmente recebi a carta informando que eu iria para o Missouri. Mas não era Nova York? Como eu seria o Hélio Costa, se não fosse para Nova York? Vi no atlas onde era Missouri, mas, a cidade de Bolivar, que era para onde eu iria, sequer aparecia. Sair do Rio para me enfiar no meio do mato nos Estados Unidos? Decidi encarar o desafio.

Era agosto de 1984, viajamos para Nova York – para nos aclimatar. Ali, vi que o mundo – eram mais de cem países reunidos – se une por propósitos positivos. Cheguei finalmente a Springfield, em Missouri, e seguimos para Bolivar. Lá estava a minha nova família: Heather, de 14 anos, a mais tímida; Aaron, de oito, era tagarela, geminiana como eu; e, por fim, Bruce e Barbara, os pais. A casa era no meio do mato, fora da cidade, que tinha apenas seis mil habitantes. A partir dali, a chave do Português desligou e agora era só Inglês.

Foi um ano absolutamente incrível, que, com certeza, daria um livro inteiro de emoções e grandes histórias. Fica difícil dizer o que foi mais importante. Vivi muitos momentos inéditos: vi a neve, fui ao baile de formatura, me senti como nos filmes americanos.

Descobri que ali perto de Bolivar, a umas três horas, ficava a University of Missouri School of Journalism, a primeira escola formal do estudo de Jornalismo do mundo, fundada em 1908, que está entre as faculdades "top" dessa área dos Estados Unidos. Um dia eu volto.

VOLTANDO PRA CASA

Voltei para a PUC e comecei minha carreira em Publicidade. Consegui estágio de redatora na agência da casa (TV Globo) e o mundo do Jornalismo acabou ficando em segundo plano. Passei no processo do primeiro grupo de *trainees* de Marketing na Souza Cruz. Ao me formar, em 1988, não segui carreira na Souza Cruz, nem na TV Globo, fui trabalhar numa revendedora de *software,* emprego que encontrei nos classificados dos jornais. Mas eu não perdi o foco, como eu conseguiria voltar para os EUA para estudar?

Velma era uma pessoa especial, decidida e engajada. Ela era minha avó americana, da minha família do intercâmbio. Ela sempre morou em

Bolivar, mas depois que o marido morreu ela se mudou para a cidade onde estava a University of Missouri e me fez a proposta de morar com ela, pois assim eu poderia fazer o mestrado. Fui correndo me inscrever. Comentava com amigos que iria fazer mestrado em Jornalismo, e ouvia a mesma conversinha de sempre: "E jornalista precisa de mestrado?" Jornalista eu não sei, mas eu preciso estar sempre buscando o conhecimento, aprendendo coisas novas. Era a oportunidade que eu tinha de estudar numa escola de alto nível e viver a vida acadêmica americana.

VALEU, MAS NUNCA MAIS

Eu tinha uns 20 e poucos anos, era consultora da PS Assessoria de Comunicação e estávamos trabalhando numa campanha política. Se hoje política já é assim, imagine há 20 anos. Fazia muito calor, abafado, típico do verão carioca. A sala estava lotada de homens, todos muito antigos na política. Comecei a falar, tinha que alinhar os pontos da estratégia de comunicação com os "cabos eleitorais" e "aliados". Observei que ninguém me ouvia, eu falava para as paredes. Era a única mulher na sala, mas não me intimidei. Subi na mesa (literalmente) e comecei a falar alto (mais alto do que eu normalmente falo) e disse: "Vocês vão me ouvir agora?" O silêncio foi total e, a partir daquele momento, ganhei o respeito e a atenção, mas teve que ser na marra. Triste saber que para ser respeitada tem que ser dessa forma, porém, se tem que ser assim, que seja. O grande aprendizado foi: não se intimide, vai ter algum momento em que você estará sozinha e vai ter que subir em alguma mesa. E vá em frente, porque, a cada subida, você ganha fôlego para continuar. Depois dessa experiência tive a convicção de que não trabalharia nunca mais com política. Nem preciso dar muitos detalhes do porquê, não é mesmo?

SIM, EU FALO INGLÊS

Eu não fui aceita no mestrado. A razão eram as notas no teste de Inglês para estrangeiros (TOEFL). Para o mestrado de Jornalismo, o nível de exigência do Inglês é mais rigoroso. Não me dei por vencida. Já tinha casa e comida, então comprei a passagem e fui morar com minha avó americana, Velma. Inscrevi-me no curso intensivo de Inglês de verão da própria universidade.

Antes mesmo de fazer o teste de nível do curso de Inglês na universidade, fui até o escritório de admissão do mestrado. Em Inglês, me apresentei e expliquei que tinha sido rejeitada pela nota do TOEFL, mas que iria fazer um curso intensivo durante o verão. Se eu tivesse sido recusada pelo meu currículo, não tinha muita alternativa, mas se o empecilho era o Inglês, bastava melhorar. A orientadora só me fez uma pergunta: "Há quanto tempo você está nos Estados Unidos?" Eu respondi que há mais ou menos 36 horas. Ela retrucou: "Mas seu Inglês é muito bom". E eu complementei dizendo que por isso mesmo estava lá, para mostrar que dominava o idioma. Fiz o curso de verão de Inglês no nível mais avançado e, em janeiro de 1992, iniciei o mestrado.

No início foi bem difícil, mas não desisti. Diante dos desafios, há duas opções: esmorecer ou encontrar um caminho que sirva pra você. Nunca tive a intenção de escrever para veículos americanos, o meu Inglês era bom, só não era digno de um prêmio Pulitzer.

A experiência acadêmica americana é bem diferente da brasileira. Precisava pagar as mensalidades, fazia bicos: pesquisas por telefone e fui checadora de ingressos nos jogos de basquete. Era também operadora de câmera numa afiliada da rede de TV ABC nos dois noticiários ao vivo. No verão de 1992, me inscrevi para uma vaga de coordenadora de promoção. Pronto. Em pouco tempo me vi dirigindo uma van e distribuindo chá gelado em eventos especiais.

Se achavam que mestrado em Jornalismo não servia, que diriam se soubessem que eu, uma mulher, estava dirigindo uma van e fazendo *sampling* de chá gelado? Tô nem aí. Acredite: toda e qualquer experiência constrói.

O último semestre do mestrado foi em Washington D.C., onde tive meu primeiro contato com a tal "internet", no National Press Building Library. Somente jornalistas credenciados tinham acesso, e nós estudantes podíamos entrar. Deixávamos o pedido de pesquisa com a bibliotecária, ela pesquisava numa tal "internet" e devolvia a pesquisa impressa.

O mestrado chegava ao fim, com direito a formatura e tudo. O que fazer dali em diante? Voltar para o Brasil? Continuar nos Estados Unidos? A McCann-Erickson me chamou de *volta para* atuar como gerente de Projetos Especiais. Fiz *upgrade* de van para caminhão, aqueles de mudança e com baú. Saí pelas estradas fazendo promoção para a Coca-Cola. Na cultura americana do *"do it yourself"*, éramos gerentes e contratávamos os talentos localmente. Dirigir caminhão não estava nos meus planos, mas ter aprendido com os projetos de promoção, conhecer mais a fundo a cultura hispano-americana e lidar com uma grande anunciante como a Coca-Cola valeu cada quilômetro rodado e cada olhar enviesado. Um ano depois, parte do time da McCann montou uma nova empresa de promoção, a Momentum, e me convidaram para ir junto. Foram cinco anos estudando, trabalhando, aprendendo e vivendo a vida americana, era chegada a hora de voltar para casa. A Momentum foi comprada pela McCann e voltamos todos para o lugar de onde saímos.

RIO, EU GOSTO DE VOCÊ

Cheguei de volta ao Rio, tentei ficar por lá, mas não era mais a mesma cidade que eu havia deixado. Parti para São Paulo, onde ao visitar um amigo para falar de carnaval meu currículo foi encaminhado para o meu primeiro emprego como supervisora de Contas em agência de Publicidade, a Salles DMB&B. Era o meu primeiro contato com a Procter & Gamble, o maior anunciante do mundo, uma referência em Marketing.

Os computadores começavam a chegar, mas ainda tinha fila para passar *"fax"* e usávamos past up e letra set. Lançamos a marca de detergentes Ariel, o grande lançamento da década.

Fiz grandes amigos, aprendi muito, lancei grandes marcas e iniciei minha trajetória profissional rumo à América Latina. Até que em 2000, incentivada pelo Paulo Salles, fui promovida a diretora de Atendimento e Planejamento para a sucursal do Chile. Depois da rápida passada de um ano no Chile, tirei quatro meses sabáticos pela Europa e então voltei novamente para São Paulo. O que me faltava aprender? Trabalhei com pesquisa e marketing direto na GreyZest, meu primeiro contato com o mundo digital. Em paralelo, durante dois anos fui orientadora de TCC (Trabalho de Conclusão de Curso) na FAAP (Fundação Armando Álvares Penteado), em São Paulo.

"LA" PRÓXIMA PARADA

Ser solteira, falar idiomas e ter experiência internacional me colocou em um grupo de profissionais na mira dos *headhunters, afinal*, é mais barato expatriar uma pessoa do que uma família. Era um dia chuvoso, estava pensativa e em busca de novos desafios, enviei um *e-mail para a*quela que acabou sendo minha futura chefe, dizendo: "I am available". Não demorou três dias para chegar uma proposta para ser diretora Regional de Atendimento da Saatchi & Saatchi, México. Topei e fui apenas com a roupa do corpo (e algumas malinhas extras). Amei morar no México, é incrível, a capital é parecida com o caos de São Paulo e com belezas e riquezas culturais incomparáveis.

NEW YORK, NEW YORK

Acabei ficando três anos no México e fui promovida a sênior VP na Saatchi & Saatchi New York. As contas eram P&G, Ariel - LATAM, Fixodent - USA e Cibavision Lentes de Contato (Novartis), uma conta global. Nova cidade, novos sonhos. O ano: 2007, o mês: julho, ia de táxi do hotel para a agência no West Village e não entendia o que tanta gente fazia em filas pelas ruas de Nova York. Era o dia do lançamento do primeiro IPhone. Welcome to the Big Apple, capital mundial das novidades. É uma cidade intensa, tem seu charme e seus muitos desafios. Oferece muitas oportunidades e, para uma alma curiosa como a minha, é um paraíso: museus, performances, shows e uma aura, que vibe, só morando lá para sentir e entender.

Três anos, alguns invernos congelantes e era hora de pensar na volta pra casa. Foram seis anos fora do Brasil, nunca pensei em morar permanentemente no Exterior. Voltei com uma tatuagem e uma bagagem incrível. Queria novos desafios fora das agências de Publicidade. Como fazer essa transição de volta?

A VOLTA, DE NOVO

O primeiro passo para mudança na carreira é entender onde e como suas habilidades podem ser aproveitadas. O LinkedIn, sem dúvida, é essencial, mas use seu *network*. Para os amigos, fui comentando que queria voltar ao Brasil, até que surgiu a oportunidade de ser diretora de Marketing da Editora Globo. Parece disco arranhado, mas, de novo, eu escuto: "Que absurdo deixar NY para voltar para o Brasil!" A resposta foi a mesma: arrisco no que acredito e coloco foco para que dê certo e, nesse caso, deu muito certo. Amo revistas, adoro ler e era importante migrar formalmente para o lado do "cliente". Fazer parte do Grupo Globo foi um grande aprendizado.

Emendei México, Nova York e São Paulo sem nenhuma paradinha para respirar, o corpo começou a pedir descanso. Em 2013, minha história com a editora chegou ao fim, literalmente ao final de um carnaval na Bahia: "acabou". Saí para descansar, pensar. E agora? As paradas para respirar são importantes para colocar o pensamento em ordem. Planejei dar uma parada, reciclar o corpo e a mente. Nesse tempo, abri minha consultoria de Branding, a Connecxions: conectar marcas que poderiam juntas ser mais fortes em ações integradas através da união dos seus valores.

Governança Corporativa seria o meu próximo tema de estudo. Fiz um curso do Executive Program, de Harvard, para iniciar meu processo de conhecimento, até que em janeiro de 2014 recebi uma proposta para trabalhar novamente com a P&G, e não hesitei. Voltei a trabalhar em Publicidade, agora na agência África.

DE NOVO?

Será que fiz a escolha certa? Voltar a trabalhar em agência só me ajudou a confirmar: o meu ciclo em agências tinha se encerrado. Tenho muito orgulho de tudo o que construí e aprendi em todas as agências em que trabalhei, inclusive a África, onde fiquei pouco mais de um ano. Alguns desafios pessoais deram uma freada, mas nada que me fizesse perder o foco: Marketing.

Nunca pensei que não poderia fazer ou aprender algo, tem assuntos mais difíceis, outros mais fáceis, ou até mesmo assuntos que ainda irei aprender. O que ainda não se sabe pode-se aprender. Não precisamos nem devemos saber tudo. O importante é observar e motivar, para que cada talento do time sobressaia e juntos construam uma história de sucesso.

VOO DE CRUZEIRO

Sempre tive paixão por viajar, adoro todo processo, desde preparar a mala, significa que estarei perto de mais uma experiência incrível.

Meu currículo pousou na Azul já praticamente no final do processo de seleção. Cheguei no lugar certo, na hora certa. A Azul estava decolando e eu no assento de diretora de Marketing, Comunicação, Branding, Cultura e Responsabilidade Social.

Por ser mulher os desafios são maiores e até escutamos que tivemos "sorte". Acho que tive mesmo. Tive sorte de ter sido criada por uma mãe que me incentivou a ser independente e a acreditar que sou capaz de realizar o que eu coloco como meta. Tive sorte de ter uma família muito próxima, apesar do desafio da minha distância, morando em outros países, de ter conhecido pessoas incríveis que me inspiraram, equipes de trabalho que foram parceiras e amigos que me acompanham até hoje.

Construir conhecimento é uma constante em qualquer etapa da vida. Algumas etapas foram mais fáceis, outras muito mais complexas, mas nunca vi a pedra no caminho como uma barreira, apenas como um desvio.

NEM TUDO SÃO FLORES

E depois de tudo isso, como fica a vida pessoal? Não me casei nem tive filhos, não foi planejado. Como teria sido se tivesse me casado e tido filhos? Não sei. Fazemos escolhas e vivemos com o ônus e bônus de cada uma delas. Buscamos ser felizes, e eu sou feliz com as escolhas que a vida foi me oferecendo. Ser mulher e optar por seguir uma carreira internacional e sozinha não é fácil. Conhecer pessoas e lugares, além de aprender, é incrível, mas é um desafio encarar barreiras sozinha e ao mesmo tempo ter que performar no trabalho. Eu poderia ter escolhido outro caminho, mas foi este que me trouxe até o dia de hoje, e me sinto realizada.

Felicidade é trabalhar naquilo que se gosta, então posso dizer que sou feliz. Subi em mesa, dirigi caminhão e fui operadora de câmera de TV. Dancei conforme a música e continuo seguindo o baile. O sucesso não é o fim, é a busca constante da felicidade, satisfação e superação. Trouxe para a minha vida profissional tudo que vivi, realização semelhante à de um correspondente internacional, que vive diferentes culturas, conhece diferentes histórias e pessoas e se encanta pelas belezas do mundo.

Ah! E Hélio Costa, não fui jornalista, mas eu cheguei lá.

11

Claudia Neufeld

ALGO QUE FIZESSE SENTIDO

Claudia Neufeld

Diretora de Marketing da The Walt Disney Company Brasil.

Graduada em Administração de Empresas pela FGV-SP (Fundação Getulio Vargas), com MBA Executivo na Business School São Paulo. Há 21 anos na área de Marketing, ocupou posições de liderança em diversas empresas multinacionais como Unilever, Faber-Castell, Disney Brasil, além de experiência em um *e-commerce* brasileiro, a Digipix. Atualmente na Disney Brasil, lidera a área de Marketing, tendo como responsabilidade diversas linhas de negócios (cinema, TV, rádio, produtos de consumo, eventos e Public Relations).

neufeldclaudia1@gmail.com

Começo meu capítulo falando sobre minha infância, período em que tive uma rotina muito feliz! Eu ia para a escola, frequentava um clube, praticava vôlei, tênis, fazia aulas de Inglês. Além do estudo e dos esportes, tinha ainda o lazer com a família e os amigos.

Somos uma família pequena, meus avós vieram para o Brasil após a Segunda Guerra Mundial em busca de uma vida com paz e oportunidades. Meus pais nasceram aqui, mas cresceram sob a forte influência europeia do pós-guerra em sua educação e estilo de vida. Ambos são médicos e apaixonados por sua profissão, por isso os assuntos relacionados a Medicina estavam presentes no nosso dia a dia.

Lembro-me de fatos curiosos nos almoços e jantares em família, em que eles discutiam casos clínicos, mostravam fotos e detalhavam situações médicas. Imagino que diante de uma situação como essa poucas pessoas continuariam comendo. Entretanto, eu e minha irmã, dois anos mais nova, continuávamos a refeição normalmente. Às vezes até nos intrometíamos no assunto e meus pais não nos reprendiam.

Meu modelo familiar não se enquadrava no que era mais comum naquela época. É que minha mãe sempre trabalhou fora, de 10 a 12 horas por dia, e se dedicava inteiramente a sua profissão. Não convivi na minha infância com o modelo tradicional de família em que a mãe era bastante presente em casa e na rotina do lar. Meu pai também sempre trabalhou muito, mas participativa dos assuntos familiares. Certamente essa vivência influenciou minhas decisões e, olhando para trás, vejo como isso impactou positivamente na carreira que construí.

Já a minha adolescência foi típica, emocionalmente intensa e com momentos de rebeldia. Tive muitas discussões com a minha mãe, batia o pé e defendia as minhas ideias e opiniões sem dar trégua. Porém, mesmo com todo o *stress* dessa fase, sempre me esforcei para ser uma ótima aluna, consciente da importância de uma boa formação para meu futuro. Para mim era claro que não me dedicar ao meu próprio processo de aprendizagem e desenvolvimento prejudicaria a mim mesma.

Não fui uma *nerd* tradicional, era uma boa aluna, sim, mas me saía bem também nos esportes, disputei diversos campeonatos de vôlei, me desenvolvi e consegui ótimos resultados tanto no esporte coletivo como no individual, jogando tênis. O esporte me ajudou a desenvolver a habilidade de liderança, trabalho em equipe, e até mesmo a definir metas e planos de ação.

Também tive uma boa turma de amigos, pois conseguia ser amiga tanto dos colegas mais comportados da sala como dos bagunceiros. Ter bom relacionamento com pessoas muito diferentes de mim me ajuda até hoje na vida pessoal e profissional.

Eu conseguia conciliar de modo satisfatório todas as minhas atividades, pois organizava bem meu tempo, de maneira que conseguia estudar, praticar esportes, sair com os amigos, namorar e curtir a vida.

Prestei vestibular aos 17 anos, no auge da adolescência, o que fez com que escolhesse uma profissão diferente da dos meus pais. Eles sonhavam com uma filha médica, seguindo a carreira de sucesso deles, mas eu queria tudo, menos aquilo que eles desejavam. Então, como nunca me deixei levar pela comodidade, contrariei o que seria o caminho mais fácil, seguir a carreira de meus pais, e escolhi estudar Administração de Empresas. Fui fortemente influenciada pelo meu avô materno, que chegou ao Brasil sozinho, sem dinheiro, e se tornou um empresário de sucesso. Infelizmente, faleceu cedo. Ele tinha personalidade forte e era um líder nato. Sempre admirei suas atitudes e suas conquistas, pois nunca estudou Administração, mas era um grande administrador.

Decisão tomada, objetivo traçado, esforço feito e meta alcançada fiz graduação em Administração na Fundação Getúlio Vargas (FGV-SP).

Durante a faculdade, como gostava das ciências exatas, achava que meu futuro seria na área financeira, sem saber que ainda teria muitas surpresas em minha carreira. Fiz dois estágios em grandes bancos, aprendi muito e conquistei a vida que admirava, ao menos olhando de fora. Observava as pessoas mais velhas da faculdade sempre bem vestidas, falando de diversos assuntos do mercado financeiro com propriedade e o mundo de negócios bem-sucedidos me atraía e me fez querer pertencer a ele. Por um período eu pertenci, mas me sentia solitária e sem propósito, por mais clichê que isso soe.

Na verdade, eu queria fazer algo que tivesse sentido para mim, algo mais palpável e com impacto concreto na sociedade. Essa experiência de mudar o foco quanto a minha carreira foi extremamente importante, foi como uma terapia de autoconhecimento, pois percebi do que não gostava e que meu desejo era trabalhar com Marketing, para inovar, produzir, impactar mais as pessoas. Queria um trabalho mais colaborativo, em equipe, entregar algo real para os consumidores/clientes.

Ainda na faculdade assisti a uma palestra de ex-aluna que era diretora de Marketing de uma das maiores empresas de bens de consumo do mundo e fiquei encantada. Hoje, além de ex-chefe e amiga, é uma das mulheres mais influentes do mundo dos negócios.

Decisão tomada, objetivo traçado, esforço feito e meta alcançada. Passei em um dos processos de *trainee* mais difíceis do mercado, eram milhares de candidatos por vaga, diversas etapas, testes, dinâmicas, entrevistas. Assim, fui trabalhar em Marketing em uma das empresas mais admiradas do mundo, lá me encontrei e permaneci por 12 anos, tive diversos cargos e muitas oportunidades. Cuidei de estratégia, comunicação, inovação, pesquisa, planejamento, relações públicas, agências, eventos, administrei *budgets* milionários. Também liderei diversas equipes e fui responsável pelo Marketing de negócios tanto no âmbito do Brasil como da América Latina, além de participar de vários projetos globais.

Liderar projetos no Exterior permitiu que eu tivesse contato com pessoas de vários países e as gerenciasse. Viajei muito, conheci diversos países e culturas diferentes. Aprendi a trabalhar em grupos multiculturais, multirraciais, multi-idades, multicores, multirreligiões, multigênero, enfim, multi em tudo.

Era uma empresa à frente de seu tempo, aberta ao mundo e sempre muito inclusiva. Lá vivi uma forte aceitação da mulher e das minorias, numa experiência das mais ricas que pude ter.

Minha formação em Marketing e a base de minha carreira foram construídas nessa grande organização, na qual tive excelentes oportunidades, desafios e recompensas, além de fazer grandes amizades e onde conheci meu marido. Entrei *trainee* e saí diretora de Marketing, entrei solteira e saí casada, entrei uma menina com 21 anos e saí uma mulher, multifacetada, bem-sucedida, realizada e trabalhando com pessoas inspiradoras e influentes no mercado mundial.

Após uma experiência tão rica, me vi mais uma vez aprendendo: saí de uma multinacional pronta para ser desafiada e me lançar num mundo desconhecido. E assim fui trabalhar em outras empresas, um *e-commerce*, praticamente uma *startup*, bem diferente do que já havia visto; uma empresa de bens de consumo tradicional e conservadora; e novamente em uma grande multinacional, dessa vez no setor de entretenimento. Atualmente, tenho a oportunidade de trabalhar em uma empresa com cultura inclusiva e propósito claro, num mercado em que o produto, a inovação e a comunicação não cabem nas definições tradicionais e me vejo aprendendo novamente que quando se trata de Marketing a trajetória nunca termina, sempre há algo para descobrir e desafios para superar.

Mas tenho consciência de que a realidade é bem diferente em outras empresas. As pesquisas mostram que somente por volta de 16% dos cargos de liderança no Brasil são ocupados por mulheres. Essa realidade é triste e está fortemente arraigada na cultura da sociedade em que vivemos, porém, em minha opinião, é uma questão de tempo para esse quadro mudar em nosso país. Acredito que vem do histórico ainda presente em muitas famílias nas quais a menina, embora cada vez menos, felizmente, é criada diferente do menino e cresce acreditando que essa realidade é normal e imutável. Tenho dificuldade de entender esse pensamento, pois não foi assim que cresci, não foi o que meus pais me ensinaram. Tive o privilégio de crescer acreditando no meu potencial como pessoa, independentemente de ser mulher.

Meninas são diferentes de meninos, isso é fato, mas não significa que um é melhor que o outro, mais preparado ou tem maior potencial. Existem diferenças físicas, biológicas, de gostos, no entanto, não existe diferença de capacidade intelectual por gênero. No passado, no mundo empresarial, as mulheres tinham de se contentar com cargos básicos, sem possibilidade de carreira. Naquele momento, aceitavam isso como normal. Hoje esse cenário é bem diferente. Já temos mulheres construindo suas carreiras e assumindo papéis de liderança. É verdade que ainda são poucas, mas com o tempo esse número vai aumentar e a realidade será outra. Muitas pessoas, homens e mulheres, estão engajados em mudar esse cenário, desde a formação de nossas crianças até o incentivo à mulher em algumas empresas de ponta. Prego a cultura da igualdade, vejo pessoas próximas a mim no mesmo movimento, vejo grandes empresas e líderes conduzindo importantes iniciativas para mudar essa realidade. Esse movimento deve continuar e ganhar cada vez mais força. Será lindo o dia em que tivermos igualdade no tratamento e reconhecimento nas carreiras de homens e mulheres.

Nossas vidas são assim, repletas de desafios. Superar obstáculos sempre fez parte das minhas experiências, nunca me coloquei como vítima. Ao contrário, procurei e procuro entender a situação, as razões por trás do que está acontecendo, as barreiras a serem enfrentadas para elaborar a melhor resposta para o problema. Vejo os desafios como barreiras naturais a serem ultrapassadas. Em relação ao fato de ser mulher, nunca parei para saber se a barreira era sexista, então, caso ela fosse, para mim não existia e, pelo fato de não existir, não olhava a situação como um problema específico. Tentava entender a questão mais profunda da situação, o que estava por trás daquele preconceito, fosse ele contra o fato de eu ser mulher, ou por causa da minha idade, ou meu cargo, ou algum outro fator que não deveria ser colocado como obstáculo.

Olhando para trás, a barreira que tive de enfrentar diversas vezes tinha a ver com o fato de ser nova para alguns cargos. Comecei a trabalhar cedo, me formei cedo e minha carreira avançou rapidamente. Sou fisicamente pequena, aparento ter menos do que minha idade real e, isso sim, tive de enfrentar a vida toda. Via no olhar das pessoas ou ouvia nos comentários o estranhamento ao me conhecerem. E nunca deixei essa situação me atrapalhar ou abalar minha confiança. É fundamental para enfrentar qualquer situação confiar que é possível, que você vai conseguir.

Outro desafio é conciliar minha vida pessoal e profissional, o que para mim é essencial, é condição básica, é pré-requisito para minha existência. Isso pode soar forte demais, mas não para mim. E consigo fazer isso de uma maneira equilibrada e que me preenche. Sou extremamente feliz com minha família e com o tempo que temos juntos, e realizada com meu trabalho, orgulhosa da minha carreira e plena com a minha vida. Se meu trabalho não me permitir ser assim, então ele não serve. Se meu marido não me apoiar, então não serve. Sempre trabalhei muito, bem no estilo *multitask*, dou conta de várias tarefas com eficiência, faz parte do meu estilo, cresci assim, organizando meu tempo para fazer tudo que preciso. É claro que não sou perfeita, que não tenho tempo para tudo e não sou a melhor em tudo...

Aliás, não sou movida pela cultura de ser a melhor e aprendi a analisar minha vida relativizando e escolhendo prioridades. Isso me garante uma plenitude e felicidade por ter uma vida equilibrada. Não sou de extremos, faço de tudo um pouco e dá tempo para fazer tudo que quero.

No trabalho, administro o Marketing de cinco linhas de negócios diferentes, uma equipe de 40 pessoas, diversos assuntos, entro e saio de reuniões o dia inteiro, respondo centenas de *e-mails*, faço conferências o tempo todo, e ainda me esforço para almoçar bem todos os dias, organizar minha casa, os horários do meu filho, auxiliar nas tarefas da escola, dar apoio e estar presente nos momentos importantes, ter tempo para meu marido e cuidar de mim.

Também é importante ter parceiros que te apoiem nessa rotina, que te ajudem a funcionar. A administração do tempo é a chave para uma vida equilibrada. A organização das tarefas e da rotina permite que tudo funcione bem e, quando isso acontece, você se aperfeiçoa e melhora ainda mais a eficiência da administração do seu dia. É como um círculo virtuoso, quanto mais coisas você faz, mais organizada você precisa ser, e mais coisas você consegue fazer.

A tecnologia pode ajudar e costumo adotá-la desde cedo. Fico realmente conectada o tempo todo. Sou ansiosa por informação e tenho uma relação antagônica com essa disponibilidade, serviço e acesso 24 horas por dia. Por um lado, resolver o que eu precisar na hora que eu quiser me alivia da tensão, mas, por outro lado, checar constantemente mensagens, *e-mails*, me deixa mais ansiosa. Resolvi abraçar minha ansiedade e usar a tecnologia a meu favor. Isso é libertador.

Antes de a tecnologia permitir o acesso à distância, o trabalho tinha hora para começar e terminava quando a pessoa ia embora do escritório. Isso não existe mais e trabalhamos muito mais, mas temos liberdade em relação à presença física e aos horários. Nem estou falando da possibilidade que vem sendo cada vez mais adotada nas empresas, o *home office*. Refiro-me à possibilidade de falar com quem eu quiser, na hora que quiser, de onde eu estiver. A tecnologia permite estar próximo de qualquer pessoa e de qualquer conteúdo. Como *early adopter* de novas tecnologias, vibro com as novidades e os novos desafios no trabalho. Como parte da liderança de uma grande empresa de entretenimento, tenho a honra e a responsabilidade de trazer esses avanços para a vida das pessoas. Isso é fascinante!

Além de estarmos conectados e a par dos avanços tecnológicos, uma característica que acredito essencial para as pessoas hoje e no futuro é a capacidade de aprendizagem durante a vida toda. Não dá mais para achar que já sabemos o suficiente. Tudo muda o tempo todo. Com isso, outro ponto importantíssimo é a aptidão para flexibilização e adaptação às constantes mudanças. O que vale hoje não vai valer mais amanhã.

Eu amo o que faço e faço com prazer. Acredito que o Marketing é uma área muito promissora tanto para homens como para mulheres, não faço distinção. Mesmo sem diferenciar por gênero, as mulheres têm uma certa vantagem ao trabalhar na área. A mulher é naturalmente *multi-task*, é filha, mãe, esposa, mulher, amiga, chefe, subordinada, colaboradora.

Com isso, consegue administrar múltiplos papéis e tarefas simultaneamente, cuidar de diversos projetos diferentes ao mesmo tempo. Isso é bastante presente no Marketing. A mulher tem facilidade de relacionamento e é mais receptiva ao lidar com diferentes estilos, o que facilita a participação e/ou liderança de equipes multifuncionais, multirraciais, multigênero, e equipes diversas são mais produtivas. Esse fato já foi comprovado por vários estudos. A beleza das relações nas empresas e de projetos de sucesso está na interdependência e complementaridade das relações, sem importar quais sejam os gêneros, cores ou ideologias. Em Marketing tudo pode ser criado. Como mulher, sensível e dura, sonhadora e pragmática, criar a minha própria história e caminhar lado a lado, em igualdade, com quem compartilha os mesmos sonhos e valores é incrível, não é?

12

Cristina Viana
da Fonseca

DE MENINA MANDONA
A LÍDER COM TERNURA

Cristina Viana da Fonseca

Construiu sua carreira na Johnson & Johnson e na Pfizer Consumer Healthcare, com uma passagem por consultoria de branding na Dervish. Ao longo de sua carreira, gerenciou marcas líderes em âmbito local, regional e global, quando morou nos Estados Unidos. Formou-se em Administração de Empresas pela Eaesp – FGV, onde foi a primeira mulher presidente da Atlética FGV, em 1997. Fez MBA pela FGV, e imersão em marketing digital na Hyper Island. Hoje, atua na Amazon, como líder de uma unidade de negócios do varejo no Brasil. Casada, mãe de dois meninos, Cristina acredita que é possível construir um ambiente de trabalho de alta *performance e colaboração, criando valor para a sociedade.*

fonseca.cris@gmail.com
www.linkedin.com/in/cristinavianadafonseca/

AMPLIANDO OS HORIZONTES

Quando eu era pequena, as pessoas me chamavam de mandona. E eu sempre achei isso muito chato. Mas, no fundo, acho que eu entendia um pouco de onde isso vinha. Afinal, era eu quem coordenava o teatrinho dos primos todo ano no Natal, dando a cada um seu papel na trama, suas falas, e as coordenadas de quando iriam ter sua participação. Mal sabia eu que esse era apenas um dos primeiros rótulos dados a meninas que têm a veia da liderança.

A mais velha de três irmãs, eu era a responsável pelas brincadeiras, distribuindo personagens, negociando os brinquedos e qual seria o jogo ou o passatempo do momento. Filha de uma mãe que interrompeu os estudos para se dedicar à família, eu sempre fui muito incentivada a estudar e buscar independência. Nascida numa família de classe média, que ama música e esportes, sou muito grata aos meus pais pela escolha e pelo esforço que fizeram para me proporcionar uma formação integral, de boas escolas às aulas de Inglês, esportes e piano.

No meu último ano no colégio, decidi que queria trabalhar com Marketing e que para isso queria fazer Administração de Empresas na FGV (Fundação Getúlio Vargas). Dediquei-me muito, e consegui entrar na primeira lista do segundo semestre de 1994 na FGV. Uma conquista enorme pra mim naquela época.

Aproveitei muito a faculdade. Não só a parte acadêmica e as festas. Entrei de cabeça. Fui membro do Diretório Acadêmico, do conselho de estudantes, trabalhei no departamento de *fund raising* (angariação de fundos) da escola. Até que, em 1996, montei uma chapa para concorrer à liderança da Atlética, e ganhamos! Em 1997 fui eleita a primeira presidente mulher da Atlética da FGV, um período de muito aprendizado. Nosso objetivo era democratizar a Atlética, trazer mais gente pro esporte, para os jogos, e montar um esquema financeiro sustentável para o ano. Conseguimos o primeiro patrocínio anual da organização, que possibilitou que criássemos novos campeonatos com faculdades parceiras, que fizéssemos campanhas internas de divulgação, e com isso conseguimos trazer pra perto muita gente que antes não tinha contato com a Associação. Fizemos uma transformação!

Na época eu não pensava muito sobre isso, mas me lembro de que um amigo me disse que eu precisava de líderes homens para dar mais peso pra minha gestão. Estranhei muito esse comentário, mas segui em frente com uma equipe diversa e muito engajada no propósito.

Eu nem me dava conta da importância de ter sido a primeira mulher presidente, até que no ano passado me ligaram da FGV pra pegar um depoimento sobre os 30 anos da Atlética, e me contaram que nesses 30 anos a associação teve apenas três mulheres presidentes, e a segunda veio só em 2010, 13 anos depois da minha gestão!

Nesse papo com uma aluna da FGV, conversamos sobre como isso é um espelho do mundo corporativo. Ainda poucas mulheres chegam à liderança de empresas versus o número de mulheres em cargos de analistas a gerências médias. E, raramente, mulheres são substituídas por mulheres.

UMA CARREIRA DE APRENDIZADOS

Ainda em 1997, entrei no programa de estágio que abriria as portas para a área de Marketing. Comecei como estagiária de Marketing da categoria de absorventes na Johnson & Johnson (J&J), empresa na qual desenvolvi a maior parte de minha carreira. Tive a oportunidade de trabalhar e conviver com líderes incríveis, homens e mulheres, que foram essenciais na minha formação profissional.

Comecei minha carreira em Marketing local, em posições com responsabilidade por projetos, P&L, comunicação. O Marketing da afiliada, do mercado local, dá um entendimento de negócio profundo, da relação com vendas, com o fechamento do mês, a disputa por participação de mercado. Nessa fase, aprendi que você precisa conhecer o seu negócio em profundidade. Que o gerente de Marketing é um gestor de negócio, e que o domínio dos números é fundamental para participar do jogo.

Eu queria muito ter uma experiência internacional. E falava sobre isso em todas as minhas avaliações de desempenho, e em todas as oportunidades que eu criava com os times globais com quem eu trabalhava. Até que como gerente sênior, como resultado da minha *performance,* fui convidada a participar de um programa de desenvolvimento internacional. Vivi e trabalhei por um ano e meio nos Estados Unidos, em New Jersey, atuando com o time global de Johnson's Baby. Uma oportunidade maravilhosa.

Apesar de estar na mesma empresa, tive que aprender a trabalhar em outra cultura e a não ser mais a dona do P&L. Dessa vez, precisava influenciar as regiões a implementarem as estratégias que desenhávamos no time global. Aprendi a importância de entender o contexto de cada região e dos meus clientes, e buscar as similaridades para diminuir as diferenças, fazendo a estratégia global ser implementável. Aqui aprendi que o contexto pode ajudar a ganhar aliados.

Esse foi um período muito especial, de muito autoconhecimento, e também foi quando conheci meu marido, que morava em New York há seis anos, e decidimos que voltaríamos ao Brasil.

Na volta ao Brasil, no final de 2006, ocupei posições regionais. Tive a oportunidade de usar o que eu tinha aprendido nos Estados Unidos, entendendo as diferenças culturais mais profundamente e potencializando as similaridades, trazendo *insights* mais poderosos e maior eficiência nos processos regionais.

O ENCONTRO DA FORÇA NA VULNERABILIDADE

Tive os meus dois filhos durante meu tempo na J&J. O retorno da primeira licença maternidade foi tranquilo. Voltei para uma posição local, que me possibilitou viajar menos e fazer uma transição serena de profissional sem filhos para profissional mãe.

Durante minha segunda licença-maternidade, a companhia passou por uma reestruturação. Esse foi um momento de grande desafio. Eu não estava na empresa quando a reestruturação aconteceu. E isso foi um problema. Minha posição acabou sendo eliminada e, fora da empresa, minha capacidade de articulação foi muito reduzida. Acabei saindo da J&J no começo de 2015.

Não foi uma saída fácil. Senti-me muito fragilizada por sair nesse momento tão delicado da vida. Mas segui em frente, com o apoio do meu marido, Marcos Olmos, da minha família e dos meus amigos. Aprendi que o que eu construí na minha carreira é meu. Os desafios que superei, os projetos que deram certo, aqueles que não deram certo, os aprendizados em todos os processos e posições... Esse conhecimento e experiência levo comigo pra onde eu for.

Aproveitei esse tempo para fazer coisas que eu não conseguia fazer enquanto estava trabalhando. Fui ao SXSW em Austin abrir a cabeça com conteúdos dos mais diferenciados. Fiz o *master class da Hyper Island para me aprofundar no mundo digital. Participei de um projeto de consultoria de uma categoria que eu nunca tinha trabalhado, com a Dervish, uma consultoria que trabalha em rede, que não tem funcionários, um modelo diferente de trabalho.*

E, em seis meses, aceitei o desafio de ser diretora de Marketing da Pfizer Consumer Healthcare. Fiquei na Pfizer por dois anos e meio. Foram anos de muito aprendizado, navegando numa cultura diferente, numa empresa menor, trabalhando com novas categorias, com lideranças muito diferentes das que eu tinha trabalhado antes.

Aprendi muito e tive a sorte de atuar com pessoas de perfis distintos, que me desafiaram de maneiras que eu ainda não havia sido desafiada. Tive que ser muito mais criativa para conseguir comunicar produtos de OTC (medicamentos sem prescrição), que têm uma regulamentação mais restritiva. Tive que ser muito mais política para conquistar aliados nas áreas técnicas. Foi um período intenso, de muito aprendizado, e que acabou em dezembro de 2017.

Desde então, joguei-me no desafio de buscar uma oportunidade realmente diferente. Queria muito ir para o setor de tecnologia, e conversei com muita gente desse segmento. Fui a muitas palestras, fiz cursos diferentes, voltei a tocar piano. Até que surgiu uma oportunidade que realmente tinha a ver com o que eu buscava, e desde julho deste ano (2018) me juntei ao time do varejo na Amazon Brasil, como líder de uma das unidades de negócio. Todos os dias aprendo muitas coisas novas, me sinto novamente desafiada, e trabalho alinhada com os meus valores.

A MATERNIDADE E O TRABALHO

A maternidade me transformou. Meu estilo de liderança mudou. Antes, eu era uma líder mais dura. Fiquei mais tolerante, mais compreensiva. Exigente e determinada, continuo em busca de excelência, mas, agora, com mais ternura.

E isso foi fundamental para eu conseguir equilibrar melhor o trabalho e a maternidade. É um desafio diário. A mãe pensa em tudo ao mesmo tempo, e aprendi que ter uma rede de apoio (marido, companheiro(a), avós, amigos, babá, empregada, enfim, pessoas com quem você pode contar) e organização são essenciais para conseguir sentir realização no que você faz, mesmo não dando conta de tudo. Porque a gente não dá conta de tudo o tempo todo. A gente segue equilibrando os pratinhos pra fazer acontecer do melhor jeito que a gente pode.

A CARREIRA EXECUTIVA E AS MULHERES

Como dicas para as mulheres que estão entrando nesse mercado, posso falar dos aprendizados que tive ao longo de minha carreira.

• Você precisa ser a dona do seu negócio e atender o seu cliente com excelência. Um bom profissional precisa conhecer seu negócio em profundidade, precisa ter presença executiva, e boa leitura de ambiente. É fundamental se empenhar em conhecer seu cliente, tanto o consumidor quanto seus clientes internos, mas o consumidor final é realmente o rei.

• Você precisa aprender a tomar decisões. É preciso confiar na sua experiência, saber que nem sempre você terá todas as informações para tomar as decisões, e mesmo assim precisará tomá-las. Nesse sentido, é importante saber quando uma decisão é reversível, para poder tomar riscos mais calculados.

• Com um bom time, você realiza coisas incríveis e vai mais longe. Construir um bom time é um trabalho de todos os dias, e nada substitui ouvir as pessoas de verdade para entender como você pode ajudá-las e construir confiança.

• Curiosidade e vontade de aprender fazem com que a gente sempre continue se aprimorando, inspiram os outros a buscarem aprendizado, e abrem novas oportunidades de negócios e soluções. Busque conhecimento em áreas diferentes da sua. Abrir a cabeça ajuda a ter ideias frescas e inovadoras.

• Trabalhe numa empresa que tenha a cultura e valores que combinam com seus valores pessoais. Você será mais feliz e terá mais chances de sucesso.

• Esteja próxima de pessoas que lhe fazem bem. Sempre vamos cruzar pessoas que fazem o dia a dia mais leve e ajudam a construir um ambiente de aprendizado. Ao longo de minha carreira encontrei pessoas maravilhosas, entre elas a Juliana Sztrajtman, hoje líder de uma unidade de negócios na Amazon, e a Cristiane Santos, *head* de comunicações na Pfizer.

• Você é a dona da sua carreira, e mais ninguém. Invista tempo em se desenvolver, busque mentores que possam ajudá-la ao longo de sua trajetória. Tive a sorte de trabalhar com mulheres incríveis, que me ajudaram com *insights* poderosos, como Duda Kertesz, presidente da J&J e-Health nos Estados Unidos, e Bettina Walker, que foi vice-presidente Global na J&J. E também pude aprender muito com a sabedoria de líderes experientes como o Oscar Motomura, da Amana-Key.

Por fim, fale o que você quer. Se você falar o que quer para a sua carreira, as chances de você conseguir aumentam exponencialmente.

No Brasil, segundo dados do IBGE, embora as mulheres representem 51,7% dos trabalhadores, apenas 37,8% delas ocupam cargos gerenciais. E esse número cai para 16% em cargos de presidente, e 2% para membros de Conselhos de Administração. Várias causas já foram levantadas para esse fenômeno, que é mundial. Precisamos abrir caminho para as mulheres para mudar esse cenário, mantendo um canal aberto para conversa e realizando ações que tragam impactos reais.

Por isso, convido você a construir uma rede de apoio às mulheres que você conhecer ao longo de sua carreira. Tanto buscando mentoras, como oferecendo apoio. Todas nós podemos ajudar nessa jornada no mundo do trabalho. O aprendizado no processo é recompensador, e podemos juntas fazer a diferença para termos mais mulheres líderes no mercado.

13

Daniella Barbosa

OLHOS ABERTOS PARA AS POSSIBILIDADES

Daniella Barbosa

É formada em Engenharia de Produção, pós-graduada em Marketing e especialista em Inteligência de Mercado.

Com 20 anos de experiência, já atuou em empresas nacionais e multinacionais de diferentes portes, como Ibope, Atento e Lorenzetti, sempre nas áreas comercial e de Marketing. Atualmente é diretora de Marketing e Relações Institucionais na Gocil, onde foi responsável pela implementação do departamento de Marketing e Comunicação na empresa em todo o território nacional.

Durante sua carreira adquiriu experiência em maximizar os resultados de Comunicação das empresas trabalhando com o conceito de comunicação integrada e com o foco na geração de novos negócios. Também conquistou sete prêmios, entre eles ABEMD, Top of Marketing 2016, da ADVB, e ABM&N.

daniella.barbosa@live.com
www.linkedin.com/in/daniellabarbosa

Nasci na Zona Norte de São Paulo, de onde nunca saí. A minha infância não foi muito diferente de outras crianças de classe média. Meu pai, Guilherme, era executivo do Pão de Açúcar, viajava muito, e a minha mãe, Catarina, ou Nina para os amigos, administrava a casa, as agendas, as lições de casa, enfim, toda a rotina diária minha e da minha irmã, Marcella.

Adorava brincar na rua, morávamos em uma rua pequena, toda de paralelepípedo, de onde trago algumas cicatrizes nos joelhos.

Iniciei meus estudos no Colégio Santana, tradicional escola católica do bairro e lá fiquei desde a primeira série até o término do ensino fundamental. Quando estava na oitava série, hoje nona, alguns colégios técnicos foram apresentar as carreiras na minha escola e eu, sempre apaixonada pela área de exatas, me encantei com a carreira de técnico em mecânica. Estudei muito naquele semestre, pois queria entrar na Escola Técnica Federal de São Paulo. Consegui esse objetivo e depois de quatro anos era a única mulher a se formar entre 350 alunos do curso. Continuei seguindo a carreira em exatas e fui estudar Engenharia de Produção na FEI (Faculdade de Engenharia Industrial), onde já havia algumas mulheres.

Após alguns trabalhos na área, em 1997 entrei na Lorenzetti como analista no departamento de novos negócios. E lá se iniciou o meu contato com o Marketing. Éramos responsáveis por todo o desenvolvimento, desde a pesquisa, estudo de viabilidade, criação de *mockup, projeto* etc. Percebi a minha deficiência para atuar em algumas frentes, como a pesquisa e lançamento de produto, e nesse momento decidi fazer uma pós-graduação em Marketing. Depois de algumas posições em desenvolvimento de projetos e atendimento a clientes na área de *call center*, em 2001 migrei definitivamente para a carreira de Marketing.

O primeiro desafio foi lançar uma empresa de *call center* oriunda da Teletrim, do setor de *pager*. Foi a construção de um departamento com todas as frentes de Marketing envolvidas. Comunicação, Marketing, eventos, endomarketing, inteligência de mercado e CRM. Um enorme aprendizado e oportunidade, pois trabalhei desde o desenho da logomarca da empresa até a estruturação da venda dela alguns anos depois. De lá para cá abracei todas as oportunidades de crescimento, de aprendizado, de mudanças. E acredito que esse olhar positivo com a minha dedicação foi o que me fez conquistar a cadeira de diretora de Marketing e Relações Institucionais da Gocil, onde estou atualmente.

Comecei na Gocil em 2013 com a missão de criar um departamento de Marketing estratégico e atuando fortemente em parceria com o Comercial. E hoje a Gocil é com certeza a empresa com a comunicação e posicionamento mais inovadores do setor.

MINHA MOTIVAÇÃO SE CHAMA AMÁLIA

E no meio desse crescimento profissional chegou a pessoa mais importante da minha vida, minha filha Amália. Ela nasceu em maio de 2007 e veio trazer mais energia e inspiração.

Como mulher executiva e mãe de uma menina, acredito que tenho um papel importante para estimular o crescimento das mulheres no mercado e nos cargos de liderança. Tento fazer isso em conversas, participar de grupos de discussão e levantar a bandeira de que temos, sim, como conciliar a vida profissional e a pessoal.

Sou divorciada há quase cinco anos e o meu dia a dia com viagens, eventos, reuniões etc. tem que ser conciliado com reuniões da escola, festas, futebol, sapateado, além do nosso tempo juntas, que precisa ter qualidade e dedicação. Procuro sempre programar passeios ou momentos especiais para nós duas. É uma ginástica diária na qual conto com uma senhora que trabalha comigo, Cícera, além dos meus pais, minha irmã e meu cunhado Bernardo, que já sabe até desembaraçar cabelos cacheados.

ENSINAMENTOS

Além disso tudo, eu adoro ler, me atualizar, entender os movimentos, estar presente em eventos e exposições. A carreira de Marketing exige muito isso. Precisamos estar atentos às tendências, movimentos, teorias etc. E hoje a tecnologia é um grande desafio para todas as verticais da empresa. E não poderia ser diferente no Marketing.

Hoje, a Gocil está muito à frente nas mídias sociais e até já ganhamos três prêmios com a atuação da empresa no Facebook. Usamos Vídeo de Realidade Virtual e Realidade Aumentada para os nossos materiais e estamos com um membro novo na equipe de Marketing, o robô que batizamos de Oglic.

CONSELHO

Este é o meu primeiro conselho para quem está iniciando a carreira. Esteja aberta às novidades, às movimentações, a experimentações sem bloqueios. Sem "pré-conceitos". Está vindo um mundo novo na nossa área, de cargos, de informações, de novas implantações, e temos que estar preparadas para isso.

O meu segundo conselho seria com relação ao crescimento profissional perante o domínio masculino. Eu nunca tive problemas para me relacionar com os homens no trabalho, sempre conquistei o respeito e espaço perante os meus colegas. Mas nunca quis ser um deles, sempre respeitei as diferenças e procurei me destacar dentro das minhas características e competências.

Agora, nesta nova posição, espero poder contribuir mais com o empoderamento das mulheres, olhando e cuidando da base da nossa cadeia, principalmente com a bandeira da educação, em que para mim será o principal gatilho para o crescimento e conquistas de novas posições.

14

Danielle Bibas

CAIXEIRA VIAJANTE

Danielle Bibas
Vice-presidente mundial da Avon

Sou filha de pai francês e mãe brasileira, que proporcionaram para mim e meus dois irmãos, ambos mais novos que eu, uma infância maravilhosa. Podíamos brincar fora de casa, com os amigos, com brincadeiras de criança mesmo, sem tecnologia, muito diferente do que acontece hoje em dia. Tínhamos tempo para passear com a família, fazer um pouco de tudo, estudar, mas obedecendo a uma rotina. Meus pais sempre deram muita importância aos nossos estudos e, apesar de não serem ricos, eu pude estudar em excelentes colégios.

Lá, muitos amigos tinham um poder aquisitivo maior que o da minha família e quando voltavam de férias contavam suas viagens para o Exterior. E eu tinha ido para o Rio de Janeiro, pois meus avós moravam lá, e nós sempre passávamos as férias com eles. Nada de errado com o Rio, ao contrário, mas eu queria mais. Posso dizer que esse foi um dos impulsionadores da minha ambição e minha meta era estudar para ser bem-sucedida, um dia ter os meios financeiros para fazer tudo o que as pessoas mais abastadas faziam, e viajar era uma das coisas que fazia meus olhos brilharem. Minha primeira viagem internacional eu fiz quando tinha 16 anos, e depois que me formei na faculdade comecei a viajar muito, porque tinha meu dinheiro e pagava minhas despesas. Viajei também como funcionária da Procter & Gamble, o que me fez querer conhecer o mundo e essa vontade me transformou numa "caixeira viajante".

Fiz Administração, na Fundação Getúlio Vargas (FGV), não sei exatamente o motivo, mas decidi desde muito cedo que iria trabalhar em empresas. Meu modelo de negócios foi um tio que se fez por si mesmo e por muitos anos exerceu o cargo de presidente do Unibanco. Era uma pessoa muito próxima de mim e o admirava por ter conquistado tudo que almejava. Na época da faculdade, comecei a trabalhar ministrando aulas de Inglês, depois fui trabalhar em uma loja e ganhava muito bem como vendedora, até virei gerente. Ganhei bastante dinheiro, porém, chegou o momento em que decidi que iria trabalhar em uma empresa e esse meu tio me ofereceu um estágio no banco.

Ele me perguntou em que área eu gostaria de trabalhar, e eu disse que Recursos Humanos, pois adorava a gestão de pessoas, mas ele negou, então escolhi a área de Marketing. Na faculdade você aprende muita coisa que já está ultrapassada e quando está no trabalho é muito diferente. Então entrei no Marketing direto do Unibanco, fazíamos aquelas cartas que eram enviadas para os clientes oferecendo produtos (seguro, poupança, investimentos). Trabalhei por um ano e meio aprendendo muita coisa, mas naquela época trabalhar com serviços não tinha o *glamour* que tem hoje, quem trabalhava com Marketing queria vender produto físico. Então os profissionais com quem eu convivia começaram a falar que, se era Marketing que eu queria, teria que trabalhar numa empresa de produto, e eu resolvi que estava na hora de fazer isso, fui participar de seleções em grandes empresas e nunca trabalhei em outra área, somente em uma indústria, mas por pouco tempo.

Quanto à participação da mulher em cargos executivos, em primeiro lugar acho que as empresas precisam ter a consciência do valor que é adicionado quando têm uma força de trabalho diversa. Não estamos mais falando de homens e mulheres, estamos falando agora de raças diferentes, de preferência sexual, independentemente de se estar na Europa, porque lá é superimportante ter gente de todas as origens, então as empresas precisam primeiro achar que isso tem ligação com o resultado e com o negócio. Agora, não adianta se a diversidade é só para cumprir uma cota. A empresa deve ver que, ao trazer mais mulheres para participação nas estratégias, a discussão torna-se mais rica, pois elas têm uma visão diferente da de um homem, com outra perspectiva, outras perguntas.

Com uma discussão mais rica, o negócio vai ser bem-sucedido. Essa é uma razão para as empresas quererem uma liderança representativa, é a primeira coisa que precisa acontecer, e depois precisam adotar mecanismos para que a mulher consiga gerenciar a casa, a família e o trabalho, porque é uma realidade, nós não estamos na Suécia, estamos no Brasil, um país onde predomina o matriarcado, quem cuida, administra a casa, no final das contas, é a mulher. Acho que a geração mais jovem hoje está começando a mudar, mas ainda temos a maior carga de responsabilidade. Por isso a empresa precisa ter horários flexíveis. É preciso ter formalmente dentro da empresa processos, benefícios, enfim, uma cultura que beneficie a mulher. Li outro dia que houve uma época em que as pessoas iam para o trabalho e fingiam que não tinham vida pessoal, no entanto, você tem marido, namorado, filho, casa, tem dor de dente. Então, a segunda coisa são processos.

Hoje tenho muita sorte, estou na Avon, uma empresa que oferece licença-maternidade estendida, horários superflexíveis, sala de amamentação, possibilidade de *home office*, além de processo de promoção em que deve haver ao menos uma mulher candidata ao cargo, a partir de gerente para cargos mais altos, porque nos níveis de entrada não tem problema, é superbalanceado. Quando a mulher se casa e tem filhos, começa a ter problemas se estiver trabalhando em certos setores, certas empresas, porque às vezes não consegue conciliar todas as tarefas, tem de fazer uma escolha entre a vida profissional e a pessoal.

A terceira coisa, que utilizo nas palestras e acho superimportante, é que a mulher tem uma responsabilidade enorme de tomar as rédeas da carreira. Fiz muitas escolhas na minha vida, algumas que priorizaram minha carreira e outras, a minha vida pessoal, e no dia em que disse não para um trabalho porque queriam me mandar para o Japão, que seria incrível para minha carreira, eu disse que não queria morar lá porque seria uma pessoa infeliz. Acho que você, leitora, tem de estar em paz com as decisões que toma.

Estou mentorando uma jovem, de 33 anos, ela é diretora criativa da minha agência. Fomos a um festival em Austin, Estados Unidos, e passamos uma semana juntas, almoçando, jantando, nas palestras. Um dia sentei-me com ela e comecei a falar de carreira, perguntei se ela já havia parado para pensar em qual seria seu próximo trabalho, quando seria promovida, o que pretendia daqui a cinco anos. Acho que ela nunca tinha pensado nessas coisas. Há algum tempo ela me ligou dizendo que recebeu uma proposta de trabalho, precisava conversar comigo, passei duas horas ao telefone com ela, que me disse que aquela conversa que tivemos em Austin caiu como uma luva. Procurar uma mentoria faz parte do desenvolvimento, procurar mulheres que passaram por uma situação pela qual você ainda não passou vai ajudá-la quando você não souber o que fazer.

O número de mulheres em altos cargos ainda é muito pequeno, há muita coisa a ser feita para esse número subir, as empresas precisam querer, as mulheres precisam batalhar, ajudar as mais novas, oferecer Coaching. Eu abri uma vaga no meu time há alguns meses para diretor de criação. E é superdifícil achar uma diretora de criação!!! Eu contrato principalmente de agências e em nível de diretoria de criação se tiver 10% de mulheres é muito. Falei para a empresa de Recursos Humanos que contratei que queria uma mulher, demorou, achei uma pessoa incrível, mas porque eu queria! Tem que querer e fazer acontecer, porém, não é só pelo fato de ser mulher, a pessoa deve ter todos os requisitos técnicos da profissão, ter liderança.

Sempre trabalhei em multinacional e ainda acho que para a mulher que está nesse tipo de empresa o maior desafio é a carreira internacional, é muito difícil, a sociedade ainda vê como uma coisa normal quando o homem é promovido e vai pra Cingapura, por exemplo, e a mulher para de trabalhar para ir com ele. No entanto, quando é o contrário, e se você vai para um lugar estranho, você tem de refazer sua vida pessoal, vai se refazer profissionalmente, e se tem um companheiro(a) que está infeliz a coisa desanda completamente. É muito mais difícil para o homem aceitar essa posição. Claro, a geração atual já é diferente, teremos outra cabeça, outra visão para isso. Uma mentora me falou que eu podia ter tudo, mas não ao mesmo tempo, e está virando clichê, porque todo mundo está dizendo isso agora, porém, é a pura verdade.

 Acredito que seja raríssimo você encontrar uma pessoa que tem uma carreira maravilhosa, o casamento maravilhoso, saúde impecável, a situação financeira excelente, a família sem nenhum grande problema, geralmente se tem coisas que estão boas e outras não, então, como conseguir gerenciar o lado pessoal e o profissional? Primeiro, você tem de fazer escolhas. Acredito que mulher tem de ser organizada. Sentar e avaliar a agenda da semana, tanto pessoal quanto profissional. Organização é necessário, acredito que a mulher tem esse poder de conciliação entre o pessoal e o profissional. Não acho necessariamente que o Marketing seja mais feminino ou mais masculino, porque para atuar na área é preciso tanto o lado criativo e imaginativo quanto o lado estratégico, de números, de negócio. Agora, acredito que essa área em algumas empresas é o centro, então ali você tem pressão, tem de saber lidar com prazos de entrega, planejamento, as coisas para as quais é preciso ter o entendimento de números. Quem não possui esse conhecimento e vai fazer Marketing não consegue se sair bem na carreira. Entender como se faz Marketing digital, como funciona o algoritmo do Facebook, como se compra mídia programática, por exemplo, não se aprende em faculdade.

 Hoje é crucial entender como fazer Marketing dentro desse ambiente *online*, completamente conectado. Quando você faz a análise estratégica, de um segmento, de uma empresa, da concorrência, do produto, os dados hoje em dia são muito mais amplos do que no passado porque se consegue ler tudo, toda a jornada de compra do consumidor, tudo mapeado, então entender e saber lidar com números e com dados é muito importante. Além disso, chamo a atenção dos jovens para que façam estágio em áreas diferentes, porque um segmento é muito diferente do outro. No início da minha carreira fiz um processo na Shell, uma empresa que eu achava muito interessante porque vende um produto que o mundo inteiro usa, é absolutamente essencial nas nossas vidas, mas, conforme eu fui conhecendo as pessoas que me entrevistavam, percebi que não queria trabalhar com elas, achei que era um pessoal muito certinho, e não me identifiquei.

Em outras organizações, observava as pessoas e imaginava se conseguiria, em dez anos, chegar ao lugar em que estavam. E aquilo me motivava. Era o que eu queria para minha carreira. Engraçado, acabei me lembrando que fui entrevistada na Procter por quatro pessoas, um homem e três mulheres, três mulheres incríveis, que me inspiraram. Fazer estágio, entender que tipo de empresa combina mais com o seu estilo, com seus valores, suas crenças, de que mercado você gosta e experimentar às vezes é necessário. Meus pais foram fundamentais na construção da minha ética, meus valores, me formaram como pessoa, e do ponto de vista profissional minha primeira influência foi meu tio, Castro Neto, que hoje em dia está em diversos conselhos diretivos, foi presidente do conselho do Magazine Luiza por mais ou menos sete anos, e me inspirou quando eu era jovem, como relatei no início.

Ao longo desse tempo eu cito algumas mulheres que marcaram minha trajetória, uma delas é a Melanie Healey, brasileira filha de ingleses, uma das pessoas que me entrevistou na Procter, uma mulher que sabia conciliar a família e o profissional. É casada, tem dois filhos, tem cachorros, ela e o marido inverteram os papéis, no início de suas carreiras eles trabalhavam, e os dois foram tendo promoções, houve um momento em que a carreira dela decolou e ele teve de parar de trabalhar porque a cada três anos ela ia para um país diferente, ele cuidava dos filhos, da casa, e ela virou a provedora. Tenho também uma mentora que é americana, ela se chama Elizabeth Ronn, foi a mulher que me disse que eu poderia ter tudo, mas não ao mesmo tempo, que muitas vezes eu procurei por estar indecisa quanto a uma proposta, ou em épocas em que tive dificuldades quando estava reportando a um chefe que era rígido demais comigo.

Estava uma vez numa situação assim, fui conversar com ela e me respondeu: "Danielle, o seu chefe te adora, acha você o máximo. Sabe quando os pais têm um filho e sabem que aquele tem o maior potencial, então eles são mais duros com ele do que com os outros? É assim que ele te vê". No dia a dia a convivência era difícil, porém, fora da sala ele falava muito bem de mim para as pessoas, mas eu não sentia isso, e ela me ajudou naquele momento.

Trabalhava na Europa, na Procter, e essa empresa só contrata em início de carreira, só se entra no primeiro nível, então metade da sua *performance* é avaliada nas suas atividades organizacionais, o quanto você consegue motivar seu time. Em algum momento virei a líder do time de liderança de Marketing, eram todos os diretores da área, mais ou menos 50 profissionais, e fazíamos todo planejamento de carreira, eram mais de 300 gerentes e assistentes, eu decidia quem ia para tal lugar, todo processo de *performance* da companhia. E me tornar líder desse time significava muito prestígio dentro da companhia. Então essa mulher me treinou, me deu Coaching, marcou muito minha carreira. Tenho também hoje na Avon chefe incrível, estou adorando, ele tem uma grande capacidade de ensinar e diz que o trabalho é bacana comigo, porque às vezes você tem um chefe que ensina muito e é duro, exige, mas no dia a dia é um inferno. E outras vezes você tem o inverso, aquele chefe que é afável, o time inteiro gosta dele, mas não necessariamente tenha algo para lhe ensinar.

São poucos os chefes que proporcionam ambiente de trabalho superpositivo, que vão te ajudar a se desenvolver. Estou superempolgada neste momento porque acho que o nosso mercado está sendo transformado, virando de cabeça pra baixo, tudo que aprendi há 20/25 anos sobre como lançar uma marca, como trazer clientes, como fidelizá-los, como aumentar a lucratividade está mudando por causa da tecnologia da jornada do consumidor, desse mundo *online*. Se por um lado dá medo, você precisa ter a humildade de aprender como essas coisas novas funcionam, porque antigamente, quando comprava mídia, era com uma planilha de Excel, hoje em dia é completamente diferente, mas, por outro lado, é superinteressante que haja mudanças, numa velocidade que o profissional de Marketing está tendo de se reinventar. Hoje esse profissional que não entende o mínimo de TI tem problema para conseguir conversar com as pessoas e falar com as agências, por exemplo, como é a jornada do consumidor.

Antigamente era tudo físico, atualmente não é mais assim, agora é tudo digital, toda a neurociência que estudamos do consumidor, o que o faz entrar na loja, uma vez que ele entre o que você põe no início, o que fica no final, o que o faz comprar, o que o faz parar na gôndola ou não, isso tudo você esquece, pois o mundo digital é completamente diferente. A gente tem de se reciclar e aprender tudo de novo. Acho superinteressante essa automação, o Brasil tem muito a ganhar com isso, no entanto, faltam investimentos em logística, custa caro entregar, então é necessária essa mudança, essa infraestrutura precisa ser refeita no Brasil. Digitalizar todas as transações comerciais é um trabalho enorme. Para finalizar, deixo a mensagem de que no fim tudo dá certo, se não deu é porque não chegou ao fim. Não era para acontecer agora, mas uma hora vai acontecer.

15

Elaine Póvoas

O BALANÇO ENTRE VIDA PESSOAL E PROFISSIONAL

Elaine Póvoas

É administradora de empresas, possui MBA de Tecnologia da Informação pela Fundação Getúlio Vargas (FGV) e formação de Personal & Professional Coaching pela Sociedade Brasileira de Coaching (SBC). Com mais de 20 anos de trabalho em empresas de grande porte, possui experiências diversificadas, abrangendo gerenciamento de operações, desenvolvimento de negócios, qualidade, treinamento, comunicação, eventos, vendas e alianças.

No momento, responsável pela área de Marketing e de uma empresa no segmento de Tecnologia da Informação e participante de algumas instituições como Make-A--Wish, LIDE Mulheres e Mulheres do Brasil. Brasileira, nascida em São Caetano do Sul (SP), bem-humorada e ama estar com pessoas e se conectar com gente do bem.

Linkedin: Elaine Póvoas
elaine.povoas@hotmail.com

Minha história... Quanta honra reunida em um só convite... Sou a segunda de quatro filhos, Maria Emilia, Edson e Elizabete, filha do caminhoneiro José da Silva Póvoas e da profissional autônoma Rachel Padula Póvoas. Infância feliz, embora bastante restrita financeiramente. Tive, também, de meus avós maternos, Angelo Padula e Maria Bottas Padula, a grande referência de quem sou.

Ao longo da vida, percebi o quanto levo de cada um. Meu pai foi meu grande professor. Suas atitudes mostraram os valores da **disciplina**, da **responsabilidade**, do **profissionalismo**. Para ele, acordar de madrugada para seguir viagem ou virar a noite para chegar ao destino e na hora determinada era trabalho e tinha de ser feito com excelência. O cansaço podia chegar, mas o compromisso era maior! Eu morria de saudade, cheirava seu pijama para acalmar meu coração, mas ele sabia que tudo precisava ser feito para pagar o aluguel de um quarto e cozinha, com banheiro fora, mais as despesas do mês.

Já minha mãe, uma artista nata que onde coloca a mão vira arte. A **garra**, o **foco** e a **qualidade** a levaram a pintar quadros, cerâmicas, vidros, decorar sabonetes e dar aulas de alta costura. Uma supermãe, que está sempre pronta para ajudar e fazer o melhor pela família. Já a lição de **resiliência** vem de meus avós maternos. Um casamento que celebrou 70 anos, seis filhos, 17 netos e 17 bisnetos. Em 2017, meu avô (95) seguiu sua trajetória em outro plano e minha avó, com 92 anos, está conosco, linda, engraçada e que recebe o carinho de todos. Uma família grande que consegue conviver de forma muito harmoniosa. Minha aspiração sempre foi ser **uma executiva de sucesso**. Iniciei minha carreira aos 17 e já com alguns objetivos bem definidos. Realizei todos! Tudo que foi vivido, sentido, sofrido e comemorado me trouxe até aqui e faz quem eu sou.

Com 22 anos, iniciei na EDS do Brasil, onde moldei a profissional que sou e construí minha carreira com base sólida. Lá iniciei como secretária jr. e saí como gerente de Eventos e Comunicação BR. Nessa trajetória, tive minha primeira oportunidade de estar em contato com a área de Marketing. Ao longo do tempo, fui me envolvendo, prestando atenção aos detalhes e conhecendo os pormenores corporativos. O Marketing permite estar perto dos principais temas estratégicos da empresa. Não tenho graduação na área, mas posso dizer que faço com o meu coração e por intuição.

Dirigindo a área de Marketing, tenho a possibilidade de interagir com funcionários, parceiros e clientes. Com todo esse universo de público e relações interdependentes, habilidades como responsabilidade, disciplina e saber ouvir, entre tantas outras, são colocadas à prova, quase diariamente. Mundo perfeito para quem quer continuar o seu desenvolvimento pessoal e profissional.

Quanto ao fato de as mulheres ainda terem pouca representatividade em cargos de liderança, considero que precisam ter as graduações necessárias para os cargos que pretendem atuar, fomentar relacionamentos em todos os níveis hierárquicos, incrementar cada vez mais a sua rede de contatos e fazer o seu *marketing* pessoal.

Ter cota ajuda na questão de adequar uma situação até que se torne natural, até que possa entrar na cultura daquela empresa, cidade ou país. Homem, mulher, hétero, homo, trans, jovem, maduro, branco, negro, japonês, alto, baixo, gordo, magro, com restrição física, visual, católico, ateu... o que está em jogo é a competência! A grande questão é: qual o problema que você resolve? Caminharemos para a igualdade e este é um caminho sem volta. Por isso, esteja preparada que a oportunidade chegará!

Ao longo de quase 30 anos de trabalho, foram muitos os desafios e, olhando para trás, sinto orgulho da forma como os recebi, administrei e superei. O grande desafio sempre foi corresponder às expectativas do meu líder, da área e da empresa. Esses pilares suportados por algo maior, o meu nível de excelência. Faço por mim em primeiro lugar e, depois, pela empresa. "O CPF sempre estará na frente do CNPJ" e é assim que sigo por anos fazendo negócios e construindo relações de longo prazo, o que me dá orgulho e prazer. Pelo meu perfil de ser orientada a resultados aliada a uma dose extra de coragem, fui por diversas vezes convidada a assumir posições desafiadoras. Deixo aqui meu reconhecimento e minha gratidão a essas pessoas espetaculares por terem me colocado à prova e me permitido saber o quanto poderia voar ainda mais alto.

O balanço entre vida pessoal e profissional oscila muito na minha vida. Tudo depende do momento em que está a empresa. Às vezes estou envolvida em projetos que requerem muita dedicação ou quando começo em uma nova empresa. Invisto tempo para entender rapidamente onde estou e o que posso fazer para promover melhores resultados. Conciliar é a palavra de ordem e de desejo. Todos os dias desempenho papéis diferentes como mulher, filha, irmã, tia, executiva, amiga, líder, *coach*, namorada. Em algum momento, procuro estar comigo mesma. O equilíbrio emocional e a sabedoria fazem com que as facetas descritas não se misturem, porque a vida vai te obrigar a reagir perante as situações mais adversas. É quando vem à tona um determinado papel que deverá ser o protagonista. Existem sentimentos contraditórios, como medo, desejo, raça, insegurança, esperança, ódio ou amor e é essa mistura toda que nos compõe, é essa mistura que dá o exato resultado de quem somos. Compartilhando minhas experiências, estou neste momento no meu mais novo papel, o de escritora.

Minha carreira basicamente está sendo formada com empresas que estão no segmento de Tecnologia da Informação. Considero a rede social excepcional, mas participar de todas fará com que o tempo dedicado seja extremamente alto, o que pode comprometer objetivos maiores. Afinal, temos apenas 24 horas e o que você faz com elas te diferenciará de todas as outras pessoas do planeta. Quem trabalha comigo, meus clientes e parceiros sabem que meu celular é "24xsempre". Se você ama o que faz, estar conectado e atender as necessidades da empresa é um prazer. A área de Marketing tem sido grande usuária de Tecnologia, já que atualmente trabalhamos com um volume enorme de dados e estes exigem agilidade, avaliação e interpretação. Os clientes estão *online* e utilizar as inovações do Marketing Digital é essencial, mas também considero uma grande diferenciação o tratamento exclusivo e personalizado. A tecnologia nos permite contar com plataformas que proporcionam programas de relacionamento e campanhas, com medições de resultados. Minha recomendação para quem está cursando uma faculdade é que esteja lá de corpo e alma. Para mim, o Marketing é uma disciplina absolutamente estratégica para as empresas, logo, cursá-la trará grandes vantagens competitivas. Promover a marca, posicionar-se em novos mercados, lançar produtos, criar programas de relacionamento com clientes ou *prospects*, definir *gifts*, compartilhar casos de sucesso, suportar a área de vendas, promover os executivos da empresa; tudo isso pode ser muito interessante como escopo. Importante também levar em conta que gostar de gente é fundamental! Trabalhar nessa área pressupõe estar diariamente em contato com muitas pessoas e o relacionamento fará uma grande diferença para o sucesso. O profissional de Marketing precisa estar antenado, gostar do estudo continuado e sua inquietação fará com que crie estratégias vencedoras para sua empresa. Na minha opinião, Liderança, Comunicação, Criatividade, Desconforto, Organização, Planejamento, Bom Humor e Energia Positiva destacam alguém na área de Marketing. O sexo feminino soma nativamente Emoção e Intuição.

As frases a seguir são de minha autoria e considero cápsulas de inspiração para a carreira.

"Quero ter doses diárias de gente que faz a diferença em minha vida."

Escolha estar rodeado dos melhores. Gosto de **gente que é de verdade**, de pessoas que são abertas, respeitosas, seguras, que tenham espírito de equipe, vontade real de fazer a diferença e éticas. Se somos a média das cinco pessoas mais próximas, então quero me conectar com gente do bem.

"Entregue carinho, disciplina, profissionalismo e respeito e terá o espaço que deseja como reconhecimento."

Não é o que se fala, mas como se fala que faz toda a diferença. Às vezes uma conversa pode ser muito desafiadora, mas, com ingredientes especiais, ela se torna uma experiência de crescimento para todos os envolvidos.

> *"Todo dia é um novo dia cheio de sonhos e sabores a serem sentidos."*

Permita-se voar alto. Nossa vida acontece todos os dias e isso é maravilhoso. Coloque em prática aquela lista de desejos que espera realizar e a cada uma celebre o quanto vale a pena ser VOCÊ!

A mulher tem uma vantagem importante. A grande maioria é *multiskill* e *multitask*, ou seja, tem um perfil com habilidades diversas e consegue desempenhar várias atividades simultaneamente. Se você ainda não tem uma posição de liderança formal e quer chegar um dia a ela, questione-se quanto ao seu plano. Ele contempla claramente ações que te levarão a esse objetivo? Se sim, em quanto tempo? Alguém está ajudando na mentoração? Como é o acompanhamento para medir os resultados? Se você já está em uma posição de liderança formal, pergunte-se o que tem feito para inspirar outras pessoas. Para mim, ética, respeito e valores ajudam a chegar e manter o cargo de liderança. Para criar resultados extraordinários, preciso ter uma equipe extraordinária. "O sexo masculino e o feminino são absolutamente diferentes e fundamentalmente complementares." A diversidade compõe uma orquestra que pode estar em perfeita sintonia. Cada qual entregando o seu melhor.

Meus pais e meu avô materno foram as grandes referências de trabalho na minha vida. Tenho certeza que a minha capacidade de me entregar horas a fio ao trabalho veio de meu pai. Já da minha mãe, o talento para fazer acontecer. Sou um pouco assim também. E meu avô foi aquele que fez carreira longa em uma grande empresa e isso para mim se tornou realidade quando permaneci 20 anos em uma multinacional. Foram inúmeras as oportunidades de crescimento, desafios e reconhecimentos. Sempre acreditei na celebração quando se alcança resultados positivos e, desde 2010, um símbolo passou a fazer parte da minha vida. O SINO! A cada venda realizada, o sino toca, o responsável pela venda conta os detalhes para os outros funcionários e tiramos uma foto. A partir daí, entra em cena o Marketing com todo o trabalho de divulgação. As badaladas têm inúmeros significados. Reconhecimento interno de quem trabalhou no projeto, fortalecimento do Marketing pessoal para os envolvidos, demonstrar para os clientes, parceiros e colaboradores que a empresa está obtendo sucesso na sua trajetória e incentivar o orgulho de pertencer, com a certeza de que estão desenvolvendo um trabalho espetacular.

O aprendizado por meio da leitura pode ser bastante inspirador para quem está se formando em Marketing. Existem livros mais técnicos e alguns voltados para negócios, mas destaco dois que marcaram minha vida de alguma forma: "As armas da persuasão", de Robert B. Cialdini, Ph.D., e "Nos bastidores da Disney", de autoria de Tom Connellan.

Além da leitura, nas minhas horas vagas gosto de me aventurar em fazer coisas que nunca fiz. Quando completei 50 anos, resolvi elencar 50 itens importantes da minha vida que realizei e vivi. Entre os mais incríveis: viver um período sabático, conhecer as Pirâmides do Egito, andar em um elefante africano, saltar de paraquedas e ter sido miss no concurso Rainha da Indústria de São Paulo. Sou grata pela plena saúde física que me permite viver intensamente a vida e tudo de maravilhoso que ela proporciona! Sempre procurei estar bem emocionalmente para entender os desafios e as bênçãos recebidas. Posso afirmar que muitas vezes celebrei e em outras tantas passei a noite chorando. Mas, no dia seguinte, me olhei bem no espelho e combinei com aquela pessoa que conseguiríamos superar!

Admiro muito as pessoas que empreendem. Sistematicamente me perguntam por que não tenho meu próprio negócio, mas até hoje priorizei empreender na minha carreira corporativa, investindo em estudos, viagens e assumindo novos e maiores desafios. Considero fascinante o mundo corporativo, sou encantada por fazer um ambiente melhor para os colaboradores e estabelecer parcerias estratégicas fortes com clientes e parceiros. Meu novo projeto pessoal tem um ingrediente que eu amo, conectar pessoas e celebrar a vida - *EXP4U*, em breve, novidades. Não sei o que o futuro me prepara, mas posso garantir que amo uma surpresa.

Como mensagem final para as leitoras, afirmo que acredito na dedicação, na atitude, no empenho em fazer acontecer, no bom humor e no carinho com as pessoas. Faça com o coração, invista em você, porque se conhecendo bem fará ainda mais por si e pelos outros. Estude, leia, conheça pessoas, elas são capazes de te emocionar ao compartilhar histórias. Viaje, vá para onde nunca esteve. Fale outras línguas, se permita conhecer culturas, arrisque-se em algo que te assusta, só assim terá noção da coragem que tem dentro de você. Mantenha na sua vida as pessoas que a inspiram. Tenha orgulho de quem você é, do seu nome, da história que construiu. Você é especial e deixará sua marca por onde passar, faça com que ela seja colorida, leve, bonita e única.

16

Fernanda Dall'Orto
Figueiredo

NÃO EXISTE
RECEITA MÁGICA

Fernanda Dall'Orto Figueiredo

Iniciou sua carreira na indústria alimentícia e já gerenciou marcas e categorias nas indústrias de eletrodomésticos e tintas decorativas com responsabilidades regionais e globais. Possui MBA cursado na Bélgica e experiência global vivenciada na Inglaterra. Entre suas características destacam-se a forte vocação para resultados, adaptabilidade, capacidade analítica, facilidade de comunicação, trabalho em equipe e relacionamento interpessoal. Especialidades: construção e gerenciamento de marcas e categorias, inovação de produtos, comunicação *online* e *offline*, comportamento do consumidor, estratégia e ferramentas de cores. "Sou uma profissional intensa e apaixonada pelo que faz. Acredito que as maiores conquistas podem ser alcançadas por pessoas comuns com uma extraordinária determinação."

Quando fui convidada a participar do livro comecei a pensar em qual seria o aspecto mais importante da minha carreira a ser contado e a verdade é que não existe apenas uma carreira; existe uma mulher, filha, esposa, mãe e profissional dedicada por trás das linhas dessas páginas e não haveria outro modo senão me virar do avesso e dividir com vocês a minha jornada até agora.

Antes de tudo, sou a mãe da Tarsila. É interessante quando olhamos para trás e vemos que já exercemos alguns papéis profissionais: coordenadora de Marketing na empresa A, gerente de Marketing na B etc. Mas uma coisa não muda nunca. Se decidirmos por ter filhos seremos eternamente mães. E é um trabalho desafiador, que demanda muito e não tem remuneração financeira, mas o retorno emocional é avassalador.

Sou mineira e a filha do meio de uma família de três filhas. Fomos criadas dentro do conceito "moças de família" que quem é de Minas entende. Meu pai era engenheiro da Usiminas e minha mãe professora do ensino fundamental, como muitas mulheres naquela época.

É interessante observar como as opções profissionais das mulheres mudaram radicalmente nos últimos 70 anos, mas infelizmente o "modus operandi" do mercado de trabalho não. Talvez vocês já tenham lido algo sobre como as mulheres se adequaram ao mercado de trabalho e de como o mercado de trabalho não se adaptou a essa nova força de trabalho. Além de salários em média 25% menores, menores chances de chegarem a cargos de liderança e sarrafos mais altos em cada degrau, parece que o preço que nós pagamos para equilibrar as escolhas pessoais e profissionais é também maior.

Estudei em bons colégios particulares de Belo Horizonte como o Marista e o Pitágoras e fiz Administração de Empresas na PUC. Durante os cinco anos de faculdade trabalhei nos Bancos Citybank e Banco Francês e Brasileiro (atual Personalité) e acreditava, naquela época, que seguiria a carreira em finanças. Já recém-formada participei de um processo de seleção para *trainee* da Cervejaria Brahma (sim, já era do Grupo Garantia, mas ainda não era a Ambev) e meu primeiro desafio foi na área de logística, onde atuei em PCP e embalagens. Nessa época morei em Salvador e depois de um projeto de embalagens diferenciadas em parceria com a área de Marketing fui convidada a integrar o time de Marketing. Nessa época senti que esse era o trabalho que eu amava e que faria com alegria por toda a vida.

Três verdades sobre a "minha" Ambev:

• Sim. Lá se sonha grande, de forma empreendedora e com meritocracia.

• Lá ganhei o primeiro prêmio da minha carreira: "Melhor Analista de Logística de 1997".

• Ao contrário do que se diz sobre o ambiente de trabalho da Ambev, lá fiz grandes amigos, alguns dos melhores que terei na vida e que também fizeram parte do que virá depois.

Exatamente no momento em que a Cervejaria Brahma adquiria a Antarctica e passaria a ser a AmBev, pedi demissão e fui fazer um MBA em Bruxelas.

Quando fiz Administração optei pelo turno da noite, pois sempre acreditei que esse era um curso onde a teoria é apenas uma base para a prática e por isso eu deveria começar a trabalhar o quanto antes. E na correria de trabalhar o dia inteiro e estudar à noite coloquei na minha lista de futuras conquistas que ainda me dedicaria só aos estudos durante um MBA que preferencialmente seria fora do País.

Por que a Europa? Queria que essa experiência também me proporcionasse uma convivência multicultural, o que realmente se concretizou com a turma daquele ano, que era composta por 15% de belgas, 15% de americanos e os outros 70% de ingleses, franceses, alemães, italianos, africanos, indianos e turcos, entre outros.

A escolha da faculdade foi relativamente simples:

✓ Europa

✓ Dentro do custo de US$ 60 mil, que eram minha economias

✓ Dentro das Top 10 MBAs da Europa, segundo o Herald Tribune.

E lá fui eu com apenas uma frase aprendida em Francês: Parlez-vous anglais, s'il vous plaît?

Morar fora é uma experiência enriquecedora. Estudar fora um pouco mais. E num país cujas duas línguas oficiais você não fala (Francês e Holandês) nada ainda mais desafiador.

Foi um ano e meio onde me descobri mais independente, mais forte e mais resiliente. *Business cases* e trabalhos com mentes de diferentes origens e *backgrounds* escolares, e num piscar de olho estamos nos formando.

De volta ao Brasil decidi morar em São Paulo, pois a carreira de Marketing provavelmente me traria para essa cidade de qualquer forma. Com a cara e a coragem morei num *flat* na Bela Vista até me "estabelecer" profissionalmente. Sem contatos ou amigos na cidade, segui as famosas listas de *head hunters* para os quais encaminhava o currículo e carta de apresentação de uma profissional com alguma experiência e vivência na bagagem, mas principalmente com muita garra e vontade de crescer.

Adicionalmente a esse espírito, dedicação, honestidade e alegria sempre foram características muito fortes em mim e até me arrisco a dizer que comprometimento, ética, determinação e bom humor são marcas registradas da Fernanda profissional.

As minhas exigências? Que o desafio fosse em Marketing e que fosse uma multinacional. Confesso que sempre busquei trabalhar em multinacionais. Talvez minha alma já soubesse que seria expatriada um dia.

A divisão de hotelaria do Grupo Accor estava com uma posição em aberto para a Gerência de Marca da linha Premium (Sofitel) e lá estava eu com o desafio de Marketing de Serviços que ainda hoje digo ser muito complexo, pois, diferente de produtos, aqui as variáveis são muitas e praticamente incontroláveis.

Depois de um ano no Grupo Accor, uma *head hunter* entrou em contato me oferecendo uma posição de Gerência de Marca LatAm na Bosh Eletrodomésticos e eu, que já tinha sido conquistada pelo Marketing de Produtos, optei pela novo desafio.

O desafio de dar cara à primeira linha de produtos da marca no Brasil foi muito interessante e aqui vivenciei uma situação que comprova que a nossa vida é totalmente influenciada pelas decisões que tomamos. Em cada mudança que fazemos, portas se abrem e portas se fecham, mas o difícil é que não sabemos o que tem atrás de cada porta. A decisão de fazer o MBA na Europa me trouxe a esse desafio, pois o diretor de Marketing na época (um alemão expatriado para o Brasil) considerou um *plus* cursos de MBA/Pós-Graduação feitos na Europa.

A Bosch Eletrodomésticos tomou algumas decisões complicadas na sua entrada na América Latina e esteve presente no Brasil por 15 anos, embora com resultados financeiros deficitários. Lembro-me de como as diferenças culturais ficavam mais evidentes quando se tratava de comunicação. Na época a conta da agência era da W/Brasil e no desafio de lançar o primeiro refrigerador com porta refrigerada no Brasil, o Whashington Olivetto criou um campanha memorável na minha opinião e que se encaixava perfeitamente no desafio da época. Uma campanha impactante que prendesse a atenção do público mesmo com pouca frequência. A alta direção e a presidência acharam a campanha "divertida demais" e lá se foi essa *Big Idea* trocada por uma mais convencional e a minha primeira frustração em não ter conseguido emplacar uma ideia. Dizem que tudo tem o seu tempo, mas a verdade é que alguns "tempos" nunca chegam para algumas marcas.

O desafio de trabalhar na ICI Paints também veio por uma *head hunter* que tinha guardado o meu currículo de três anos atrás. A ICI Paints era uma multinacional inglesa do ramo de tintas que tinha adquirido a Tintas Coral do Grupo Bungue alguns anos antes.

Costumo dizer que as mudanças de segmento que fiz me colocaram cada vez em mercados mais complexos. Em cervejaria, o consumidor era o principal interlocutor, em eletrodomésticos, por ser uma venda assistida, na maioria das vezes, tanto o consumidor como o vendedor eram importantes, e em tintas, além do consumidor e do vendedor, o aplicador (aqui no caso o pintor) também são importantes, pois além de ser um produto com venda assistida, no Brasil, ele ainda é muitas vezes aplicado por uma terceira pessoa.

O universo das cores foi uma paixão à primeira vista e hoje não consigo mais enxergar as vida com os olhos de antes.

Trabalhava no Brasil há dois anos quando recebi um convite da CMO para integrar o time global, e lá fui eu morar novamente na Europa, dessa vez em Londres. Trabalhar no time global de uma multinacional traz novos desafios. Você não mais responde diretamente pelo PNL do negócio mas tem que influenciar pessoas de diferentes culturas e adaptar as estratégias globais da marca em países onde ela possui diferentes estaturas e desafios. É pensar global e adaptar local, através de uma liderança indireta, liderança por influência. Uma relação muito mais baseada na sua capacidade de contribuir positivamente do que em hierarquia.

Após um ano e meio, decidi voltar para o Brasil e não encontrando naquele momento uma posição que me desafiasse aqui, optei por deixar a empresa com a ideia de trabalhar em outra categoria. Por um acaso do destino a minha ideia de trabalhar em outro segmento na verdade acabou num convite da concorrência e foi uma experiência diferente do que tinha vivido até hoje. O tempo de adaptação ao mercado torna-se desnecessário e por isso você identifica com mais rapidez as oportunidades e necessidades da empresa. Na Suvinil ganhei por dois anos consecutivos o prêmio de melhor inovação da BASF América Latina e puder lançar produtos que imprimiram um novo ritmo ao mercado.

Após três anos, resolvi empreender e achava que aquele era o momento limite, pois, caso não me identificasse, ainda "daria tempo" de retomar a carreira corporativa. Interessante como temos claramente estabelecidos conceitos de idade para isso ou aquilo quando, na verdade, exceto por limitações físicas, sempre é tempo para começar ou recomeçar algo.

Com relação ao período como empresária tenho três coisas a declarar:

1) a corrupção generalizada definitivamente dificulta a vida do pequeno empresário honesto no Brasil.

2) minha admiração pelos empresários aumentou exponencialmente após minha experiência.

3) definitivamante, tratam-se de perfis e habilidades diferentes. Nem melhores, nem piores, mas diferentes. Ser um profissional com espírito empreendedor é bem diferente de ser um empresário.

Os primeiros anos foram muito bons, tanto financeiramente como em crescimento. Em 2013 as vendas começaram a ficar mais difíceis, afinal, barco pequeno sofre mais na tempestade. Em 2015 decidi voltar ao mercado de trabalho por um simples motivo: era mais feliz como executiva do que como empresária.

Nessa época a Tintas Coral já pertencia ao Grupo Holandês Akzo-Nobel e recebi um convite para voltar como gerente de Comunicação das Marcas no Brasil e, desde então, ser a marca preferida dos consumidores e ser percebida como um produto relevante nos processos de decoração de casas e escritórios tem preenchido grande parte dos meus dias. Os desafios são muitos: *budget* enxuto, criatividade, mudança de comportamento e o mundo digital onde literalmente as ferramentas do início do ano não são as mesmas no final do ano. Voltar para a Coral me deu uma sensação meio *déjà vu* de que recomecei de onde parei, embora tenham se passado alguns anos... Há dois anos assumi também a área de cores e a responsabilidade de desenvolver estratégias e ferramentas que nos permitam estimular a jornada do consumidor, solucionando *gaps* e convertendo para a marca. Há um ano minha área de atuação expandiu para a América do Sul e hoje sou gerente de Cores e Comunicação das Marcas para a América do Sul, e lidero projetos que desafiam o *status quo* do segmento. Se eu gosto do que faço? Sou verdadeiramente apaixonada por Marketing e me pego todo o tempo observando as peças de comunicação das marcas, os portfólios de produtos e como se reinventam a cada dia. Leio sobre os desafios de Marketing das empresas e sobre profissionais que compartilham suas histórias. Trabalhar em Marketing, não é para mim nem de longe um sacrifício. É uma alegria, pois o Marketing é, na minha opinião, a alma das empresas. E espero que sejam almas alegres, coloridas e queridas.

No início do capítulo comentei sobre os desafios das mulheres nas carreiras corporativas e gostaria de exemplificar um pouco mais. Lembro-me claramente quando aos 27 anos estabeleci o que deveria mudar no meu jeito de ser para ter sucesso profissional e as decisões permeavam o universo masculino, ou seja, ser mais eles e menos nós. Desde me comportar de maneira menos feminina até estabelecer uma maneira mais assertiva de me comunicar, e o que vejo são homens sendo eles mesmos o tempo todo e mulheres desempenhando comportamentos mais "adequados" no trabalho. Você já se perguntou como seria o mundo corporativo se ele tivesse sido estabelecido pelas mulheres há 200 anos?

Marketing lida com emoções e desejos, conquista-se um consumidor pelo coração e não pela cabeça, pela experiência e não pela descrição técnica e, num cenário como esse, o lado feminino das pessoas deveria ser um ponto positivo.

Conciliar o papel de mãe com a atuação profissional é outro desafio que só as mães conhecem. Fui mãe aos 40 anos e durante muito tempo a minha dedicação profissional (trabalho no mínimo dez horas por dia) não pesava. Hoje, o coração fica apertado quando vejo que talvez não esteja passando tempo suficiente com a minha filha. Sei que a qualidade do tempo também conta, mas o meu coração de mãe não entende...

Não existe receita para vida nem para a carreira. Cada um é único e a história de vida de cada um também, mas deixo aqui seis atitudes que me ajudaram a chegar aonde estou: seja curioso, proativo, eficiente, cooperativo, ético e ame o que faz.

...

Não poderia encerrar este capítulo sem alguns agradecimentos.

Família: *mamy and dad*, sou apenas a consequência da educação que vocês me deram! Ninguém fez mais por mim do que vocês! Sisters, que bom que vocês existem! Eu acho que a vida é muito melhor com irmãos!

    Tarsila, minha filha amada, desde o dia em que você nasceu está em primeiro lugar na minha vida e só eu sei como, em muitos dias, só queria ficar em casa e passar o dia com você! Filhos são definitivamente a melhor tradução do maior amor e do amor incondicional.

    Alberto, meu marido, quem disse que água e óleo não se misturam? Acho que desafiamos essa lei da química! O que posso dizer é que te amo ainda mais do que dez anos atrás! Que bom que decidimos jantar juntos naquela terça-feira!

    Meus gestores: espero ter colaborado positivamente tanto com os resultados como com o grupo. Tenham certeza que dei o meu melhor!

    Meus liderados: espero ter sido uma boa líder, mas principalmente espero ter contribuído para que se tornassem profissionais mais seguros e apaixonados pelo que fazem. Tenham certeza que qualquer conquista que tive seria absolutamnte impossível sem vocês. Obrigada por tudo!

17

Flavia Altheman

POR UMA GESTÃO SUSTENTÁVEL

Flavia Altheman

Head das áreas de experiência do cliente e transformação digital na Getnet, empresa de tecnologia do grupo Santander.

25 anos de experiência em varejo, tecnologia e serviços financeiros, liderando as áreas de Marketing, relações públicas, experiência do cliente, transformação digital, ofertas e inteligência de mercado. Foi executiva sênior na Via Varejo, empresa com 40% de *market share*, com a gestão direta da maior verba publicitária do Brasil, conquistando por dez anos consecutivos o Top of Mind.

Formada em Propaganda e Marketing, pós-graduada em Planejamento Estratégico com MBA em Varejo. Em 2015 conquistou o prêmio Women to Watch.

Muito se falou, e ainda se fala, em igualdade de gêneros, para mim, um tema de extrema importância, uma vez que empresas dispõem de poucas mulheres em cargos de liderança. Quando fui promovida a diretora executiva de Marketing na Via Varejo, maior investidor em Comunicação da América Latina, com mais de 60 mil colaboradores, era a única mulher naquele momento em cargo de alto comando.

Acredito muito na busca saudável por posicionamento e pagamento igualitários entre homens e mulheres. Mas há uma outra luta nas trincheiras corporativas que, a meu ver, é tão ou mais importante do que essa.

Falo da "gestão sustentável", um termo que uso para definir um modelo humanista e duradouro que é basicamente cobrar resultados oferecendo em contrapartida condições para buscá-los. Mas como? Aprendendo a escutar, trocando informações e gerando tanto empatia quanto confiança.

Parece bem simples, não é? Seria, se não houvesse apego exagerado ao poder no alto comando das companhias. Cito aqui uma frase de Abraham Lincoln que muito me inspira: "Quase todos os homens são capazes de suportar adversidades, mas, se quiser por à prova o caráter de um homem, dê-lhe poder".

Para evitar as armadilhas do poder, procurei construir minha carreira tendo como base as pessoas, prioritariamente aquelas com valores e princípios semelhantes aos meus. Coleciono amigos por onde passo porque acredito que os semelhantes se atraem e, juntos, constroem histórias, criam afinidades e trocam experiências.

Não é possível falar de minha trajetória profissional sem mencionar antes minha vida pessoal. Meus pais são do interior paulista e passávamos as férias sempre em Amparo. Lá, andava descalça, com o pé no chão, subia em pé de manga, pegava jabuticaba e brincava com meus primos. Adorávamos fazer piqueniques. Nessa convivência, havia o grupo dos mais velhos e eu, que fazia parte dos mais novos. Era sofrido, mas desde cedo me ensinou a ser forte e a me virar para ser aceita e fazer parte de um grupo.

Meus pais são comerciantes e sempre foram muito trabalhadores. Com eles, aprendi a levantar cedo, trabalhar duro e a viver com responsabilidade, honestidade e sem reclamar. As obrigações estão sempre em primeiro lugar!

Quando criança minha brincadeira preferida era fingir que trabalhava em um escritório. Adorava assinar notas e brincar com canhotos dos talões de cheques dos meus pais. Adorava os carimbos e tudo aquilo que representasse uma mesa de trabalho. O curioso é que quando assumi o Marketing nas Casas Bahia tinha tantas notas para assinar (todos os dias) que várias vezes voltei ao tempo, lembrando das minhas brincadeiras da infância.

Para conseguir trabalhar com qualidade, temos que valorizar as pessoas que nos ajudam e respeitá-las dentro das suas capacidades. Esse é o meu mantra profissional, juntamente com conceitos que formam a base sobre a qual, eu acredito, se constrói uma carreira: fazer o que se gosta é fundamental. Caráter é fundamental. E, finalmente, comprometimento é fundamental.

Desde que ouço falar de mulheres no mercado de trabalho, nunca entendi o discurso de que mulheres são menos capazes, fracas ou sensíveis. Minha avó paterna viveu a vida inteira ao lado de nossa casa e foi minha referência. Meu avô morreu quando ela tinha 39 anos, e quem deu continuidade aos negócios da família foi ela. Eu não tinha nem nascido quando isso aconteceu, e desde sempre vi a minha avó à frente dos negócios. Uma mulher muito bonita, forte e inteligente. E é esse modelo que construí de mulheres no trabalho. Todas as irmãs dessa minha avó são mulheres que ergueram negócios próprios e todas elas foram matriarcas de suas famílias.

Tenho 25 anos de trajetória em Comunicação, Marketing, varejo e, mais recentemente, no mercado financeiro. No primeiro ano da faculdade, me candidatei a uma vaga na Leo Burnett e assim comecei a trajetória em comunicação. O primeiro passo foi na recepção da agência, oferecendo ajuda a todos que ali chegavam. Com o tempo, passei a ajudar todas as áreas da empresa.

Após um mês fui para o departamento financeiro e logo em seguida me deram uma oportunidade no atendimento. Diziam que eu tinha muito talento e que logo assumiria uma posição que me permitisse contribuir mais.

Da Leo Burnett fui para Z+G, depois Fischer & Justus, Talent e F/Nazca, em todas as agências conduzindo contas de varejo como Lojas Americanas, Pontofrio, Extra Hipermercados, Postos Ipiranga. Fiquei conhecida no mercado como a pessoa que entendia de operação de comunicação de varejo. Em função disso, fui convidada para trabalhar na maior operação de comunicação de varejo, a das Casas Bahia.

No início, assumi a operação da agência interna da YR, que na época tinha uma estrutura de 140 pessoas com todas as áreas de uma agência responsável pela maior operação de varejo da América Latina e também seu maior investidor. Depois, passei a ajudar no Marketing estruturando a área para ter uma melhor integração e eficiência com a operação de comunicação interna. Foi quando assumi a operação de Marketing das Casas Bahia, onde permaneci 11 anos.

Trabalhar no Marketing da maior operação de varejo da América Latina me deu uma visão de mercado e vendas que ia além do conhecimento da operação de comunicação. Ser a pessoa responsável pelo Marketing e inteligência de mercado da Via Varejo abriu a possibilidade de coordenar a estratégia do negócio utilizando todas as ferramentas para atingir os objetivos de vendas da companhia, desde a coordenação da estratégia até o posicionamento de comunicação perante *stakeholders*.

Ao longo de uma década, participei de evoluções importantes da companhia: iniciei quando tínhamos 130 lojas e quando saí havia mais de mil. Passei por IPO (Oferta Pública Inicial, em Inglês), processo de fusão, incorporação do Pontofrio, construção do posicionamento das marcas Casas Bahia e Ponto Frio, atingimos 40% de *market share*, lançamento do site de Casas Bahia, os eventos Super Casas Bahia, a criação do nome, marca e posicionamento da Via Varejo. Ou seja, trabalhei para tornar a marca a mais valiosa entre todas do varejo da América Latina.

Foi assim que me tornei a primeira mulher executiva na história desse gigante do varejo e fui reconhecida como Women to Watch, isso em um país em que milhões de mulheres estão no mercado de trabalho e lutam por um lugar ao sol.

Como nada na vida é por acaso, acredito que o passo seguinte sempre deve vir apenas após os aprendizados adquiridos. Viver a operação de diferentes agências me permitiu entender o processo de comunicação desde o desenvolvimento da ideia estratégica criativa, relevante para o objetivo do negócio, até o acompanhamento de resultados, passando pela execução e veiculação.

A oportunidade de trabalhar com produtos (bens de consumo), combustíveis e varejo me preparou para, quando ocupando cadeiras de Marketing, entender a melhor maneira de estimular vendas com representatividade de marca.

A publicidade me ensinou que entender do negócio do cliente é fundamental para fazer campanhas vencedoras tanto em lembrança como em resultado. No mercado publicitário, a relação com o trabalho é mais focada em entregas com *design*, estética e busca por lembranças de campanhas, do que em números e *market share*. Isso sem dúvida faz a incessante e muitas vezes estressante busca por resultados um pouco mais leve.

Durante a minha trajetória, tive oportunidade de conhecer muitos profissionais inspiradores e talentosos, mas os que mais admiro são aqueles que, além do conhecimento técnico, sabem escutar, respeitar e trabalhar em equipe.

Procuro sempre tratar todos com respeito porque acredito que essa é a melhor (e, na verdade, a única) maneira. Sou uma pessoa sensível, e através da minha sensibilidade busco extrair o que cada um tem de melhor para entregar. Acho importante conhecer bem as pessoas e explorar adequadamente essas diferenças de cada um.

Além disso, gosto muito de trabalhar de forma colaborativa e agregadora, esperando que assim cada um contribua com suas qualidades na busca de um objetivo, de desafios profissionais comuns. Tento manter o clima de paz, dou suporte, ouço e permito que as pessoas brilhem.

Mais do que busca pelo sucesso, estou focada em construir uma carreira que me realize tanto profissional quanto pessoalmente. Quando revejo minha trajetória, me dou conta de que venho construindo uma história da qual possa me orgulhar no futuro e compartilhar com minhas filhas. Em dois momentos, fiquei bastante dividida entre elas e meu trabalho.

Quando a Maria Luiza nasceu, tive muito receio de não conciliar os papéis de mãe e profissional. O amor pela minha filha era muito grande! Mas gosto muito de trabalhar e isso me deu coragem para voltar ao mercado. Poucos meses após minha licença, fui promovida ao cargo de diretora e foi o que deu o combustível que eu precisava para a minha carreira.

Depois, quando a Ana Clara nasceu, já ocupava uma posição relevante no mercado e o meu desafio foi mais uma vez conciliar essas duas responsabilidades. Foi então que descobri a grande felicidade que é poder fazer aquilo que é importante na vida pessoal sem prejudicar o lado profissional.

Ao receber o prêmio Women to Watch, em 2015, tive a certeza de que o mercado estava me reconhecendo por todo o esforço e dedicação de anos de trabalho e escolhas difíceis. Declarei à época: "Quero que minhas filhas cresçam sabendo que as mulheres podem ser tudo aquilo que querem". E isso é o que me move.

Às vezes precisei abrir mão de participar de momentos da vida das minhas filhas, mas decidi que em troca, quando pudesse, estaria com elas por inteiro, daria 100% de mim. E só consegui esse equilíbrio porque tenho pessoas, que são as mulheres, que me ajudam. Sou muito agradecida a elas, principalmente a minha mãe, porque percebi que não consigo dar conta de tudo sozinha, não posso me responsabilizar por tudo nem querer resolver todos os problemas.

Além disso, tenho muita fé em Deus em todos os momentos e nos mais difíceis um pouco mais. Sempre rezo, agradeço e peço equilíbrio emocional e discernimento para tomar as decisões mais acertadas. Confio, seguro nas mãos d'Ele e sigo. A fé é um componente fundamental do meu dia a dia.

18

Flavia Montebeller

ERA UMA VEZ...

Flavia Montebeller

Graduada em Farmácia pela Universidade de Vila Velha ()UVV/ES. Pós-graduada em Farmácia Clínica pela Universidade de Brasília ()UnB/DF. MBA em Marketing pela Fundação Getúlio Vargas (FGV/SP), homenageada por atuação de destaque na turma. Mestre em Gestão de Negócios pela Fundação Instituto de Administração (FIA/SP).

Em São Paulo iniciou sua carreira em Marketing, na Vitaderm Cosméticos.

Atua há quatro anos na Payot Cosméticos, uma das marcas mais amadas do país. Nessa empresa começou como gerente de Marketing e, em janeiro de 2017, foi promovida a diretora de Marketing.

Casada com o urologista Tulio Agresta, o maior incentivador da sua carreira e grande amor da sua vida.

flaviamontebeller@gmail.com
Instagran: @flaviamontebeller

Aprendi cedo que narrativas sobre princesas e seus *happy endings* são dos contos de fadas, sempre fictícios. Na vida de sempre real: só com muito trabalho duro é possível se ter um final feliz. Longe de ter a pretensão de ser exemplo para alguém, desejo às pessoas que se identificarem com a minha história que o contexto da realidade aqui apresentado possa orientá-las a atingir seus objetivos.

Era uma vez... Na minha construção como profissional, acredito que as minhas origens e as decisões que tomei para construir minha carreira sejam ricas para os leitores.

Por isso, começo ali do literal início: a distante cidade de Baixo Guandu, Espírito Santo. Hoje com 29.000 habitantes, a pequena cidade, no Norte do Estado, próxima à divisa de Minas Gerais, fez que eu carregasse – e ainda carregue – um leve sotaque mineiro.

Sou a mais velha de três irmãos. Meu pai, formado como técnico agrícola, trabalhou como auxiliar de maquinista na Vale do Rio Doce após passar em concurso na dita maioridade dos 18 anos. Minha mãe formou-se no segundo grau de Magistério (para quem não sabe: é curso para habilitação de professora). Só que, anos mais tarde, acabou ensinando de outro jeito: foi jornaleira. Herdou a banca de revistas fundada pelo meu avô e, por muito tempo, a única da cidade. Foi sendo jornaleira e contando com os negócios da banca de revista que obtinha o complemento da renda familiar. Na banca, ela, a minha mãe, trabalhava com minha avó, que, ainda na minha infância, foi morar conosco. Minha avó foi alicerce da família; e, durante praticamente toda a minha vida, minha segunda mãe.

Da minha infância até a juventude, vivi dois momentos distintos. Antes da separação dos meus pais, quando tínhamos uma vida simples, mas confortável, chegando a morar na capital Vitória por alguns anos; após a separação, momento em que já vivíamos na minha cidade natal e eu estava com 12 anos de idade. Na última, a dificuldade financeira foi a grande motivadora da minha formação educacional básica e fundamental: as escolas públicas da região.

Ensino público é ruim, sabemos. Importante destacar que as dificuldades financeiras não geraram a limitação educacional. Cientes da baixa qualidade das escolas públicas guanduenses, diariamente eu e muitos moradores da cidade viajávamos até a cidade vizinha de Aimorés, em Minas Gerais: lá, as escolas públicas ofereciam melhor padrão de ensino, o que foi fundamental no meu processo educativo.

Da 5ª à 7ª série, frequentei a mesma escola pública: foi quando consegui uma bolsa de estudos em uma escola particular na cidade de Colatina, a aproximadamente 50 km de Baixo Guandu. Ali, cursei a 8ª série e me preparei para a prova de seleção da Escola Técnica Federal do Espírito Santo, onde concluí o curso de Técnico de Edificações. Contudo, mesmo com um curso técnico fundamentado em ciências exatas, sabia que a área não tinha muito a ver comigo.

Saí definitivamente de casa aos 18 anos e fui viver em Vitória e, depois de dois anos de pré-vestibular, entrei no curso de Farmácia, contrariando minha mãe, que sonhava ter uma filha médica. Um ano depois de me mudar para Vitória, fui acolhida por uma querida família que me deu quarto, comida e muitas orações. A Tia Odete, tia da minha avó, vivia com a filha Maria de Lourdes e com os dois netos. Eles me abrigaram por cinco anos, prestando um favor a minha família, que não tinha condições de arcar com moradia enquanto eu estudava.

Terminei a faculdade, graças a tantos. Entre tantos: graças àquela família, graças à minha mãe, graças ao financiamento estudantil. Ao meu pai atribuo a lembrança constante do exemplo de trabalhador. Não tenho dúvidas: foi – e ainda é – do meu pai que herdei grande parte da força de trabalho que eu tenho.

Formada, meu outro grande desafio foi deixar o Espírito Santo.

Deixei tudo para trás quando optei por morar em Brasília, indo em busca da primeira oportunidade de trabalho. Essa mudança me marcou profundamente. Sem dinheiro, minha mãe e minha avó pediram ajuda às pessoas próximas. Eu sempre me recordo de uma amiga da minha avó me deixando R$ 50,00 dentro de um envelope. A passagem de ônibus foi doação de duas primas da minha mãe, nomes que tenho orgulho em mencionar aqui, Vera e Penha. Na partida, meu tio-avô João Baptista (*in memoriam*) levou minhas bagagens até a rodoviária e disse à minha mãe: "Olha bem para sua filha porque ela nunca mais vai voltar". Um momento sempre lembrado por ela, com emoção. Já dentro do ônibus, guardei, como cena do adeus, a chuva forte que caía e as lágrimas da minha mãe.

Levei na bagagem dois sapatos e duas bolsas que minha mãe comprou em três parcelas. Segundo ela – a minha mãe, não a bagagem –, eram para eu usar no novo trabalho. Também levei uma TV de 14", uma caixa com compras básicas e algumas mudas de roupas.

Depois de mais de 20 horas no ônibus, fui recebida em Brasília por um amigo de uma conhecida: o mineiro Marcus Daniel, que, com o tempo, se tornou um grande amigo. Através dele, conheci vários cenários marcantes retratados nas músicas de Renato Russo, as preferidas durante grande parte da adolescência. Brasília e sua legião urbana, afinal. O primeiro e mais marcante dos momentos foi ver – e viver – o Parque da Cidade de "Eduardo e Mônica". Outra situação ímpar foi a emoção ao ver o Congresso Nacional pela primeira vez.

No mercado de trabalho de Brasília daquela época, o estagiário de farmácia era mais bem renumerado que um farmacêutico recém-formado nas terras capixabas. E a oportunidade de um emprego surgiu através de uma conterrânea, amiga da família, proprietária de uma conhecida rede de farmácias da região.

O fato de ir trabalhar com uma conterrânea não me rendeu privilégios, muito pelo contrário. Fui demitida seis meses depois, o que acreditei ter sido pela minha imaturidade na época. Apesar das perdas, no ambiente profissional conheci as pessoas certas que me ensinaram e me mostraram um caminho bem diferente do ofício de um farmacêutico tradicional. Com as novas perspectivas de trabalho aprendidas, compreendi que poderia contribuir muito mais em contato direto com os clientes. Tropeços na vida, apesar de tudo, hoje acredito que essa demissão foi uma das melhores coisas que me aconteceram.

Recuperando-me da queda, pude reconhecer a grande força interna que possuía, o que me permitiu alcançar uma série de vitórias pessoais e profissionais. Importante salientar: foi naquele primeiro emprego que aprendi sobre humildade. O quanto ela nos auxilia nas longas travessias da vida. Sempre, além do que, podemos precisar de qualquer pessoa que cruza nosso caminho, seja ela quem for e qual o seu cargo. Falo dessa forma porque, por vezes, obtive ajuda em momentos difíceis de quem eu menos esperava.

Adversidades vividas, demitida, sem dinheiro e sem emprego, peguei um catálogo telefônico e fui a um orelhão ligar para todas as farmácias. Liguei para uma a uma relacionada no catálogo. Foi com essa atitude teimosa que eu ganharia um dos meus empregos mais importantes em Brasília.

Um mês depois, tive duas boas ofertas de emprego; escolhi uma e voltei ao trabalho. Quando a condição financeira se estabilizou, comecei o curso de pós-graduação em Farmácia Clínica na Universidade de Brasília – a UnB.

Lembro-me bem: todo o (pouco) dinheiro que sobrava era para os estudos. Tudo era difícil, toda conquista muito comemorada: independentemente do "tamanho" da vitória, a euforia sempre vinha. Poderia ser por uma roupa nova, por um sapato novo, pelo primeiro computador, pela primeira viagem de avião, pelas promoções nos empregos e, finalmente, pelo primeiro carro: este conquistado após cinco anos de trabalho.

O último emprego do ramo farmacêutico ao qual me dediquei foi como consultora técnica, em uma empresa com sede em São Paulo, mas eu atendia a região do Centro-Oeste do País. A partir daquele emprego, motivada pela dinâmica de negócios, comecei a pensar em morar na terra da garoa e, por um acaso da vida, em uma das visitas à sede, reencontrei um grande amor do passado que se tornou meu marido, o mineiro Túlio Agresta.

1999, Espírito Santo: ali nos conhecemos. Namoramos por seis meses; e, 12 anos depois, em São Paulo, nos reencontramos. Foi assim que ele nunca mais saiu da minha vida.

Em janeiro de 2011, uma grande amiga, Deyse, conseguiu, para mim, uma entrevista de emprego na Vitaderm Cosméticos, empresa paulistana na qual ela trabalhava. Duas semanas depois da entrevista, a vaga era minha. Voltei para o Distrito Federal, peguei meus pertences e vim dirigindo mais de mil quilômetros para São Paulo com quase toda a mudança no meu carro 1.0.

São Paulo, em minha trajetória profissional, marcou minha transição de carreira: da farmácia para o Marketing. O primeiro foi o cargo de gerente Nacional de Trade Marketing na Vitaderm, cujo significado eu mal sabia. Naquela ocupação e naquele desconhecimento meu, foi um competente executivo que enxergou em mim potencial que ainda não sabia possuir. Estudei bastante tudo sobre o cargo, suas atribuições e suas responsabilidades, e comecei a exercer a função com motivação, desenvoltura e coragem. Como boa parte do meu conhecimento profissional era oriundo da área de saúde e como eu era ávida por mergulhar completamente naquele outro novo mundo, eu me matriculei no curso de MBA em Marketing da FGV.

Mudanças de percurso, no MBA eu me reencontrei. Reconheci no Marketing a minha paixão profissional e o verdadeiro amor ao trabalho. E, ali, o que mais me encantou – e ainda me surpreende -: a oportunidade de inovar, criando novos produtos destinados ao consumo dos clientes. Não há maior ganho do que presenciar um cliente satisfeito, elogiando um produto concebido por você, que atende as exigências e lhe dá prazer. E foi durante essa época que compreendi o ditado: "O céu é o limite". Sim, é para quem tem determinação, quando você sabe que a tem.

As recompensas apareceram. Seis meses depois de começar o curso de MBA, fui promovida a gerente de Marketing da Vitaderm, e, por detrás de tudo, estudava com afinco. O que, ao final do curso, me rendeu o troféu de destaque da turma.

Em 2014, recebi o grande e maior desafio da minha carreira: assumir o departamento de Marketing da Payot, uma das marcas mais reconhecidas do Brasil, com *recall* fortíssimo, mas que precisava rejuvenescer a ponto de voltar a ser fortemente considerada por jovens consumidoras.

Importante destacar que a maioria dos meus empregos foi em empresas com administração familiar pequena, em todas as quais aprendi a desenvolver o meu trabalho em meio às dificuldades de investimento na área de Marketing. Na Payot, claro, não foi diferente. E é naquele – e neste – cenário que busco diariamente bons resultados, defendendo os projetos em que acredito e sempre buscando excelência na execução.

Além de tudo isso, tenho bons e fiéis aliados, minha equipe. Cada um deles contribui para o sucesso de todos, além de buscarmos valorizar todos os projetos que apresentamos ao mercado.

É a consequência do profissionalismo: quando recebemos os resultados dos projetos implantados, temos orgulho em valorizar nossa dedicação, a experiência profissional, o respeito na convivência diária. Esses motivos fazem com que a nossa individualidade forme um conjunto, no qual tudo dá certo ao final. E assim vamos vencendo o desafio todos os dias.

Vibramos como crianças a cada conquista da Payot. E nos emocionamos todas as vezes em que percebemos o imenso amor que o mercado brasileiro nutre pela marca que completou nada menos do que 65 anos aqui no Brasil em fevereiro de 2018.

Ainda assim, tenho ciência de que todo emprego possui seus pontos positivos e negativos. Como indivíduos e profissionais, temos sempre de reavaliar nossas limitações e dificuldades para nos superarmos. Há pouco mais de um ano, em uma dessas reflexões, percebi a necessidade de aprimoramento no idioma Inglês e decidi passar um tempo no Canadá. A minha ausência foi suprida com uma franca conversa com o presidente, que sempre manteve as portas da empresa abertas.

Três meses depois da experiência internacional, retornei como diretora de Marketing, cargo por que lutei cada segundo, e sempre foi minha meta após a transição para a área. A conquista foi mais especial por saber que o quadro de diretores era composto exclusivamente por homens – sim, a questão de gênero também é intensa em uma empresa "feminina".

Ressalto que essa não foi a única situação em que presenciei poucas mulheres entre muitos do sexo oposto. Fui uma das (pouquíssimas) quatro mulheres em uma turma de 20 alunos no mestrado profissional.

Depois de uma longa caminhada com tropeços e com recomeços, vou tentar encerrar o assunto.

Valorizo a insistência da minha mãe para ter um diploma universitário. Na sua sabedoria, minha mãe insistia – e ainda insiste – no estudo dos filhos. Neste, certamente enxergasse a única chance de vencermos. Ainda continuo a escutá-la, sigo estudando e sei que assim devo seguir para alcançar meus objetivos futuros.

Como líder e como mulher, ainda tenho minhas metas. Quero ter dois (lindos) filhos e a capacidade profissional de um dia assumir uma empresa como CEO.

Há segredos ou atalhos para ser uma boa profissional?

Nenhum, em princípio: há os pontos cruciais que me acompanham desde meu primeiro emprego. Nunca ter medo de trabalho; e, sempre, e se preciso, recomeçar quantas vezes forem necessárias. Oriunda de família que sempre lutou com dificuldades, aprendi cedo que desistir nunca pode ser a opção; com esforço e com o reconhecimento das possibilidades, você pode conseguir o sonhado, o dito impossível!

Em suma, a melhor recomendação que posso oferecer: busque o trabalho que você ama, faça-o com dedicação e motivação, qualquer que seja. Dê sempre o seu melhor e caminhe em prol da sua felicidade com humildade...

SEMPRE E PARA SEMPRE!

19

Gabriela Onofre

SEJA DONO DA LOJINHA!

Gabriela Onofre

Diretora global de Marketing de SEMPRE LIVRE® e líder de cuidados femininos na J&J América Latina. Atuou por 17 anos na P&G, de onde saiu como diretora de Marketing e Comunicação. Engenheira de alimentos pela Unicamp, é casada e tem dois filhos.

Em 2017, foi premiada *Marketer Trayectoria Profesional* Adlatina, e esteve no M-List, entre os 20 executivos mais influentes do Brasil. Destaque entre os dez profissionais de Marketing pelo *Meio & Mensagem* (2013). Atualmente é conselheira da Associação Brasileira de Anunciantes (ABA). Fundou o grupo de mulheres na P&G e hoje faz parte do Women's Leadership Initiative da J&J.

Sempre fui curiosa e quis saber o porquê das coisas. Fui aquela criança perguntadeira que queria saber o que é isso, o porquê daquilo. Nunca aceitei um "porque sim". E acho que foi essa curiosidade e vontade de aprender que me levaram ao Marketing, afinal, o que a gente faz em Marketing é entender as pessoas, seus sentimentos, os porquês que as levam a escolher isto ou aquilo.

Mas esse caminho até o Marketing não foi tão óbvio. As experiências é que foram me empurrando para cá.

ESTEJA ABERTA ÀS PESSOAS, SEM FILTRO

Quando eu ainda estava no colégio ouvi de um amigo que ele tinha ido para a Dinamarca e passado um mês na casa de uma família. Eu fiquei entusiasmada, pois eu tinha ido no máximo para o Paiol Grande nas férias e meu amigo estava conhecendo gente e cultura diferentes em um lugar que eu nem pensava em ir. E assim eu conheci o CISV, uma ONG internacional que promove a convivência internacional de jovens, que me mostrou o mundo, me mostrou o que é respeitar culturas diferentes e alimentou ainda mais minha curiosidade e vontade de conhecer as pessoas. As mesmas coisas que hoje eu preciso para tocar meu negócio global de Sempre Livre.

SEU PRODUTO TEM QUE SER FÁCIL DE COMPRAR

Ainda no colegial resolvi buscar emprego, como extra de Natal. Bati na porta da Shoestock, uma loja que minha mãe costumava frequentar, sempre movimentada. Lucilia, uma das donas, me recebeu e me disse para aparecer no dia seguinte com meu RG. Nem acreditei que tinha sido tão fácil porque eu tinha só 15 anos. E de vendedora no Natal passei a vendedora extra às sextas depois do colégio e aos sábados. Era intrigante ver aquela mulherada comprando tanto sapato. Eu ficava feliz quando fazia aquela pilha de sapatos no caixa, que até cobria a visão da caixa registradora. E, de verdade, o sucesso da Shoestock tinha muito a ver com entender bem as consumidoras. Sempre tinham sapatos em linha com a moda – croco, oncinha, lacinho -, sempre tinham os que vendiam muito, independentemente da moda, e faziam de tudo para que nunca faltassem, chegando até a desenvolver fornecedores próprios, uma cadeia de suprimento impecável. E além de preço bom tinham uma coisa que ninguém tinha nas lojas de sapato na época: todos os produtos ali, bem expostos, à mão, fáceis de acessar. Quer melhor aula de marketing que esta?!

EXPERIÊNCIAS VÃO TE DAR NOVAS PERSPECTIVAS

Então chegou a hora de escolher uma faculdade, tarefa ingrata quando você tem 18 anos. Minha facilidade por matemática e minha vontade de trabalhar em algo que realmente impacta a vida das pessoas me levou à Engenharia de Alimentos. Afinal, o mundo precisa se alimentar. Mas a Unicamp (Universidade Estadual de Campinas) me deu muito mais do que uma formação. Além do meu marido Fernando, pai dos meus dois filhos e com quem namoro há 25 anos, na universidade descobri um mundo infinito de experiências. Comecei no primeiro ano como representante de classe no conselho da empresa júnior (Gepea). Enquanto isso, me inscrevi para uma bolsa de iniciação científica na Tecnologia. Ótima experiência para entender que aquilo não era a minha praia, mas também para valorizar o trabalho de pesquisa e desenvolvimento, grandes parceiros de negócio do Marketing. Uma das experiências mais interessantes foi ser diretora de Marketing da empresa júnior. Definir as estratégias, desenhar planos para melhorar a participação dos alunos e professores, buscar clientes, tudo isso fazendo e aprendendo. Deixamos uma sede nova, num local de alto fluxo na faculdade, para ser vista e lembrada, começamos a participar da feira de alimentos Fispal para captar clientes e melhoramos o conhecimento do Gepea, implementando um programa com os calouros. Tudo empírico, mas que se aplica a qualquer marca: ser conhecido, ser visto, ser relevante.

Outra oportunidade que a Unicamp me proporcionou foi um estágio no exterior. Tranquei a faculdade e fui trabalhar com qualidade em uma fábrica de guacamoles, em Uruapan, no interior do México. Circulava entre a produção e o laboratório, entendi a importância de manter simples a operação e como as decisões comerciais tinham tanto impacto na fábrica. Mas também vi que a coisa que eu mais gostava era entender por que os clientes queriam este produto ou aquele, como desenvolviam o negócio de comida *tex-mex* em seus países e isso me deu a certeza de que trabalharia na área comercial quando voltasse.

SUA MARCA VIVE FORA DO ESCRITÓRIO, LEVANTE DA CADEIRA E VÁ VER COMO O CONSUMIDOR INTERAGE COM ELA

Fui parar no Marketing da Sadia como estagiária e tive certeza que era isso que ia fazer da vida. Bati muita perna em supermercados e padarias para entender o que fazer com a linha Speciale de frios finos, recomendando que a linha tivesse menos itens e mais relevantes, e que fosse simples de ser exposta. Simplicidade que às vezes a gente esquece quando fica muito tempo no escritório. Não tem jeito, para entender o que está acontecendo com sua marca tem que levantar a bunda da cadeira e ir até o consumidor, observar, conversar. Há muitos *insights* sempre nestas interações.

No final da faculdade tinha três propostas de emprego: ficar na Sadia, ir para a Lacta e entrar na P&G. A P&G era a única de não alimentos, a mais desconhecida para mim. Até hoje sou grata a minha mãe que me fez falar com várias pessoas do mercado antes de me decidir. E o que eu ouvia era unânime: "A P&G é uma escola de Marketing, vá para lá". E de lá só saí depois de 17 anos, com tudo que essa grande escola me ensinou.

SEJA O DONO DA LOJINHA!

Minha primeira experiência foi trabalhar no lançamento de Ariel, a marca mais importante globalmente em cuidados com a roupa da companhia, iria entrar num mercado dominado por uma marca longeva e amada pelas consumidoras. Tarefa nada fácil, mas que me ensinou a base do marketing. Como começamos com um mercado teste, implementamos o modelo global e lemos tudo. Não foi bem, aquele não era o modelo de negócio correto naquele contexto competitivo. Refizemos tudo! Comunicação, plano de mídia, posicionamento de preço, estratégia de experimentação. Nos meus primeiros meses pensava que a P&G tinha se equivocado em contratar uma engenheira para um lançamento tão importante. Como eu poderia agregar? Mas aprendi que temos de olhar para o talento e entender se ele tem liderança, pensamento estratégico, atitude de dono. Danielle Bibas, minha querida chefe na época, fez o resto. Ensinou-me, demandou, me deu autonomia, me corrigiu, e eu aprendi que temos de ser responsáveis por nossa organização: escolher os talentos, colocá-los nas posições corretas, demandá-los e treiná-los.

Quando a gente começa é como se fosse responsável por uma pequena lojinha. Os erros e acertos provavelmente não vão impactar tanto o negócio, mas a gente vai aprendendo e a lojinha vai crescendo junto com a responsabilidade. O que não muda é a atitude de dono, dono da lojinha!

VOCÊ TEM O QUE MEDE

Outra coisa que aprendi logo cedo na P&G é que você consegue o que mede. Só pudemos virar o jogo e trazer um plano totalmente diferente que determinou o sucesso do lançamento nacional de Ariel porque medimos tudo que era fundamental e sabíamos exatamente o que tinha dado certo e o que não.

VOCÊ PRECISA SER CLARA COM O QUE QUER

Trabalhei seis anos na categoria. Tirei de linha, no Brasil, Bold para termos mais foco, reposicionei Ace dobrando o negócio e deixando a marca mais forte, e o trabalho regional me ajudou a entender que há muitos *insights* comuns, e que o consumidor não é tão diferente de um país para outro. É claro que há nuances culturais e sociais que têm de ser consideradas, mas há muita coisa semelhante se buscarmos os *insights* comuns. Afinal, somos todos humanos. Depois de um tempo no regional pedi para sair. Eu já tinha colocado a casa em ordem e sinceramente não havia necessidade de três gerentes regionais. Apesar de parecer arriscado pedir para matar minha vaga e me colocar em outro desafio, aprendi que essas conversas são críticas. Tive um chefe aberto e que me incentivou a isso. Indicou-me então para a vaga de regional de Pampers, a maior marca da P&G no mundo.

AS PESSOAS COMPRAM O PORQUÊ!

O desafio de Pampers era completamente diferente. A marca era líder, com um grande envolvimento do consumidor com a categoria! Porém o *equity* vinha se enfraquecendo desde que tínhamos lançado a Pampers Básica e só havia olhos para esta versão, inclusive na comunicação. As pessoas compram as marcas por seus porquês, e o porquê não podia ser uma fralda acessível. Resgatamos o propósito de ajudar os bebês a se desenvolver e trouxemos para a comunicação algo tangível: 12 horas de sono sequinho. Isso proporcionava ao bebê noites tranquilas e energia para se desenvolver no dia seguinte. O *equity* voltou a crescer e tenho orgulho de ver que até hoje esse é o posicionamento da marca.

Nesta época de Pampers também fiz um dos trabalhos de pesquisa mais interessantes da minha carreira. Por uma semana morei na casa de uma consumidora de classe C. Não pudemos ficar para dormir, mas eu ficava do café ao jantar. E essa experiência me fez ver como é importante que sua marca seja realmente útil para quem a compra. Afinal, ela é só um pequeno pedaço do dia a dia, das preocupações, das aspirações das pessoas. No caso de fraldas eu tive mais certeza do posicionamento. Você pode imaginar o que é uma fralda vazar no meio da noite, sendo que o bebê dorme no meio da cama do casal, e os pais têm que levantar cedo para ir trabalhar? Se seu produto pode evitar isso ele com certeza terá mais valor!!

Gabriela Onofre

PODEMOS TUDO, SÓ NÃO AO MESMO TEMPO

Todo mundo diz que vi tantos bebês trabalhando em Pampers que quis ter o meu. Quando João nasceu minha vida mudou, entendi que meu maior papel no mundo era o de ser mãe. E me questionei se deveria voltar a trabalhar. Com o tempo entendi que eu queria, sim, voltar e não tive medo de usufruir de uma política da P&G de trabalhar meio período até ele fazer um ano. Muita gente achava que não ia dar certo, mas eu me esforcei para que desse. Foi muito importante para mim, se até hoje me envolvo com causas de mulheres nas empresas onde trabalho é porque sou grata ao apoio que tive da companhia e das mulheres que me inspiraram com seus exemplos. Aliás, a frase "podemos tudo, só não ao mesmo tempo" aprendi com a Melanie Healey, que foi presidente da P&G nos EUA, e que sempre que vinha ao Brasil encontrava uma brecha para um papo com as mulheres. Inspiradora.

BOA EXECUÇÃO EXIGE SIMPLICIDADE

Trabalhando meio período ajudei a desenhar um novo departamento de *shopper marketing,* que passei a liderar. Era parte do time de vendas, reportava ao diretor comercial, experiência que todo mundo que trabalha em marketing deveria ter. Aprendi como as coisas realmente acontecem da porta para fora da companhia, a importância gritante da simplicidade na comunicação, para o trade e para o consumidor. Eu costumo dizer que a execução é como a brincadeira do telefone sem fio. Se começar complicada não vai sair bem. E pela mesma razão passei a valorizar comunicações que falassem apenas com imagens: simples!

O NÃO PODE TE LEVAR A UM SIM MELHOR

Estava grávida de oito meses da Isabel quando recebi a proposta para ser gerente de Gillette, a maior marca da P&G no Brasil. Fiquei feliz pelo reconhecimento mas recusei a proposta. Não foi fácil dizer não a uma posição que todos gostariam de ter, mas sabia que de novo meu foco estaria na família. Saí de licença sem saber para que posição voltaria, mas feliz porque meu chefe tinha me dado abertura e entendia o que me motivaria na volta. Voltei para montar o departamento de mídia e PR (Public Relations). Foi uma experiência profissional incrível. Tive que pensar novamente em escala para a companhia, ao mesmo tempo que conquistava a confiança de meus parceiros nas marcas. De novo as métricas, principalmente o ROI (*Return on Investment*, ou, em Português, Retorno Sobre Investimento), e um pouco de ousadia me ajudaram a tornar este departamento essencial para o negócio.

ENTREGUE OS RESULTADOS, OPORTUNIDADES VIRÃO

Minha expectativa era virar diretora de Marketing, provavelmente em um prazo de dois anos na área em que estava. Por isso fiquei surpresa quando Tarek Farahat, presidente da P&G Brasil na época, me convidou para assumir a diretoria de assuntos corporativos. Voltei para casa dizendo a meu marido que eu não saberia gerenciar comunicação corporativa, relações governamentais e sustentabilidade. Ele me disse: "Se seu chefe acha que você é capaz, por que não?" Como é bom ter alguém que empurra a gente para o que a gente pode ser!! Assumi e fiz o cargo ser relevante para o negócio: a marca P&G ganhou admiração, ficando entre as dez mais admiradas do Brasil, o que ajudou a crescer rapidamente o faturamento da companhia, enquanto suas marcas cresceram em conhecimento e experimentação. Ações como fazer a barba do Bel Marques com Gillette, deixar a Xuxa morena, trazer o Federer para lançar Gilette Fusion, fazer um concurso de *miss* nas favelas para Pantene com a Cufa e Gisele Bundchen, Avião do Faustão, ajudaram as marcas a cair na boca do povo. Além do mais, foi muito divertido. Também desse período nasceram relações corporativas importantes como a com o Instituto Ayrton Senna, impactando milhares de jovens e deixando definitivamente o bichinho da transformação social que os negócios são capazes de criar dentro de mim.

O TRABALHO É UMA PARTE MUITO GRANDE DA NOSSA VIDA, A GENTE TEM DE SER FELIZ COM O QUE FAZ

Como tinha experiência em marketing e na comunicação, me pareceu fácil pedir que meu cargo crescesse e juntasse as duas áreas, modelo que não era comum na companhia. Estava realizada nessa nova posição, cuidando da marca P&G, da comunicação, de mídia, e de toda operação para as marcas na companhia. Tinha um time maravilhoso e empoderado, liberdade para poder testar e errar, conexão forte com o que acontecia de mais novo no mercado e a certeza de que acordava todo dia para transformar minha organização nas melhores pessoas de marketing e negócio do Brasil. Que mais poderia querer?

Em um evento do Mulheres do Brasil encontrei Duda Kertesz, na época presidente da J&J no Brasil. Eu a conhecia dos eventos corporativos de que participava representando a P&G, onde normalmente há pouquíssimas mulheres e acabávamos sempre conversando. Nesse dia ela me disse que a Johnson estava procurando talento sênior de marketing e que havia uma vaga em uma posição global. Em menos de um mês, e depois de ter ficado impressionada com a companhia e as pessoas que me entrevistaram, tinha uma oferta de emprego para fazer algo totalmente novo: rejuvenescer a marca que inventou a categoria globalmente e liderar o negócio de cuidados femininos na América Latina, sem ter que me mudar com a família toda de país. Não foi fácil tomar a decisão, eu amava o que fazia, gostava muito da P&G, mas ao mesmo tempo a oportunidade de conhecer uma nova cultura empresarial, me tirar da zona de conforto e poder trabalhar em algo que tinha impacto global me levaram à mudança. Sem contar que o *target* da categoria são as jovens, o que me faria estar em constante questionamento e perto do futuro. Acionei toda a minha rede de mentores, conversei muito com a família e juntos tomamos a decisão de que eu iria para a J&J.

Trocar de cultura exige empenho, tempo para entender como a nova organização opera, e acima de tudo abertura para se adaptar. Muitas vezes a gente cai na armadilha de pensar "por que aqui não se faz como lá?", mas no final o mais importante é entender qual seu impacto nesse novo papel. Nesses anos de J&J mudei times, trouxe ideias novas, aprendi a valorizar ainda mais as relações e que acima de tudo é muito importante trabalhar em lugares em que os valores são alinhados aos seus.

Hoje me sinto realizada, trabalho com uma categoria de produtos que realmente pode mudar a vida das pessoas, estou desenhando o futuro de uma marca olhando para a riqueza de seu passado e resgatando a essência do seu propósito. Viajar pelo mundo em países pobres como os em que Sempre Livre atua, e entender que o que faço no dia a dia pode mudar a vida de mulheres para melhor, me energiza. Pode ser utópico achar que o Marketing pode transformar o mundo, mas eu acredito nisso, e busco inspirar meu time e buscar soluções que possam ajudar a J&J a fazer isso de maneira cada vez melhor.

Que os próximos capítulos desta história continuem a construir neste caminho.

MANTENHA A ATITUDE DE ESTUDANTE

Uma das coisas mais bacanas na carreira é manter a atitude de estudante. Não é fácil, vamos ganhando novos papéis na vida e isso vai nos deixando com menos tempo. Mas podemos ler, fazer cursos, experimentar novas possibilidades com nossas marcas, aprender com os fornecedores, ir a seminários. Há muitas maneiras de encaixar isso no dia a dia, eu sempre senti que era necessário e isso sempre renovou minhas energias. O último curso que fiz foi o de negócios sociais da Yunus, foram vários sábados durante seis meses, e eu ia feliz com a energia de uma adolescente. Ainda não coloquei em prática tudo que aprendi por lá, mas tenho certeza que o conteúdo, as conversas e as experiências me ajudaram a resgatar o propósito de Sempre Livre e sua conexão com as pessoas. E fez diferença no jeito que estamos pensando os produtos, a comunicação e o legado da marca. Enfim, aprenda, aprenda, aprenda... sempre.

NETWORKING É IMPORTANTE E TEM QUE SER NUTRIDO

E se hoje estou contando minha história profissional neste livro devo isso ao *network* que criei e sempre nutri ao longo da carreira. Fui indicada ao livro pela Bia Galloni, que fez parte comigo do board da ABA (Associação Brasileira dos Anunciantes). Com o convite indiquei outras profissionais que conheço e admiro para contar aqui suas histórias. *Networking* é importante e dá trabalho. Você tem que se dedicar, separar tempo para isso, mas de verdade pode ser muito gostoso e divertido. Acabamos entendendo que passamos por muitos questionamentos e desafios parecidos e isso nos fortalece e gera uma rede de apoio. Mas você tem que se doar também. Fico feliz de ver que o grupo de mulheres que ajudei a colocar de pé na P&G ainda existe, mesmo com muitas profissionais diferentes das que estavam no começo. Aqui na J&J sou parte do WLI - Women's Leadership Initiative, trabalhando com outros profissionais da organização para o a avanço das mulheres na companhia. E ainda tem as Sweet Ladies, as Sisterhood, Ellevate, e os encontros informais que tento manter com gente com quem trabalhei e que me inspira. É bom, renova e abre portas. Pratique!

20

Gabriela Petrin
Costa de Melo

FAMÍLIA, A BASE DE TUDO

Gabriela Petrin Costa de Melo

Graduada em Relações Públicas pela Faculdade Cásper Líbero e pós-graduada em Administração de Empresas pelo Insper (Instituto de Ensino e Pesquisa). Trabalha há quase 15 anos com Marketing em empresas multinacionais.

Na sua trajetória profissional teve a oportunidade de participar do desenvolvimento e implementação de diversas iniciativas para o público interno e externo, em toda a América Latina. Acompanhou ainda o reposicionamento dos departamentos de Marketing, que passaram de área suporte a área estratégica e essencial no posicionamento de mercado e atingimento de resultados financeiros.

Muitos podem pensar que o título acima é somente mais um clichê, mas na minha história de vida isso é, sim, uma realidade. Filha caçula, e como sempre me conta a minha amada mãe, Dione, "a terceira menina, que chegou para completar o harém do papai Paulo", sou nascida e criada em São Paulo.

Apesar de termos morado um tempo em Campinas, no Interior paulista, logo após meu nascimento, tenho vagas recordações daquela fase, mas uma história dessa época me marcou e diz muito sobre a minha personalidade.

Com meus dois anos e quatro meses, minhas irmãs Patricia e Carolina, respectivamente com oito e seis anos, já iam para a escola e eu ainda ficava com a minha mãe, mas já querendo seguir os passos das mais velhas pedi para ir também e a mamãe, vendo a minha determinação e interesse, não pensou duas vezes e me matriculou na Casa da Gente. Tenho *flashes* dessa época, mas sem a menor dúvida foi um importante passo em minha formação.

Em 1986 meu pai foi transferido de volta para SP e no Alto da Boa Vista nossa infância foi desenvolvendo-se. Sempre tivemos uma vida muito boa, até que com 12 anos as circunstâncias da época mudaram um pouco nossa trajetória e nos trouxeram uma outra perspectiva sobre trabalho, dedicação e força de vontade.

Depois de anos parada, minha mãe voltou a trabalhar e a Pati, na época com 18 anos, começou a dar aulas de Inglês para ajudar também.

Pouco a pouco fomos nos ajustando e graças à gana de vencer do meu pai e à união da nossa família, superamos os obstáculos. Nós três nos formamos em faculdades particulares e com o apoio e ensinamentos de nossos pais construímos a nossa trajetória de sucesso.

O MEU ENVOLVIMENTO COM O MARKETING

Ainda na escola eu queria ser jornalista, sempre gostei muito de escrever, contar histórias, criar pautas. Fiz um ano de cursinho e não consegui ingressar na faculdade que eu tinha vontade.

Com 19 anos na época, pedi para meus pais para fazer mais um ano de cursinho e nesse período participei de várias palestras sobre carreira e acabei me interessando por Relações Públicas. No fim de 2002 prestei vestibular e fiquei muito feliz quando uma amiga da minha irmã ligou para ela e disse que tinha visto meu nome na lista de aprovados da Cásper Líbero.

No segundo ano da faculdade eu comecei a trabalhar, meu primeiro emprego formal. Eu era atendente de *telemarketing* em uma empresa americana de seguros de vida. Nessa fase eu ainda não tinha tido a oportunidade de viajar para fora do país e isso era uma das minhas metas, então eu juntava cada centavo do meu salário para realizar esse sonho.

Pouco mais de oito meses no emprego, surgiu um processo seletivo de estágio na ABB para trabalhar na comunicação corporativa, eu passei e comecei o terceiro ano da faculdade com essa nova oportunidade, que sem a menor dúvida foi muito importante no meu desenvolvimento e amadurecimento profissional.

Durante o primeiro ano de estágio eu ajudava as MarComms com eventos, folheteria, brindes e também trabalhava muito com Comunicação Interna, minha disciplina preferida. Eu amava fazer jornal interno, campanhas para as áreas de Meio Ambiente, Saúde e Segurança do Trabalho, além de trabalhar com a *intranet*.

Para minha sorte e também por reconhecimento de minha chefe na época, eu fui efetivada ao fim do meu primeiro ano de estágio, ou seja, em meu último ano de faculdade eu já tinha emprego garantido. Isso me trouxe muita tranquilidade e ao mesmo tempo eu fazia questão de fazer valer o investimento em mim, trabalhava duro, queria agarrar aquela oportunidade com unhas e dentes.

Foi nessa fase, posterior à efetivação, que eu comecei a trabalhar mais com Marketing, assumi a responsabilidade pela unidade de negócios de Papel e Celulose e fazia de tudo.

Esse emprego tem um significado muito importante para mim, pois foi por meio dele que realizei meu sonho, e em 2008 fui para Vancouver, em 2009 para São Francisco e passei um mês em cada lugar estudando Inglês, experiências essenciais no desenrolar da minha carreira.

Mas em 2010, com cinco anos de experiência na ABB, senti que era a hora de arriscar e mudei de emprego. Fui trabalhar com Comunicação Institucional em um escritório de advocacia, aprendi muito sobre relacionamento com a imprensa e aprofundei meu conhecimento sobre redes sociais. Nessa época as empresas estavam começando a explorar esses meios e aprendendo como usá-los para estreitar o relacionamento com clientes, ainda era muita tentativa e erro e eu liderei um projeto relacionado ao LinkedIn, que envolvia a criação de um grupo Alumni de ex-advogados do escritório.

Porém, depois de pouco mais de um ano no escritório, eu sentia muita falta da ABB, de fazer marketing, da cultura da empresa europeia e, mais uma vez, a vida foi generosa comigo e a minha ex-chefe me convidou para voltar, como uma analista sênior e responsável por uma divisão de negócios.

Nesse retorno eu já tinha concluído a minha pós-graduação em Administração no Insper e queria ser mais do que a menina do Marketing, eu queria ser incorporada à divisão de negócios e vista como parte fundamental dessa operação.

De novo a sorte esteve ao meu lado e o diretor da divisão e os gerentes das unidades de negócios me deram esse espaço, e em um ano eu tinha sido promovida e me tornado coordenadora de Comunicação Corporativa.

Essa foi, sem a menor dúvida, a minha melhor fase na ABB. Junto com o time da divisão construímos muitas coisas, inclusive uma nova fábrica no interior de SP. Cada um desses chefes que eu tinha eram como mentores para mim, trocávamos ideias, desenvolvíamos novas ações para engajar distribuidores, fazíamos grandes feiras e eventos e trabalhávamos a comunicação interna como um pilar muito importante na sustentação de tudo isso.

Mas, como tudo na vida, chega um momento em que temos de buscar nosso caminho e fazendo Coaching e aconselhamento de carreira eu resolvi mudar de emprego.

Fui trabalhar com Marketing em uma indústria química americana e, assim como na minha experiência anterior, atendia uma divisão de negócios, com a diferença de que era uma indústria ainda mais técnica. Fiquei pouco mais de um ano nessa empresa e depois fui trabalhar na concorrente brasileira, mas nessa oportunidade atuava mais com Comunicação Interna e Externa.

Depois de um ano e pouco percebi que estava faltando algo, apesar de considerar que eu tinha tudo o que almejava para mim naquele momento, um bom salário, um time, desafios diários, eu sentia que faltava alguma coisa, eu não estava feliz, eu andava estressada, não queria acordar de manhã para trabalhar, estava desmotivada e confusa, mas, como estava ali há pouco mais de um ano, pensava no que fazer.

Nesse ínterim, junto com meu marido e um casal de amigos, aderimos à corrida e ao treinamento funcional, essa era a minha válvula de escape até que esse escape me pregou uma peça e durante um treinamento, por pura distração, eu quebrei o pé e precisei ficar afastada por dois meses.

Esse afastamento foi a minha salvação, pois me deu tempo para pensar no que eu realmente queria, e eu entendi que o meu objetivo era retornar para área de marketing e ser parte de uma empresa que enxergasse essa função como estratégica e responsável pela gestão do seu ativo mais importante, sua marca.

Pouco antes de retornar da minha licença, eu recebi a ligação de um *headhunter*, que não me abriu o nome da empresa e disse que, apesar de o meu perfil estar fora do que eles pediam, ele achava que tinha *fit* com a vaga. Apesar da boa conversa, a entrevista que viria com a empresa não aconteceu e retornei ao trabalho.

No entanto, um belo dia eu entrei em meu *e-mail* e havia um convite da Delta Air Lines para eu fazer uma entrevista *on-line* para uma vaga de gerente de Marketing para América Latina e Caribe. Na dúvida liguei para o *headhunter* para ver se a Delta era aquela empresa do nosso bate-papo e ele me confirmou que sim.

Nesse dia cheguei em casa, liguei o computador e fiz a tal da entrevista. Uma das coisas mais desconfortáveis pelas quais eu passei. Sabe o que é você ficar diante de uma câmera, respondendo perguntas em Inglês? Pois é, eu não sabia se olhava para a câmera, para minha cara, se respondia mais rápido ou mais devagar.

Eu sei que dois dias depois recebi um convite do Recursos Humanos para uma entrevista presencial. Chegando lá, mais uma surpresa, a entrevista era com o gerente de RH do Brasil e uma pessoa do time de Marketing Internacional, e em Inglês.

Conversamos, foi um bate-papo muito bacana e eu saí confiante e ao mesmo tempo com medo, pois a próxima etapa seria com a diretora da área e lá em Atlanta, EUA.

Fiquei ansiosa por mais alguns dias, até que recebi em meu *e-mail* uma passagem para Atlanta, junto com um convite para uma ligação com a diretora do Departamento de Marketing Internacional e o gerente geral responsável pelo Marketing na América Latina, Caribe e USH.

Lembro-me dessa entrevista como se fosse hoje. Eu estava em um evento sobre Marketing digital e saí no meio de uma das palestras para conversarmos. Uma das perguntas que eles me fizeram foi sobre trabalhar em estruturas matriciais e como eu encarava isso. Graças às experiências de trabalho anteriores eu tinha bastantes exemplos que comprovavam o meu comportamento e trabalho com pares em estruturas assim, o que foi um ponto a meu favor.

Alguns dias depois, embarquei para Atlanta e durante o voo eu aproveitei para anotar todas as perguntas que eu gostaria de fazer. Ao longo dos processos de entrevista de emprego que eu fiz, eu aprendi que é muito importante aprofundar as questões sobre a cultura organizacional, pois se você não sente que o seu propósito e valores estão alinhados aos da empresa, é um bom indicador de que sua trajetória por ali não será duradoura e que muito provavelmente a frustração irá acompanhá-lo e impedir o seu desenvolvimento profissional.

Eu fiz entrevista com três pessoas e o meu chefe direto e, no dia seguinte, já no Brasil tive mais uma entrevista, via Skype, com o diretor da operação local. Após esse longo processo eu tinha o *feeling* de que tinha conseguido a vaga, mas não queria me precipitar nas comemorações.

Passou uma semana e eu recebi a confirmação, a vaga era minha e eu tinha 15 dias para me desligar da empresa em que estava e seguir a minha carreira no Marketing. Nessa época, com pouco mais de dez anos de experiência em Marketing para empresas B2B, eu finalmente tinha conquistado meu sonho e conseguido migrar para o B2C.

Na Delta eu fui abraçada pelos colegas do Brasil e de Atlanta e finalmente encontrei o meu lugar, não à toa, o trabalho de meu time vem impactando positivamente nosso momento no País.

Esse sucesso eu atribuo à forma com que encarei o desafio de estar em uma nova indústria. Desde o primeiro dia, eu sempre me coloco na posição de cliente e procuro ao máximo confirmar em conversas e pesquisas as percepções que temos sobre as necessidades do nosso público-alvo. É muito importante não tomar as nossas crenças como verdade e fazer *brainstorming*s com outras áreas, principalmente vendas, já que eles fazem a ponte com o cliente.

Outro fator muito importante é criar uma boa rede de relacionamentos e conseguir ao máximo trabalhar em parceria com outras marcas. Eu sempre digo que temos planos bem ousados para executar e, se formos fazer tudo sozinhos, é quase impossível entregar 100%, seja sob o ponto de vista operacional ou financeiro.

A IMPORTÂNCIA DE SABER AONDE VOCÊ QUER CHEGAR

O seu crescimento profissional depende de você, parece óbvio, mas muitas vezes esperamos que as empresas ou nossas lideranças desenhem o nosso caminho por nós. Mas, enquanto você não souber aonde quer chegar, se conhecer muito bem, entender suas fragilidades e suas fortalezas, ficará difícil se posicionar e passar segurança naquilo que faz e, assim, dar os próximos passos.

A experiência do dia a dia é essencial nesse processo, mas no meu caso o esporte foi um aliado muito importante na conquista da autoconfiança e também contribuiu muito para que eu entendesse que sempre posso ir um pouco mais além do que imagino.

Eu comecei com a corrida, mas o Pedro, meu marido, sempre amou bicicleta e por influencia dele eu aderi ao esporte também e daqui para o *triathlon* foi só uma braçada, literalmente.

Esse esporte, além de me conectar a pessoas incríveis, me deu mais garra, mais força, calejou meu corpo e minha alma. Ensinou-me a ser mais dura, mas sem perder a delicadeza, a ter mais foco, mas sem querer deixar de fazer mil coisas ao mesmo tempo. Mostrou-me que as lágrimas podem ser de alegria e de tristeza e que elas simplemente manifestam o que sentimos na alma.

O esporte não me ensinou a ser mais ou menos mulher, porém, sem a menor dúvida, me tornou um ser humano melhor, e isso é essencial para conquistarmos o nosso lugar na sociedade e nas empresas. Independentemente do sexo, uma trajetória bem-sucedida é aquela em que você consegue fazer o que ama e realizar o seu propósito.

Conciliar bem-estar e satisfação profissional tem sido o meu maior objetivo de vida e agora que estou grávida do meu primeiro filho, o Mateus, eu quero ter a sabedoria para ensinar a ele que para chegar aonde queremos temos de saber que os erros fazem parte da nossa jornada e o que vai mudar o nosso caminho é a forma com que encaramos as quedas e as vitórias e o quanto deixamos que isso impacte a nossa alegria de viver.

21

Gabriela Viana

APRENDER SEMPRE

Gabriela Viana

Com *expertise* reconhecida em Marketing Digital – segmento em que atua há mais de 16 anos –, é diretora de Marketing para a América Latina na Adobe. A executiva construiu carreira em *Mobile*, tendo atuado por muitos anos na indústria de *mobile*, *softwares* e *smartphones*. Passou por gigantes globais como Motorola, Google e pela *startup* asiática Xiaomi. É graduada em Publicidade e tem diversas especializações, incluindo uma extensão em Publicidade e Propaganda pela (Escola Superior de Propaganda e Marketing (ESPM), um MBA pelo Instituto de Ensino e Pesquisa (Insper), além de um EDP (Executive Development Program) pela Kellogg School of Management.

Eu sou a única mulher entre três irmãos homens e tive uma infância que me permitiu viver muito o mundo dos meninos. Embora adorasse brincar de boneca, casinha e cozinha, também sempre pude brincar de carrinho, luta, futebol, andar só de *shorts*, brincar na lama. Desde cedo, sempre quis escolher minhas próprias roupas e interesses e meus pais me deram muita liberdade nesse sentido.

Também adorava ficar sozinha, no meu quarto, brincando e, principalmente, lendo. Lia qualquer coisa que caía na minha mão - e um dos meus passeios favoritos era ir a uma livraria com a minha mãe. Quando eu terminava meus livros, logo atacava os dos adultos. Minha mãe também sempre adorou teatro, dança e me levou para ver grandes espetáculos ainda bem pequena. Íamos a museus, desenhava e gostava de "dar aula" para minha avó ou fazer teatrinhos e *shows* em casa. Meus pais também amam música e fazíamos longuíssimas viagens de carro devidamente abastecidas de muito Tom Jobim, João Bosco, Chico Buarque, Nana Caimmy e Johnny Alf.

Esses diferentes estímulos acho que nunca foram planejados – a geração dos meus pais não estava criando miniempresários. Tive uma infância desencanada e com muitas oportunidades de aprender brincando.

APRENDER É PARA SEMPRE...

Minha mãe sempre deu muito valor para os estudos e, além de ela mesma ter voltado para a universidade quando éramos crianças, me colocou em uma escola pública no meio do ensino fundamental. Uma escola superexigente, para a qual tive que fazer provas para ser aceita. Embora estivéssemos bem longe de sermos ricos, foi na escola pública que tive a oportunidade de conhecer a realidade de outras famílias e crianças, ou seja, de conhecer nosso país e suas profundas desigualdades mais de perto. E de competir de verdade.

Tenho certeza de que meu grupo de amigos e meus professores nessa época foram uma influência muito importante em minha vida. Tinha que batalhar muito para me comparar aos colegas no rendimento na escola. Era um grupo que dava muito valor à disciplina e ao estudo. Os professores também tinham uma qualidade ímpar e me ensinaram muito mais do que apenas as matérias. Deram-me uma outra visão sobre a vida e o mundo.

A educação de qualidade realmente é tudo que podemos almejar para nós mesmos, nossos filhos e para o País. E a educação pública de qualidade pode ser uma realidade possível, se lutarmos para isso.

Algo que também marcou muito minha infância foram as idas ao trabalho do meu pai. Acho que fiz uma conexão com o mundo corporativo nessas visitas e acho muito importante dar estímulos diferentes para as meninas.

As dificuldades nos moldam tanto quanto ou até mais do que aquelas partes da vida que correm de acordo com o planejado. Quando mais adiante, ainda jovem, enfrentamos dificuldades financeiras na família, precisei negociar mais de uma vez as mensalidades da faculdade e corri atrás de estágios remunerados e de uma contratação. Fui morar fora de casa cedo para estudar mais próximo de um mercado relevante. Também me mudei para São Paulo com um salário muito baixo em troca de a empresa pagar meu MBA.

São dificuldades relativas quando pensamos em um contexto maior do nosso país. Eu tive o privilégio de fazer meu ensino superior com ajuda, casa e comida. É muito mais do que muitos dos jovens no Brasil têm de apoio para completar seus estudos.

MULHERES FORTES SEMPRE ESTIVERAM AO MEU LADO

Minha avó materna, Esmeralda, foi muito presente na minha vida e sempre esteve à frente do seu tempo com sua personalidade, suas ideias e seu constante incentivo para que eu nunca ocupasse o lugar de vítima ou frágil. Basta dizer que ela me ensinou a nadar quando ela mesma não sabia nadar. Vó Esmeralda promovia corridas de bota de salto alto, gincanas para ver o sol nascer ou corrida de obstáculos nos sofás. Não era uma vovó de cabelos grisalhos e comidas gostosas. Aparecia com botas prateadas, capas, cabelo *pink*, era sempre uma surpresa buscá-la voltando de viagem.

Ela divorciou-se em uma época em que essa condição era um grande estigma, teve diferentes profissões ao longo da vida e em uma época em que as mulheres não tinham incentivo ou mesmo espaço para terem independência financeira.

Ela me desafiava constantemente não a performar como esperado, mas sim a encarar a vida de peito aberto e constantemente questionar a maneira como as coisas eram. Nunca recebi elogios dela que não fossem merecidos e isso jamais alterou minha absoluta consciência do seu amor incondicional. Ela foi – e sempre será - um grande farol na minha vida.

COMO MINHA CARREIRA ME ESCOLHEU

Sempre gostei muito de ler - e de escrever. A Publicidade era o equivalente à *internet* para minha geração – foi através do trabalho de grandes publicitários brasileiros que me encantei por criar e escrever para Publicidade, atividade que acabei exercendo pouco na carreira, pois o Marketing "me escolheu" logo cedo.

As grandes agências estavam no eixo Rio-SP e fui morar no Rio. Topei todo tipo de estágio desde o início da faculdade e fiz vários cursos de redação e escrita criativa. Nos primeiros semestres, eu realmente mal tinha tempo para dormir, acumulando os estágios com os cursos e com a faculdade à noite. Perdi a conta das vezes em que me tranquei no banheiro para cochilar ou que tirava uma soneca no parque perto do trabalho.

Embora tenha tido cargos de redatora em duas pequenas agências, logo pintou um estágio remunerado na área de Marketing de uma TV e editora e foi assim que começou minha carreira no Marketing. Foi também nessa época que a tecnologia começou a entrar na minha vida, pois eu já lidava com bases de dados, passando a trabalhar com CRM logo depois. Fui contratada em uma empresa de CRM e foi através dela que me mudei para São Paulo para fazer meu MBA.

Desde sempre estive envolvida com empresas de tecnologia, como uma *startup* de leilões *online*, a Motorola, o Google, a chinesa Xiaomi e, finalmente, a Adobe. Acredito que se você escolhe um lugar onde seu talento e sua competência são úteis, onde você sente que pode contribuir, sua chance de sucesso é bem maior. E falo do sucesso de se sentir parte de um time, de construir algo maior que você e ser feliz trabalhando e produzindo. Se existe uma constante em minha carreira é aprender coisas novas e encarar desafios.

O QUE SIGNIFICA "GANHAR"?

Ter que escolher em que lado da vida você terá sucesso é muito maléfico para mulheres e homens também. Qual é o grande ponto de ter um bom emprego, se você não puder ser uma irmã, filha, mãe, amiga, mulher ou qualquer outra faceta que lhe interesse e a complete? Não há dinheiro ou honrarias que possam compensar não se realizar como ser humano. Ter mais mulheres na liderança deveria ser uma oportunidade de melhorar esse equilíbrio. Homens sofrem uma imensa pressão – o mito de que não são ninguém sem cargos e dinheiro – e por isso, precisamente eles, precisam de outros modelos de liderança nos quais se espelhar. Mudar a liderança – ou o que se espera dos líderes - também é a chave para fazer com que mais mulheres persigam esses cargos. E para que tanto homens quanto mulheres possam exercer a liderança de forma mais saudável.

Sempre fiz questão de comunicar para minhas filhas que minha profissão me faz feliz - e sempre falei sobre as viagens sem fazer drama ou como se fosse algo ruim. Não me arrependo ou me sinto em nenhuma medida tendo perdido nada, escolhendo equilibrar diferentes lados que são importantes para mim. Eu sempre tive muita ajuda e sou extremamente grata às pessoas que me permitiram ter minha carreira sem sentir que eu estava prejudicando minhas filhas ou minha vida pessoal.

Porém, é muito importante frisar que faço parte de uma parcela pequena de mulheres que podem se dar ao luxo de contar com a ajuda que tive. Respondo à pergunta de como concilio vida profissional e maternidade mencionando todo um contingente de mães que têm de fazer o mesmo no Brasil, mas sem o suporte e a condição financeira que precisam. Uma grande população de mulheres que – para sustentar a família - se desgasta em um transporte público de baixa qualidade, deixam seus filhos em creches ou escolas também de baixa qualidade e têm pouco acesso à saúde ou apoio.

Assim como também adoraria ver a pergunta de como conciliar carreira e paternidade sendo feita aos homens, por favor! O fato de que não seja feita ilustra que a criação de filhos sobrecarrega de forma desigual as mulheres.

A COMPANHIA DE JORNADA CONTA MUITO!

Sei que é um conselho radical – e tenho ouvido o mesmo conselho constantemente em comitês de mulheres ao redor do mundo: se você valoriza sua independência, escolha bem seu companheiro ou companheira de jornada, se for ter um. Não deixe para descobrir que você estará sozinha, ou mesmo ainda mais sobrecarregada ou com mais exigências, depois de assumir um compromisso tão importante quanto um casamento e filhos. Sei que nós mulheres tendemos a ter uma visão estritamente romântica dos nossos relacionamentos, mas na sua vida será essencial, além de amor e paixão, companheirismo real e apoio. Isso faz parte do amor e é bom garantir que esses aspectos também estarão presentes - desde o início. Claro, se você tiver interesse em conciliar carreira e casamento. Ainda bem, existem infinitas maneiras de ser feliz e um dos primeiros estereótipos a combatermos é de que precisamos de algum outro ser humano, marido ou filhos, para justificar nossa existência, valor ou felicidade.

Nas vezes em que senti que a profissão estava me roubando energia como pessoa, esposa ou mãe, descobri que o problema era a função, a empresa, a cultura – e não o fato de trabalhar fora ou ter que viajar. Nas poucas vezes em que me senti muito mal por perder alguma ocasião importante ou de estar longe do meu marido e das meninas, batalhei por uma oportunidade diferente ou por fazer opções melhores e não ter que encarar minha própria profissão com tristeza ou culpa.

Mas friso que casar foi opção que escolhi exercer. E acho que existo e tenho valor independentemente dela.

A MUDANÇA COMEÇA COM AS PRÓPRIAS MULHERES

O machismo não é privilégio dos homens. É preciso combater a cultura do sexismo e do julgamento e da discriminação de mulheres também entre as próprias mulheres. Como mulheres, devemos criar filhos, instigar os pais, maridos e toda a sociedade a questionar a maneira como as mulheres são vistas e julgadas de forma discriminatória.

Aceitar a competitividade e encorajar a ambição também são formas de quebrar estereótipos quando falamos de como tornar meninas novas líderes. Não deveria haver tanta distinção assim entre meninas e meninos na hora de escolher o que vão aprender e praticar na infância - se esperamos que mulheres disputem e colaborem de igual para igual com homens no mercado de trabalho. As mães têm importante papel nisso!

E quando uma mulher estiver em um cargo de liderança, é preciso lidar com esse fato sem adicionar estereótipos. Referências à beleza - ou falta dela - de uma presidente de uma empresa, por exemplo, são coisas inaceitáveis com as quais ainda convivemos. Começa conosco – mulheres – a quebra desse ciclo vicioso.

Um importante papel das mulheres que alcançaram posições mais protegidas é de dialogar de igual para igual, de convocar os homens a participar e de questionar o *status quo*. E de garantir que possam também ser guardiãs das mulheres que não alcançaram ainda a mesma independência e segurança.

Incentivar mulheres no trabalho depende de uma série de fatores, mas acredito especialmente nas políticas de equiparação salarial, pois atingem todas as mulheres em uma empresa, e não apenas líderes. A remuneração é parte vital do incentivo de seguir adiante - de investir na própria formação, de conseguir conciliar aspectos importantes da vida pessoal através de melhores condições financeiras. Não existe qualquer motivo razoável para que mulheres recebam menos que homens ao exercer a mesma função e precisamos dos mecanismos e leis que garantam equiparação.

MINHA IDEIA DE FUTURO... É SEGUIR CAMINHANDO

Eu acredito em um futuro do trabalho diferente do que vivemos hoje e que teremos uma vida profissional mais longeva e diversa - mesmo na nossa geração. Em toda essa discussão sobre gênero, é natural que se estabeleça o contraste entre o masculino e o feminino, mas temos um compromisso com a diversidade que vai muito além do binômio homem e mulher. O mundo do trabalho tem que refletir um mundo que não é definitivamente nem majoritariamente composto de homens, heterossexuais e brancos.

Com tudo isso no radar – e a constante luta por espaço que nós mulheres estamos empenhadas em desempenhar -, a Madonna (aquela mesmo!), em um discurso quando foi eleita *Women of the Year* pela Billboard - discurso que, aliás, recomendo assistir -, disse algo que me causou enorme impacto. Em uma tradução relativamente livre, ela disse o seguinte:

"As pessoas dizem que sou controversa. Mas para mim, a coisa mais controversa que fiz até hoje foi não desistir."

Minha mensagem é, parafraseando a Madonna: não desista. Lembre-se desta frase nos momentos difíceis. Não assuma que o problema é a carreira e que você precisa abrir mão dela. Siga adiante e você seguramente encontrará seu lugar e uma maneira de se realizar profissionalmente sem precisar abrir mão de quem você é ou do que é importante para você. O mundo do trabalho, para todas as mulheres (e homens também), será melhor se você estiver nele.

22

Giselle Ghinsberg

AOS ANJOS DA MINHA VIDA, SONIA E RICARDO VINÍCIUS

Giselle Ghinsberg

Apaixonada por pessoas e aprendiz por essência.

Atuante do mercado publicitário há mais de 19 anos, hoje é diretora de Publicidade na Globosat.

Sabe que tudo que viveu, sua obstinada vontade de liderar mudanças e realizar o "novo" são sua maior riqueza para os desafios que estão por vir.

Seus dois filhos, Manuela e Gabriel, são seu combustível e, conforme suas próprias palavras, seus melhores projetos.

Quando a Tatyane Luncah e a Editora Leader me convidaram para escrever um capítulo do livro, de imediato fiquei entusiasmada, feliz por fazer parte de um projeto como esse. Mas logo em seguida veio o pânico:

O que falar? Por onde começar? Quem vai ter interesse em saber mais da minha história, ou mesmo, que tipo de inspiração e aprendizados posso trazer para as pessoas?

Enfim, resolvi começar do "começo".

Nasci no meio de uma família de empreendedores. Mais que isso, uma família de mulheres empreendedoras.

Na década de 60, minha querida avó Maria veio da Bahia, do interior de Feira de Santana. Uma mulher "porreta" como eu sempre ouvi, alto astral, disponível, positiva, autodidata, uma verdadeira guerreira. Ainda em Feira de Santana começou, sem mais nem menos, a ter problemas de visão. Foi a um médico que lhe passou o seguinte diagnóstico:

"Dona Mariiinha, a senhora não tem nada, o único mal que a acomete é continuar a viver nesta cidade, é não ter mais horizontes. Saia daqui, recomece sua vida em outro lugar e a senhora resolverá essa cegueira".

Foi o que ela fez: veio a São Paulo junto com meu avô (infelizmente não o conheci), trazendo suas cinco filhas para a "cidade grande", na esperança de uma vida melhor.

Anos 70, suas filhas tornam-se mulheres, criam suas famílias e resolvem empreender no mercado de moda. Criam uma marca, a Zueira, que durante quase 30 anos foi uma das marcas mais badaladas de moda de São Paulo.

Foi nesse universo que nasci: cercada de mulheres fortes, batalhadoras, que passaram por grandes desafios, abriram muitas portas, enfrentaram preconceitos, mas nunca consideraram desistir uma opção.

"Ideologia, eu quero uma pra viver..." (Cazuza)

Estudei a vida toda no colégio Vera Cruz, local onde cultivei amizades com pessoas que tinham muito em comum comigo: os mesmos programas, as mesmas viagens, enfim, o mesmo estilo de vida.

Aos 14 anos de idade, saindo da 8ª série, minha mãe me deu liberdade para escolher onde estudar, dentro de um grupo de escolas pré-selecionadas por ela. Escolhi a mais liberal, aberta e inovadora possível. Entrar no Colégio Oswald de Andrade foi uma experiência libertadora. Conheci todo tipo de gente, fiz amizades novas, escolhi matérias e, claro, fui estudar tudo o que era novidade para mim: política, astronomia, teatro... Foi uma fase de muitas descobertas.

Foi ali que tive meu primeiro contato com a profissão, com a área em que viria a trabalhar por toda uma vida.

No alto dos meus 15, 16 anos, participei da gravação do Programa Livre, apresentado por Serginho Groisman. Num tempo pré-redes sociais, o *Programa Livre* era um dos poucos espaços onde o jovem tinha voz, não só para debater assuntos polêmicos ou de seu universo, mas também para ouvir gente interessante através das entrevistas e curtir uma boa música. Eu não perdia por nada. Na ocasião, o convidado do dia era Nizan Guanaes. Eu não o conhecia, mas conhecia o seu trabalho. Ele estava no auge: era a fase em que ele havia criado a promoção dos Bichinhos da Parmalat, a campanha Pipoca e Guaraná, dentre outras propagandas de sucesso. Fiquei encantada e pensei: "É isso! Quero fazer parte dessa magia!"

> **É PROIBIDO**
>
> *É proibido chorar sem aprender*
> *Levantar-se um dia sem saber o que fazer*
> *Ter medo de suas lembranças.*
> *É proibido não rir dos seus problemas*
> *Não lutar pelo que se quer,*
> *Abandonar tudo por medo. (Pablo Neruda)*

Minha mãe tinha loja, e o passo natural foi ir trabalhar com ela. Ia todos os dias, ajudava no estoque, participava das compras de coleção e vez ou outra até atendia alguma cliente. Era isso que eu mais gostava, o contato com pessoas e vender.

No segundo ano da faculdade de Propaganda e Marketing, surgiu a oportunidade de trabalhar na Globosat. Foi aí que comecei a cortar um pouco do "cordão umbilical".

Entrei como estagiária no time de Publicidade, mais precisamente na área comercial. Estou na empresa há 19 anos. Nem nos meus sonhos mais loucos imaginei ficar tanto tempo. Imaginava que em no máximo cinco ou seis anos já estaria partindo para outras experiências, mas o tempo foi passando, a empresa foi mudando, foi crescendo e eu fui crescendo com ela. Vieram convites, e a recusa em sair não foi por estar na zona de conforto, mas sim por acreditar que eu podia acrescentar e aprender muito ali, junto com tantos talentos, dentro de um universo com tamanha pluralidade de assuntos.

MULHER POLVO

Assim como não é fácil para a maioria das mulheres, também não é para mim. Quem nunca chegou em casa depois de um dia difícil de trabalho, tendo como única vontade se trancar no banheiro por 15 minutos sem um filho chamar?

Existem momentos em que não consigo conciliar tudo. Alguns "pratinhos" às vezes chegam a cair. Não dá pra ser sempre a melhor profissional, melhor mãe, melhor esposa, melhor amiga. Vivemos um tempo de: "Yes, you can!" que está cobrando um preço muito alto em nossas vidas.

Hoje temos *score* pra tudo, vamos aos restaurantes com maior pontuação no Trip Advisor, nos hospedamos nos hotéis com maior nota do Booking, medimos sucesso pelo número de *likes* em nossas redes sociais e exibimos nossas vidas com filtros pra que tenham mais luz, mais vida, mais brilho... Que sentido faz tudo isso?

A sociedade atual te manda recados todos os dias: que você pode tudo, se você quiser; que você pode trabalhar de onde quiser, porque tem mobilidade; que a tecnologia vai te ajudar a viver mais e melhor; que as redes sociais vão te abrir para um mundo novo, de muito amigos, que você pode experimentar viajar sem sair da sua casa, ser mais jovem e bonita com acesso aos melhores tratamentos...Mas será que é isso mesmo que nos faz feliz? Essa não é a nossa essência. Precisamos assumir que, muitas vezes, estamos cansados. Ou melhor, extremamente cansados. Que muitas vezes o que mais queremos é não fazer nada, não pensar tanto, não ter de estar sempre disponível, pronto, atualizado, alegre.

No alto dos meus 42 anos já sei o que me cai bem. Sei as festas a que quero ir, as séries a que tenho vontade de assistir, os assuntos que tenho interesse, os lugares que tenho vontade de conhecer e visitar... e sabe de uma coisa? Isso é transformador! É o que me faz querer aprender mais sobre coisas novas. É o que me faz respirar e aceitar que nem sempre darei conta de tudo. Que preciso gritar por socorro, e que, no final das contas, não sou nenhuma médica e ninguém vai morrer se eu falhar.

Mas por isso a gente precisa aprender a pedir ajuda, seja para alguém do seu time, seja para o seu companheiro, seja para um amigo.

Quer maior liberdade do que a que estamos vivendo hoje?

Numa era de tanto acesso e excessos, tanto as grandes corporações quanto os líderes e seus colaboradores vivem o momento de maior igualdade, um tempo singular em que o que mais nos une são nossas incertezas. E taí uma grande oportunidade, pois as corporações e os líderes nunca estiveram tão dispostos a ouvir, a receber ideias, a abrir espaço na agenda, independentemente do cargo, da hierarquia.

Muitos de vocês podem pensar:

"Poxa, isso ainda não acontece na minha companhia", ou

"Não imagino meu chefe batendo um papo com o estagiário da área".

Não podemos cobrar o mesmo nível de maturidade e evolução das pessoas, muito menos das empresas. Essa mudança de postura não é uma questão de imagem, ou sobre como deixar a empresa mais *cool* no LinkedIn. É uma questão de sobrevivência e essa será uma pauta cada vez mais debatida em nosso mercado.

SER MUTANTE

Comecei muito nova na empresa, cheia de crenças, medos. Aos poucos fui aprendendo a me virar. Só tinha em mente que eu precisava aproveitar a oportunidade ao máximo, e, se pudesse contribuir, melhor ainda! Passei também por perrengues, chefe despreparado, clientes malucos, grande parte do time formado por homens e seu "mundo particular", fui a primeira mulher da área a engravidar, mudanças e mudanças que me fizeram amadurecer, e aprender a lidar na prática com o diferente! Olhando para trás, vejo nitidamente a relação de amor que criei pelo meu ofício. Quando estamos no meio do furacão, ou passando por questionamentos, vem aquela dúvida: "Até que ponto tudo isso faz sentido?" Ainda mais no momento que vivemos de ressignificar nossa profissão, de falar de propósito e ativismo. Em suma, posso dizer que tenho orgulho de minha trajetória e fico feliz pelas escolhas e caminhos que segui. O que me move é ver os projetos acontecerem. É construir e superar mesmo os mais difíceis desafios e, com muita humildade, reconhecer que esse jogo ainda não está ganho, ainda tem muito por vir.

"O perigoso é não evoluir"
(Jeff Bezos - fundador da Amazon)

DE COLABORADORA A LÍDER - COMO CHEGUEI ATÉ AQUI...

É possível que minha história seja raridade nos tempos atuais, e ainda mais daqui a alguns anos. Trabalhar na mesma companhia não é o padrão dos dias de hoje.

Mas não existe uma receita de bolo, uma fórmula mágica, pra nos tornarmos líderes.

Como executiva, já era muito feliz. Apresentava bons resultados de *performance*, tinha liberdade pra inovar e cuidava de projetos grandiosos que me estimulavam a desenvolver minhas habilidades. O mais interessante é ver que, já nesse estágio, uma das coisas que eu mais gostava de fazer era trabalhar com pares e vê-los crescer, evoluir e se desenvolver dentro ou fora da companhia.

Quando assumi o cargo de gestora, junto com uma alegria imensa, veio também uma grande ansiedade, medo de não dar conta do recado, mas, acima de tudo, uma vontade enorme de acertar.

Apesar de já estar na empresa há tanto anos, e de conhecer os processos e os produtos, a maior mudança foi o olhar. O começo não foi fácil. Foi um trabalho introspectivo. Preciso conhecer essas pessoas, pensei. Entender o que posso contribuir com esse grupo, o que vamos mudar e como podemos fazer isso juntos.

Resolvido por onde começar, fui munida para nossa primeira reunião como time. Levei minhas impressões, preparei pauta, levei alguns dados e informações, mas, assim como na vida, uma sucessão de sentimentos me surpreendeu. O time estava muito fragilizado, inseguro, carregava complexos e aí vi que mais do que gerir e desenvolver o potencial de cada um ali, eu precisava primeiro cuidar da autoestima do grupo, desmistificar imagens equivocadas e dar espaço pra uma relação de confiança.

Esse foi nosso primeiro ano. Fiz leituras específicas de liderança, além de cursos que me ajudaram a me certificar como líder. O time também foi encontrando-se, ganhando maturidade, notoriedade e a nossa relação foi sendo construída com energia e liberdade, para que cada colaborador pudesse atingir seu melhor potencial, sem ter que mudar sua essência.

Hoje estou cada vez mais à vontade como líder. Tenho plena convicção do exercício de servir aos outros, a vontade de mobilizar as pessoas, atraindo gente boa para o nosso grupo, aceitando sempre as diferenças, mas prezando valores similares.

Um bom líder deve ser justo, saber traduzir os sinais das mudanças, dar o exemplo, ter humildade para aprender com seus erros, valorizar o outro, administrar com objetividade, foco e simplicidade. Não jogue para a plateia!

O que vai fazê-lo ser reconhecido como tal depende de trabalho sério. O reconhecimento só vem quando as pessoas perceberem que sua liderança é legítima, é real, não é imposta nem pode ser obrigada.

> *"Sucesso não é quanto de dinheiro você ganha, mas a diferença que você faz na vida das pessoas."* (Michelle Obama)

SE EU PUDESSE DAR ALGUMAS DICAS....

Sou uma mistura de tudo que vivo, leio, aprendo e troco. Não acredito num único modelo de sucesso, nem em um exemplo a ser seguido. Ao longo da vida, fui colecionando vivências e quero dividir com vocês. É um pouco do que faz sentido pra mim, do que deu certo comigo. Tomara que possa trazer algum *insight,* ou inspirar alguém.

Pense sempre em equilibrar seu lado profissional, social, intelectual, espiritual e sentimental.

Faça algo todo dia que lhe dê alegria, esse é o melhor caminho para construir uma visão mais positiva da vida.

Exercite perguntar-se: "Por que não?" Não se satisfaça apenas com conclusões superficiais sobre o desconhecido. Abra-se para o novo.

Não desista fácil, tente sempre mais uma vez!

Converse com pessoas diferentes, vá a lugares novos e se possível viaje para lugares que ainda não conhece. Tudo isso vai ajudá-lo a lidar com pessoas, conhecer novas culturas e ter visões complementares às suas.

Leia, leia, leia!!! Leia sobre tudo, amplie seus horizontes, aumente seu repertório.

Celebre pequenas vitórias.

Livre-se de pessoas tóxicas e construa relações colaborativas.

Pratique a abundância junto com seus colegas. Você pode compartilhar seus aprendizados e ajudar no crescimento de alguém.

Uma mudança de pequenos hábitos constantes é tão poderosa e mais fácil de iniciar do que um grande salto de uma só vez.

Persiga a posição de aprendiz. Isso vai mantê-lo atualizado, relevante e tendo em vista uma provável ruptura do que entendemos como carreira. Você estará preparado para esse novo ciclo.

Pense sempre no que você pode começar a fazer hoje, e você será grato por não ter deixado para depois.

Desejo a vocês o melhor!

23

Juliana Zaponi

MARKETING, UMA MATEMÁTICA FEMININA

Juliana Zaponi

Atua como gerente de Marca da América Latina para Duracell, em West Palm Beach (USA). Formada pela Escola Superior de Propaganda e Marketing (ESPM), começou a carreira na P&G com a marca Head & Shoulders. Trabalhou com a marca Monange na Hypermarcas, e depois para a Consultoria Integration, atuando primordialmente em projetos de Go to Market para setores como farmacêutico, *shopping centers,* e financeiro. Mais tarde, trabalhou como coordenadora de Trade Marketing na Arcor e, por fim, assumiu como gerente de Marketing e Trade para a Duracell Brasil, a posição atual de Gerente da Marca para a América Latina.

11 99102-2250 / +1 561 303-8622 (EUA)
juliezaponi@hotmail.com
julianazaponi.t@gmail.com

Marketing. A ciência que mais tem arte. A arte com a maior lógica. A lógica com a maior emoção. É vestir a camisa de um logotipo, é repetir incessantemente um *slogan,* é ter como melhor amigo um personagem ou um "garoto propaganda". É nunca mais ir ao supermercado com o mesmo olhar.

Eu me lembro do meu primeiro emprego, quando comecei como estagiária na P&G. A marca Head&Shoulders tinha acabado de entrar no País com muitos desafios. Seu próprio mercado de consumidores potenciais não sabia pronunciar seu nome. E também me lembro de, na minha inocência, perguntar:

– Nossa, mas por que não mudam o nome?

– Você está louca? Esse é o *shampoo* mais vendido do mundo! Não se muda o nome de uma marca assim, você sabe como é difícil construir isso? Você sabe o valor que isso tem? - me disse o gerente da marca me dando o devido choque de realidade.

Foi a primeira vez que realmente entendi. Entendi que o valor de uma empresa não estava apenas nas máquinas, nas matérias-primas e nos funcionários. O valor de uma empresa envolvia seu nome, sua história, envolvia um afeto que a mesma tinha o poder de gerar em seus consumidores. Era o cálculo mais emocional que eu já tinha visto na minha vida. Foi aí que percebi que tinha encontrado o meu tipo de matemática.

Marketing é uma das áreas com maior presença do sexo feminino. É normal que você veja em uma mesa de liderança de uma empresa um número elevado de executivos homens, e apenas uma ou duas mulheres do Marketing.

A verdade é que Marketing tem afinidades importantes com o sexo feminino. Eu sei que isso pode parecer estranho, e longe de mim estereotipar as mulheres, tão diversas, mas estamos falando aqui de um campo que mistura ciência com intuição. É o entendimento do outro para se construir. Mulheres na maioria das vezes têm uma intuição muito forte, assim como o Marketing, que tem uma raiz muito intuitiva. Marketing é usar os conceitos para entender o que o consumidor deseja, equilibrar isso com os interesses corporativos, e ganhar dinheiro com isso. Muitas das melhores profissionais que vi passando por aí são grandes intuitivas.

Não me entenda mal, pois decisões tomadas apenas com base em intuição e sem dados podem ser somente loucura e vaidade. Mas a verdade é que o sucesso ou insucesso de grandes campanhas ou importantes reposicionamentos de marca dificilmente são fáceis de prever apenas com números. O marketeiro tem que se livrar de tudo que sabe por um momento e se colocar no lugar puramente do seu consumidor. E a verdade é que nós mulheres temos um dom especial de intuir e nos colocar no lugar do outro.

Assim como o gênero feminino, o campo do Marketing também pode ser muito desacreditado em alguns tipos de empresa. É maravilhoso quando vemos o cuidado com a marca que algumas gigantes da indústria têm. Em empresas como essas, o Marketing é quem entende o consumidor, quem desenvolve o produto, quem ajuda a precificar. Entretanto, quando trabalhei em consultoria vi como o Marketing pode ser tratado em alguns setores e indústrias específicas. Muitas vezes é enxergado como uma área supérflua, apenas mais um gasto desnecessário, ou um modismo. A área, nesse caso, é sempre a primeira a ter cortes na primeira sombra de crise. Porém, assim como nós, mulheres, a arte do Marketing vem mostrando a sua força por aí e botando pra quebrar. Segundo Doreen Wang, líder da BrandZ, "as empresas que investem na construção e fortalecimento de suas próprias marcas saem melhor nos momentos de crise".

E as mulheres realmente arrasam no campo de atuação do Marketing! Já vi algumas vezes grandes diretoras de Marketing sofrerem de *mansplanning** ou mesmo serem caladas em reuniões de diretoria. Mas também vi algumas dessas mesmas diretoras dando uma surra de conhecimento de negócio em muito presidente de empresa por aí.

Como muitas vezes as mulheres têm de fazer no ambiente de trabalho, é comum que o Marketing tenha de repetidamente se provar. Surgem perguntas como: *"Quanto de vendas incremental em reais ter a Gisele Bundchen como garota propaganda gerou pra essa empresa no mês x?"* ; *"Não é melhor deixar o Marketing de lado e usar toda a verba da área para dar mais desconto?*; *"Não é melhor mudar logo essa campanha que já passou mil vezes?"* Não. Não. E não. A resposta é a mesma pro tipo de pergunta feito muitas vezes pras mulheres: *"Mas ter filhos não vai atrapalhar a qualidade do seu trabalho?"* Não.

Marketing não é apenas sobre imediatismos. Como quase todas as áreas empresariais, uma campanha precisa de paciência e consistência. Construir uma marca é um trabalho que pode demorar anos, mas prejudicar uma marca com comunicações muito drásticas para chamar atenção pode demorar minutos, agora que vivemos em tempos de *internet* na palma da mão.

Quando comecei a trabalhar com Duracell, ficou claro o poder de uma construção de marca consistente. São mais de 40 anos com uma imagem de uma pilha 1/3 cobre e 2/3 preta, e usando o coelhinho. Como você acha que se lembra disso? Porque são quase 40 anos comunicando exatamente isso, e sua longa duração. Por isso a marca é tão forte, tão reconhecida...

Já conheci e fui diversos tipos de marketeiros. Os que queriam mudar tudo. Os que não queriam mudar nada. Os que estavam tão obcecados em deixar a sua "marca" na marca que se perdiam entre quem era a marca e o que eles mesmos queriam.

Aos poucos, o marketeiro fica se sentindo um pouco o Deus da marca, e isso é um perigo para que a marca se perca de quem ela realmente é. Já trabalhei com produtos pra cabelo, hidratantes, *shopping centers,* produtos bancários, chocolates, chicletes, balas, pilhas. E o que mais aprendi não veio de campanhas que eu mesma elaborei, e sim daquilo que as próprias marcas me diziam. Aprendi o quanto a história de uma marca e tudo que foi construído sobre ela eram importantes para a tomada de decisão.

Ta aí! Mais uma similaridade do Marketing com ser mulher. Ser fiel a você mesmo. O feminismo moderno trata exatamente disso. Pode-se trabalhar fora se se quiser, pode-se ser dona de casa se se quiser. Pode-se ser profissional de finanças, policial, pedreira, ou mesmo uma amante do Marketing como eu, mas clichês à parte, ser fiel a si mesmo e escutar o que a sua essência tem a dizer pode ser o grande segredo para uma marca, para uma mulher, ou mesmo para que um ser humano siga crescendo nesse universo.

A minha trajetória profissional veio em boa parte por parar pra me escutar de tempos em tempos, e por mergulhar em cada marca em que trabalhei. Sou original de São José dos Campos, no interior paulista, e fui morar em São Paulo com 17 anos para estudar. Queria Administração de Empresas e não hesitei em entrar no curso quando passei no Insper (Instituto de Ensino e Pesquisa), na época chamado de Ibmec, mesmo sabendo que o viés financeiro não era exatamente o que eu queria, e que a faculdade era conhecida por focar muito nessa parte. Afinal, estudar em uma das melhores escolas de Administração do País me parecia uma boa ideia, de qualquer forma. E foi bacana, pelo menos por um tempo. Fiz bons amigos, aprendi a realmente ralar estudando, e conheci algumas das pessoas mais inteligentes que conheço até hoje. Entretanto, passado um tempo, eu estava muito mais interessada em trabalhar no Grupo de Ação Social da faculdade, do qual eu fui presidente, do que realmente no curso. Foi ficando cada vez mais claro que aquele não era o meu caminho. Relutei muito. Venho de uma família conservadora onde mudanças não são sempre bem vistas. Mas depois de um tempo ficou realmente impraticável. A decisão de me transferir para a ESPM (Escola Superior de Propaganda e Marketing) foi muito mais por ser uma faculdade que estava com transferência aberta no ápice no meu desespero, do que efetivamente por alguma vontade de estudar Marketing, que eu na época via muito menos como ciência e muito mais como simples publicidade criativa. Mal sabia eu que estava prestes a me deparar com o grande amor da minha vida, o Marketing.

As aulas eram prazerosas e incríveis, e eu ficava ansiosa por mais *branding,* mais comportamento do consumidor, mais Marketing I (dos três que ainda viriam). Como não sou de ficar parada, logo me inscrevi na empresa júnior da faculdade para colocar em prática tudo aquilo que eu estava vendo. Apaixonei-me mais ainda! Fui consultora, e depois diretora comercial vendendo projetos para algumas empresas importantes!

Após meu fim de trajetória na empresa júnior, o meu processo de entrada na P&G foi muito rápido, e quando fui pra primeira entrevista acabei fazendo não uma, não duas, não três, não quatro, mas cinco entrevistas! Fizeram-me a proposta na hora, e eu me lembro de tremer ao ligar pro meu pai no táxi e contar que eu seria estagiária de Cuidados para o Cabelo na maior empresa de Bens de Consumo do mundo! Eu estava no céu.

A P&G era a Disney dos marqueteiros! Era impressionante a quantidade de pessoas, estudos e trabalho que envolviam a construção de uma marca como Head & Shoulders, pra qual eu fui trabalhar. Muitos números envolvendo todo o tipo de instituto de pesquisa, agências *top de linha trabalhando com linhas criativas incríveis, um pelotão de pessoas estruturando Trade Marketing para que a marca estivesse completa no ponto de venda!* Eu me sentia um pontinho de areia na praia, mas o que eu queria era aprender TUDO. E durante algum tempo eu aprendi. Aprendi como funcionavam todas as frentes de uma marca e como o marqueteiro era na verdade um grande administrador de fornecedores e de inteligência.

No meu próximo desafio, ao trabalhar com Monange na Hypermarcas, outro universo se abriu. Como trabalhar com uma marca tão popular que teve por tantos anos uma figura como Xuxa como porta-voz? Como mudar depois disso? Como analista da Hypermarcas trabalhei em um projeto de completa reposição da marca. Entendemos nossas consumidoras com novas pesquisas, e o aspecto emocional que elas sentiam com relação ao seu momento de passar um hidratante. Mudamos a embalagem, modernizamos as fragrâncias, e foi construída toda uma nova linha de comunicação valorizando o momento da consumidora! Foi muito bacana entender que aquilo que eu gostava não necessariamente representava grande parte das consumidoras brasileiras. Foi nesse momento que eu entendi a distância entre o eu e o consumidor, e que nossos gostos pessoais não se conectam necessariamente com aquilo que deve ser construído como produto e marca.

Quando a Integration Consulting me ligou me convidando para participar do processo para uma vaga, me pareceu meio doido sair daquela loucura maravilhosa que era o Marketing para trabalhar em consultoria, mas mesmo assim fui entender o convite. Fiquei impressionada com a empresa, as metodologias, a chance de poder entender e reestruturar diversos aspectos de todo o tipo de empresa trabalhando diretamente com o time. Fui completamente seduzida.

Nos meus primeiros três meses já fui morar em Campinas para fazer consultoria de Go to Market para uma grande farmacêutica. Foi na consultoria que aprendi aquilo que levo como mantra na minha vida profissional: "Se está muito complicado, é porque está errado". É impressionante como muitas vezes estamos tão enterrados nos problemas de nossa empresa que temos dificuldade até de mapear os reais problemas, e colocar a cabeça pra fora pra apontar pra uma direção clara que resolva. Depois disso passei por projetos de redesenho de processos comerciais, estimativa de tamanhos de mercado e mesmo implementação de novos processos de inovação de uma grande empresa financeira. Mas a verdade é que meu coração me chamava pra outro canto. Eu queria voltar para a indústria, eu queria voltar pro meu Marketing.

Foi em um processo de *trainee* da Arcor que eu conheci o meu futuro gestor, Eduardo Rizzo, que na época me propôs que eu assumisse a coordenação da área de Trade Categoria para ajudá-lo a desenhar uma ponte entre Marketing e Vendas. Eu fui feliz da vida, e foi assim que descobri a indústria de alimentos. Trabalhar com marcas da minha infância como Tortuguita e 7Bello foi demais, e eu descobri as dores e as delícias (literalmente) de trabalhar com alimentos. E, mais importante, descobri o poder tático do Trade Marketing, e como ele podia rapidamente mudar os números de vendas!

Um dia recebo uma ligação de um velho amigo da P&G, Rafael Gisse, me dizendo: "Agora é a hora para trabalharmos juntos". A Duracell tinha sido vendida da P&G para a Berkshire Hathway, empresa de Warren Buffet, e ele havia assumido como presidente. Minha experiência dupla com Marketing e Trade foi bem-vinda para assumir as áreas para a Duracell

Brasil, onde tive o maior encantamento de marca de toda a minha carreira. Duracell não é só uma marca de pilhas, é uma marca icônica, que tem como mascote um coelhinho que foi e é tão importante para os consumidores que faz parte da cultura POP! Sou uma grande admiradora do trabalho feito por outros marqueteiros que me procederam, e hoje vivo para fazer bom uso de tudo que foi construído. Morando hoje nos Estados Unidos, e trabalhando com 19 países na América Latina, vejo a força da marca que foi construída por trás de muita consistência e respeito ao produto e à marca.

O meu amor pelo Marketing só cresce, e espero ter no futuro ainda muito mais capítulos para escrever dessa trajetória de marqueteira, mulher, e grande seguidora de si mesma, e de sua própria intuição.

*Mansplanning: termo, que vem do Inglês, que quer dizer algo como "explicação masculina". Fenômeno que ocorre quando um homem tenta explicar a uma mulher um assunto que ela domina mais que ele, acreditando que vai saber mais simplesmente pelo fato de ser homem.

24

Karen Fuoco
Freitas Costa

"DESOBVIALIZE"

Karen Fuoco Freitas Costa

Profissional de Marketing e especialista em construção de marcas. Influenciadora na área de Comunicação, ministra aulas e palestras sobre Branding & Storytelling. Graduada em Marketing pela ESPM com pós-graduação na FGV, possui mais de 14 anos de experiência em projetos integrados. Colaboradora de conteúdo dos sites Meio & Mensagem, CCSP e B9. Ex-executiva da Google Internet, DM9, DDB New York e da Pereira & O'Dell em San Francisco, onde bebeu das fontes do Vale do Silício por anos. Nomeada como Talento do Grupo de Comunicação ABC, oportunidade que a consolidou no mercado de Marketing. Depois de uma carreira de grandes aprendizados em multinacionais, empreende seu próprio negócio e hoje é a CEO e principal executiva da ReBrand.me - empresa especializada em desenvolvimento de *personal & professional brands*.

(11) 98586-7015
kafuoco@gmail.com
@karenfuoco

Sou uma grande apaixonada por tudo que possa transformar a realidade para melhor, de forma não óbvia.

Para mim, nada acontece que não tenha um significado, um sentido profundo. Considero experiências emocionais intensas como sendo essenciais para a vida plena.

Observadora perspicaz, entusiasta pela arte em todos os sentidos. Gosto de poesia, acordar com o pé esquerdo, repintar o arco-íris, criar uma nova onda e me surpreender.

Adoro construir relacionamentos e pontes entre pessoas, entre pessoas e marcas, entre idealizadores e aqueles que colocam a mão na massa, entre talentos e disciplinas, entre quem tem um problema e quem oferece a solução, sempre de maneira inovadora. Paulistana do mundo, minha grande paixão é viajar. Para mim, viajar representa quebrar o comodismo, renovar a energia, se perder, se encontrar e se reinventar. Mais do que isso, viajar serve como autoanálise, para ver as belezas do mundo e as realidades encobertas, é um ótimo exercício de respeitar as diferenças, ter novas ideias e *insights*, experiências que servem como uma fonte inesgotável de saber.

Encontrei na Escola Superior de Propaganda e Marketing (ESPM) o meu lado A, o meu lado B, e todos os meus outros lados. Foram anos surpreendentes entre 2002 e 2005, engajada da cabeça aos pés com profissionais talentosos.

Logo que me formei, decidi ampliar o meu olhar sobre o mundo e fazer pós-graduação na Fundação Getúlio Vargas (FGV). Aulas intensas sobre Finanças e Economia com as quais eu não me identificava, mas que eu tinha certeza de que iriam me ajudar a ser uma executiva mais completa.

Costumo dizer que trago sempre o brilho e a emoção nos olhos. Sei bem o que eu quero e desafios me motivam. Evito metades, não curto quarta-feira porque é muito o meio da semana.

Minha primeira grande escola profissional foi a DM9DDB, onde atuei por sete anos no Brasil, de 2004 a 2011. Foi uma época de muitos aprendizados ao lado de pessoas que me abriram as portas ao mundo da Comunicação.

Tudo começou no final de 2004, quando participei de um Processo Seletivo de Estágios da agência e fui selecionada entre um exército de estudantes, contratada como Profissional de Atendimento em algumas semanas e todas as minhas promoções aconteceram naturalmente, bem do jeito que eu gosto: quebrando as crenças limitantes do mercado.

A DM9 e eu sempre tivemos um caso de amor. Eu me doava e trabalhava com muita paixão para clientes como AB InBev, Henkel, Exxon Mobil Corporation, FedEx e Terra Networks S/A. E ela me retribuía, sempre me apoiando e patrocinando as minhas recomendações. E assim fui construindo, tijolo a tijolo, uma carreira da qual tenho muito orgulho.

Em maio de 2011, com o apoio de Alcir Gomes Leite, na época vice-presidente da DM9, eu decidi me jogar no mundo e ter uma experiência publicitária no mercado internacional.

Pousei em Manhattan para trabalhar com projetos integrados na DDB New York por meses, influenciando a construção de marca e projetos integrados do McDonald's USA.

Em 2013 fui nomeada como Talento do Grupo de Comunicação ABC (um dos maiores grupos de comunicação do mundo, da qual a DM9 faz parte) com muito orgulho, contribuindo com conteúdos para Clube de Criação de São Paulo, Brainstorm9 e Meio & Mensagem - canais com bastante expressividade no mercado - devido ao reconhecimento na indústria como influenciadora na área de Comunicação.

Depois disso, fui contratada pela Pereira & O'Dell em San Francisco, onde morei por mais de dois anos, brindei à vida, e fiz cursos nas Universidades de Stanford e de Wharton, na Filadélfia.

Na agência americana, integrei o grupo da Pereira & O'Dell Global que envolve a integração do planejamento, atendimento, estratégia de mídia, produção e novos negócios entre os escritórios de San Francisco, New York e São Paulo em contas como Skype, Fiat e AirBnb.

Ganhei uma família nova na Califórnia, que me acolheu e fez toda a diferença na minha trajetória: PJ Pereira, Lo Braz e Francisco. **E aprendi que o importante é ter uma pitada de coragem, onde quer que se esteja.**

Conheço alguns profissionais brasileiros que sonham com a experiência de trabalhar no Exterior. E você? O que o impede?

Eu poderia escrever aqui um caldeirão sobre os desafios do trabalho no mercado internacional, os prazeres em trabalhar conteúdo de forma integrada, a inquestionável qualidade de vida, e muitos outros gostos e temperos. Mas nada disso tem a mínima importância se você não estiver disposto a quebrar suas próprias regras, seja no Brasil ou em qualquer lugar do mundo.

É lindo olhar gente que tem sede de construir, de ser melhor, de fazer acontecer. Mas a verdade é que estar disposto a sair da zona de conforto é o grande desafio e, com toda a minha experiência, eu posso contribuir com esse seu sonho.

Vida de publicitário deve ter como premissa o poder de se reinventar a cada dia. Criar nada mais é do que ultrapassar os limites da sua própria rotina. Nossa fonte de inspiração é fruto de exploração do mundo, é se espelhar e se inspirar em todos, e tentar formar sua própria opinião sobre tudo.

E se de perto todo mundo parece louco, de longe todo mundo parece feliz e capaz. Afinal, reinventar-se é pular em um abismo de olhos fechados. Estar a dois passos do paraíso pode não ser tão perto e simples quanto se imagina. O pânico e a insegurança vão aparecer, e é nesse momento que a sua luta começa.

Largar tudo no Brasil para ir trabalhar fora, sozinha, não foi nada fácil. "Saudade" foi a palavra de que eu mais senti falta no meu vocabulário americano. Aí chega um momento em que você percebe que não faz sentido conquistar o mundo, se as pessoas que você mais ama não estão ao seu lado. E, depois de anos longe, com inúmeros aprendizados e experiências, a sensação de ciclo encerrado se instalou da forma mais natural possível.

Naquele momento eu me sentia uma profissional completa, pronta para qualquer desafio e com várias facetas: nascida no mundo *offline* do Brasil, *expert* do mundo *online* de New York e com um conhecimento profundo sobre Branding e Storytelling, além de ter bebido das fontes da Tecnologia, Inovação e Tendências do Vale do Silício, que me ajudaram a ter uma grande expressão no mercado internacional. Eu estava pronta para meu próximo passo.

Em 2014, depois de intermináveis entrevistas, voltei ao Brasil a pedido do Google Brasil Internet Ltda., que me presenteou com um novo olhar sobre a comunicação e anos de relacionamento sadio que me transformou em uma mulher diferente e uma profissional mais forte do que nunca. Trabalhei na área de Marketing focada em B2B, contribuindo no posicionamento do Google como um *thought leader* do mercado perante as grandes agências e empresas multinacionais.

Posso dizer que sou uma mulher de conquistas, que se beneficiou de oportunidades incríveis. Meu prestígio não é excepcional nem misterioso, ele é fruto de uma rede de vantagens conquistadas, que foram cruciais para me tornar a profissional que sou hoje. Tive a chance de aprender, trabalhar duro e interagir com o mundo de uma forma singular. Sou produto das oportunidades que eu mesma criei.

E aos poucos fui percebendo que a minha influência no caminho de outras pessoas era muito maior do que eu conseguia imaginar, e nada é mais importante para mim do que inspirar as pessoas.

Afinal, hoje em dia nós todos estamos muito próximos, principalmente nesta época em que as redes sociais fazem parte de nossas vidas de forma assídua. Dessa forma, nós somos exemplos, podemos ser inspiração, e isso é uma grande responsabilidade.

Adoro compartilhar pensamentos e aprendizados. Acredito que utilidade, sentido e paixão, em uma vida profissional, são ingredientes básicos para uma carreira gratificante, seja ela no Marketing ou em qualquer outra área. Entendo que é possível encontrar um trabalho com propósito que amplie nossos horizontes e nos faça sentir mais humanos, empregos que te aproximam de quem realmente você é.

Acredito que o Marketing deve influenciar positivamente no resultado do seu negócio e transformar a vida das pessoas. Descobrindo o poder da sua marca, você pode obter mais lucros na sua empresa e fazer a diferença no mundo.

O mercado da comunicação está saturado com milhares de candidatos sedentos por construir carreiras brilhantes. Porém, neste segmento de alta competitividade, uma pequena diferença de atitude pode resultar em uma significativa vantagem competitiva.

E como executiva de Marketing, especialista e estrategista na construção de marcas, eu realmente acredito que você precisa ser diferente e explorar o que você faz de melhor. Seu trabalho precisa ser único, seu foco deve ser estreito e diferenciado, sua marca precisa ter um valor singular e relevante para o seu segmento.

Se você pensar em negócios e inovação, tome o exemplo de Richard Branson, da Virgin, e veja o que ele fez com as vendas de música na época em que atuava no ramo. Pense em Steve Jobs e Apple, e veja o que ele fez com o mercado e o impacto que isso teve na sua vida. Pense em Anita Roddick, da Body Shop, e Yvon Chouinard, da marca Patagônia, como eles investiram no ativismo empresarial e sustentável.

O que eles têm em comum? Acrescentaram uma diferença de valor ao seu segmento, ousaram, subverteram conceitos e quebraram regras.

Agora reflita como seu trabalho contribui para o negócio em que atua ou pretende atuar. Como o seu nome é reconhecido? Sua marca profissional está associada a quê? Você cuida de sua imagem profissional como cuida da marca do seu cliente?

Quem é você no mundo em que atua?

O que falamos aqui, sobre investimentos em longo prazo, é muito mais profundo do que fazer mais um curso. Um certificado a mais no currículo não fará nenhuma diferença se você não souber para onde está indo, como tirar lucro desse diferencial ou se não tiver controle sobre a gestão da sua marca.

A faculdade sempre lança um saber inicial, mas é na prática que as experiências são concretizadas, por isso nunca deixe de estudar e aprender mais técnicas e mais fundamentos para promover melhor comunicação com o seu público.

Nas palestras que faço, tenho dito que mais importante do que a velocidade é a direção. Quem não sabe para onde quer ir, vai parar em qualquer lugar. Aonde você quer chegar? E por que você quer chegar? Quais são as dores que quer resolver? Quais são as emoções que terá de superar e transformá-las em desafio?

O investimento mais importante na sua carreira, neste momento, é parar de reagir de maneira automática e pensar estrategicamente na sua marca e na história que você vai contar.

Como profissional de comunicação, ao longo desses mais de 14 anos, aconselho você, para fazer a diferença: desenvolva o hábito de criar profundidade no que faz. Conheça seus talentos pessoais para usá-los de forma consciente, com coragem e talento. Tenha um perfil investigativo, aprenda a estudar comportamento humano, a base da manutenção é o saber. E amplie cada vez mais o seu relacionamento, crie relações de confiança genuína com as pessoas que você quer que estejam próximas.

Alguns livros são transformadores e me inspiraram durante minha trajetória. Qual você vai ler hoje?

- *"Fora de Série - Outliers"*, de Malcolm Gladwell
- *"Whatever you think, think the opposite"*, de Paul Arden
- *"As 48 Leis do Poder"*, de Robert Greene e Joost Elffers
- *"Rápido e Devagar - Duas Formas de Pensar"*, de Daniel Kahneman
- *"O Livro da Sua Vida"*, de Osho
- *"Propósito - A coragem de ser quem somos"*, de Sri Prem Baba

Eu acredito na persistência teimosa que realiza coisas incríveis. E que empenho e paixão andam de mãos dadas. Aquela sensação pessimista pode até aparecer, mas tente insistir. Não porque somos brasileiros e não desistimos nunca, mas porque quem é apaixonado pelo que faz vai até o fim.

      Basta olhar para si próprio. Sente dor ou prazer pelas suas conquistas? Se há alguma diferença entre eu e vocês, pode ser simplesmente que eu me levanto todos os dias e tenho a chance de fazer o que gosto e o que acredito. Nesse aspecto, são as nossas atitudes que irão mudar as nossas vidas.

      Desafio você a seguir os mandamentos, crenças e valores pessoais que são essenciais na minha vida:

- Desobvialize: saia do óbvio. Seja criativo, em todos os sentidos.
- Cultue sua insatisfação. Evolua.
- Seja cúmplice da sua felicidade. Sorria.
- Sinta dor. Porque é uma emoção que transforma.
- Busque a coerência entre seu pensar, seu sentir e seu querer.
- Valorize sua família, ela é seu alicerce maior.
- Não paute sua vida pelo dinheiro. Coloque seu coração para trabalhar. Seja apaixonada pelo que faz.
- Seja autêntica e coloque a serviço sua contribuição única. Ninguém poderá fazer isso por você.
- Invista na sua carreira e crie suas próprias oportunidades.
- Sonhe muito. Sonhe grande. Sonhe sempre.
- Julgue menos, ame mais. Tenha fé.
- Busque aquela paz interior sem preço.
- Confie na sua intuição e incorpore seu poder pessoal. Tenha um estilo de vida com propósito e deixe seu legado.
- Não gaste tempo, direcione para aquilo que é necessário.
- Não jogue fora a oportunidade de ter vivido.

      O que eu desejo a você? Que seu planejamento pessoal dê errado. Que seu desenvolvimento intelectual seja caótico. Que você possa dizer "Não sou mais a mesma". Porque aprendemos com a dor. Eu realmente acredito que crescemos muito quando nossa rota sai do trilho e você precisa ressignificar suas escolhas. O destino pode estar colocando nas suas mãos uma das maiores oportunidades da sua carreira e da sua vida. Que sejamos às avessas!

E a minha confiança na bondade inata da vida e da natureza humana é uma profecia que frequentemente se autoconcretiza. Em 2002 eu ganhei o primeiro livro sobre Comunicação, um presente da minha avó Mariazinha. Era o best-seller "Na Trilha da Excelência: a vida de Vera Giangrande". Na capa do livro ela me deixou esse recado que sempre me motivou. Ela sabia, desde sempre, que hoje eu estaria aqui.

> Karen
> Lendo esse livro por duas vezes, lembrei-me de você minha querida netinha.
> Espero que lendo, te traga conhecimentos, dentro de sua área, Propaganda de Marketing, quem sabe um dia você estará como ela na mídia.
> A vida de Karen Fuoco Freitas Costa
> "Querer é poder"
> beijos Vovozinha
> 15/09/2002

Até os seus sonhos mais ousados podem se realizar. Aconteceu comigo. Pode também acontecer com você. Amém.

Um agradecimento especial aos meus pais, Cesar e Elizabeth, minha irmã Kelly, meu cunhado Rodrigo, minha afilhada Isabella, e a toda a minha família: Osiris, Maria, Margareth, Roberto, Marcel, Marcelle, Rose, Marcelo, Kauê e Kaique. E alguns outros nomes que me encheram de amor e de inspiração nesta caminhada: Nizan Guanaes, Márcio Santoro, Sérgio Valente, Mônica Carvalho, Suzane Veloso, Ana Paula Cortat, Janaina Yana, Danilo Ken, Carmen Baez, Ana Paula Casagrande, Arício Fortes, Felipe Maluf, Larissa Prairie, Flavia Simon, Fábio Coelho, Julio Zaguini, Sandra Marcondelli e tantos que fizeram e fazem parte da minha vida.

25

Laura Barros

LIDERANÇA, EMPATIA E PRAGMATISMO: ENCONTRE O SEU ESTILO DE MARKETING

Laura Barros

Carioca, formada em Administração de Empresas pelo IBMEC e em Sciences de Gestion pela Université Paris Dauphine.

Marketeira com muito orgulho, com mais de 15 anos de experiência em multinacionais de bens de consumo nas áreas de cosméticos e alimentos – L'Oréal, Groupe L'Occitane e Gallo Worldwide.

Apaixonada por fazer as marcas crescerem, se desenvolverem com projetos de inovação, renovação e comunicação baseados nas verdades explícitas e implícitas do consumidor.

lauragcbarros@gmail.com
www.linkedin.com/in/lauragcbarros/

Sempre digo que não escolhi o Marketing, foi ele quem me escolheu. Meu teste vocacional deu Psicologia, fiz vestibular para Direito, passei em Administração, me formei em Finanças e ingressei no programa *trainee* da L'Oréal. Foi aí, no meu primeiro emprego, que o Marketing entrou na minha vida.

Nasci no Rio de Janeiro no final dos anos 70. Filha mais velha de funcionários públicos que sempre trabalharam fora e batalharam para dar a mim e ao meu irmão tudo o que eles não tiveram: colégio particular, aulas de Inglês, intercâmbio e viagens. Aprendi com eles que tudo na vida se consegue com honestidade e trabalho. Ainda no programa de *trainee*, comecei no Marketing operacional gerenciando ciclos de vida de produtos em uma época em que *trade marketing* estava apenas começando por aqui. O primeiro grande desafio foi a 'tropicalização' de um produto que já existia lá fora, o Garnier Nutrisse. O produto chegou a ser líder de mercado em sua categoria e até hoje credito o sucesso do lançamento a todas as negativas que recebi: quanto mais me diziam que iria dar errado e me apontavam barreiras, mais eu ia montando uma argumentação positiva de porque o produto tinha potencial. Neste período, descobri um dos meus pontos fortes: um pragmatismo necessário para fazer as coisas acontecerem.

Depois de cinco anos de muita ralação, fui convidada a trabalhar na França, na sede mundial da L'Oréal, e descobri uma outra faceta do Marketing: a área de inovação e desenvolvimento de novos produtos. Um mundo novo se abriu para mim. Equipes multidisciplinares e multiculturais, realidades de consumidor de países diferentes e projetos de longo prazo. Eu estava acostumada a trabalhar com ciclos de curto prazo, ao ritmo das divulgações de participações de mercado e das revisões de *budget*, e me adaptar a essa nova dinâmica demandou uma energia extra. Nesse período, minha aptidão em fazer as coisas acontecerem foi aprimorada seguindo os exemplos que me tinham sido apresentados pelos líderes que tivera até então: bater na mesa e partir para cima! Fiquei tão boa nisso que rapidamente ganhei um apelido: *bulldozer*, ou traduzindo, retroescavadeira.

Podiam contar comigo para comprar toda e qualquer briga e resolver qualquer problema. Eu amava o que fazia, não tinha medo de trabalhar, era ambiciosa e queria que as coisas acontecessem. Queria deixar a minha marca. A estratégia deu certo e subi rápido. Ao final de três anos fora do Brasil, fui convidada a retornar para o desafio de juntar os dois mundos do Marketing: a inovação e a implementação, o curto e longo prazo, num cargo de diretoria. No total foram 11 anos na L´Oréal ricos em aprendizado, marcas apaixonantes, convivências incríveis, um vasto conhecimento em gerenciamento de marcas e Marketing. Sempre com muito, muito trabalho.

Em 2010, mudei para São Paulo com toda minha bagagem a caminho da minha nova casa: a L´Occitane. Eu achava que a mudança não seria muito radical, pois, apesar de não serem concorrentes diretas, eu havia deixado uma multinacional francesa de cosméticos para trabalhar em outra. Não sabia, mas estava prestes a embarcar na maior realização profissional da minha vida e em uma profunda jornada de descobrimento pessoal.

Ao mudar da L´Oréal para a L´Occitane, mudei também da indústria para o varejo, e descobri uma velocidade alucinante em fazer as coisas acontecerem. São lojas por todo o Brasil, que ficam abertas 12 horas por dia, todos os dias e com mudanças de vitrine a cada 28 dias. Um turbilhão de coordenação e integração de equipes que, com muitas emoções e muito suor, funcionava.

O mergulho no Marketing de varejo estreitou os meus laços com o consumidor. Sem ter supermercados e farmácias como intermediários, eu monitorava diretamente as lojas e sabia quais produtos estavam vendendo ou não, que promoções funcionavam, e a qual preço. Uma avalanche de indicadores e *insights* que demandavam ajustes rápidos e que me desafiavam diariamente.

A L´Occitane me presenteou também com outro desafio: colocar de pé um projeto que ainda estava em estágios iniciais de conceitualização e que mais adiante se tornaria a L'Occitane au Brésil, *spin off* (marca derivada) da L´Occitane en Provence. O projeto tinha um nível de confidencialidade com o qual eu nunca havia trabalhado. A equipe do projeto era um núcleo à parte, cheio de mistérios e frases com nomes em código. Como não éramos autossuficientes, dependíamos de todos os outros departamentos para avançar, mas não éramos a prioridade. O ritmo frenético das urgências do dia a dia do varejo não deixava muito espaço para nossos pedidos diferenciados, inusitados e que consumiam tempo e recursos para algo que os demais não sabiam bem o que era.

Entendi que as regras daquele jogo eram diferentes das que eu havia aprendido e que, para fazer as coisas avançarem naquele novo ambiente, eu teria que mudar. O processo não foi nada fácil, tive que me desconstruir para depois me reconstruir. Agradeço até hoje os *feedbacks* e olhares de reprimenda que recebi quando meu lado *bulldozer* insistia em dar as caras.

Descobri a escuta ativa, a empatia, a análise com sensibilidade e deixei aflorar traços da minha personalidade que nunca havia convidado para o mundo corporativo. Envolver as pessoas e focar em direção a um objetivo comum era muito mais poderoso e requeria muito menos esforço energético do que bater na mesa para me fazer respeitar. Em pouco mais de três anos de trabalho árduo, desenvolvemos uma marca nova que iria mudar a empresa e a mim mesma.

Os conceitos, ilustrações e embalagens foram feitos em parceria entre Olivier Baussan (fundador da L´Occitane en Provence) e artistas brasileiros. Os ingredientes naturais - inéditos - demandaram expedições da equipe de produção e de assuntos regulatórios para desenvolver fornecedores nos quatro cantos do Brasil. Também fizemos incontáveis reuniões em Brasília para obter acesso legal à biodiversidade brasileira e sacramentar a repartição de benefícios com os produtores. As formulações foram desenvolvidas pela equipe de P&D da L'Occitane em Manosque, Sul da França, e produzidas em fornecedores parceiros aqui no Brasil. Um trabalho sutil de costura de pessoas, insumos e departamentos até então nunca realizados por mim nem pela empresa.

E assim, em 2013, nasceu a L´Occitane au Brésil, com cinco linhas, mais de 200 produtos, um conceito quiosque e loja, e um sistema de expansão via franquias. Um projeto completo de marketing *end-to-end*, que requereu sangue, suor e lágrimas de uma equipe apaixonada por fazer descobrir um pouco mais dos encantos deste Brasil tão plural.

E eu, finalmente, havia encontrado o meu estilo de liderança. Um jeito mais tranquilo, positivo, conciliador e mais próximo da minha natureza, logo, mais autêntico e sereno. Continuo determinada a fazer as coisas acontecerem e meu pragmatismo ainda me define, mas a forma de fazer as coisas avançarem não é mais a mesma.

Meu desafio seguinte foi na Gallo Worldwide, onde troquei o mercado de cosméticos pelo de alimentos naturais. O convite foi inusitado e fora da minha zona de conforto, por isso me encantou. Novas categorias, novos consumidores, uma posição global e um trabalho no escritório Brasil, porém à distância. Tanto meu chefe quanto a equipe ficam em Lisboa, onde se localizam a produção e distribuição dos produtos.

Na Gallo encarei a realidade do Marketing no mercado de *commodities* e suas baixas margens. Acompanho previsões do tempo, índices de chuva e estimativas de safra para ajustes de preço e lidero projetos de inovação e comunicação em azeites, vinagres, azeitonas e molhos de pimenta. Equilibro minha agenda entre São Paulo – Lisboa, a trabalho, e São Paulo – Rio de Janeiro, para ver minha família. Parece loucura, mas com um pouco de planejamento dá certo.

Desde que encontrei o Marketing - ou quando ele me encontrou - sou uma apaixonada. Acredito que ele move pessoas e empresas. Ao longo da minha carreira, tive oportunidades de descobrir e aprender novas facetas a cada projeto e a cada empresa. E o processo, claro, continua até hoje.

Nada é mais estimulante que desenvolver um conceito, produzir, comunicar, ver consumidores levando sua ideia para casa, depois analisar o que deu certo e errado e começar tudo de novo. Um ciclo longo e ao mesmo tempo dinâmico e que só vejo melhorar a cada dia de trabalho.

Hoje o mundo está passando por mais uma transformação. A sociedade está migrando do consumo de bens para o consumo de experiências, está migrando do ter para o sentir. Essa revolução mudará o perfil do Marketing em um futuro próximo, privilegiando, de um lado, as capacidades racionais e analíticas da interpretação de dados e, de outro, a empatia e o contato direto com desejos e necessidades individuais dos consumidores. Eu mal sabia, mas ao conciliar meu pragmatismo e rigor na execução a uma recém-descoberta liderança empática, estava me adaptando a essa nova realidade.

Durante muito tempo, só tive a minha mãe como modelo de inspiração no mundo dos negócios, e acredito que a falta de modelos femininos no início da minha carreira tenha me condicionado a comportamentos fora da minha essência individual. Meu conselho é: não hesitem em buscar referências e trocar ideias. Em um mundo onde todos estão a um perfil *online* de distância, a troca de vivências é um material riquíssimo e fundamental para o nosso próprio desenvolvimento.

As potencialidades do Marketing são tão amplas e variadas que certamente alguma vertente será compatível com a sua personalidade. No meu caso, o desejo maior é que o Marketing continue a ser a força motriz que me motiva a seguir em frente, que a cada novo projeto venha também um novo desafio e que minha inteligência emocional continue guiando minhas escolhas e atitudes.

26

Laura Leal Noce

PARECE FÁCIL RESPONDER: AFINAL, QUEM É VOCÊ?

Laura Leal Noce

  É esposa, mãe de duas meninas, futura empresária, escritora aspirante e executiva de Marketing há mais de 15 anos. Passou por marcas como Sadia, Perdigão, Dona Benta e Havaianas. Hoje busca alavancar inovações no mundo dos alimentos saudáveis. Obcecada por esportes e vida com bem-estar, aprendeu ao longo dos anos a amar academia, corrida, bicicleta, *surf*, livros, novas línguas, meditação ou qualquer coisa que movimente o corpo e a mente. Viciada em praia, acredita que está em férias eternas e tem convicção de que vai viver até os cem anos.

  Instagram: @lauranoce
  LinkedIn: Laura Leal Noce
  escreva@palavradedois.com.br
  www.palavradedois.com.br

Nasci em Belo Horizonte e passei parte da minha infância morando na avenida Brasil - que hoje abriga majoritariamente prédios comerciais, mas que naquela época era o local onde andávamos de bicicleta sem nenhuma neurose do trânsito atual. Nos dias quentes, eu e meu irmão fugíamos pelo portãozinho que dividia os fundos do prédio e a calçada usando apenas calcinha e cueca depois de banho de mangueira no quintal. Como eu me lembro disso tudo mesmo tendo três ou quatro anos? Algumas fotos ajudam no relato, mas, por um motivo ou por outro, minha memória dessa época é muito mais viva do que de outros períodos mais recentes.

    O consultório da nossa pediatra ficava do outro lado da avenida, que tinha no seu canteiro central algumas dezenas de paineiras enfileiradas. Entre flores rosas e painas, aquele curto percurso era sempre cheio de apreensão. Ver a doutora Bernadete de jaleco branco me causava uma mistura de medo e entusiasmo: seja o medo do palito de verificar a garganta, seja o entusiasmo do lanche de coxinha e refrigerante que me esperava ao final da consulta. Na sala de espera tinha uma foto de uma cachoeira onde a queda d'água estava desfocada e em primeiro plano estavam várias margaridas. Alguma mensagem de autoajuda estava escrita ali ao lado, mas ela pouco me importava. O que me chama atenção é a memória afetiva que aquela foto me causava. A cena, com um sol ao fundo, mas as flores à sombra, a água corrente, a altura da cachoeira, tudo isso me levava para um lugar onde parecia ser um sábado à tarde, com a mistura do calor do sol e do vento gelado na pele úmida. Por que isso me causava (ou causa) tanto bem-estar? Não sei. Mas até hoje me deparo com cenas que me fazem lembrar daquilo, e me cativam, e me sustentam, e me fazem feliz.

Assim seguiu minha vida de mulher sinestésica, cheia de memórias afetivas. E ser assim, e crescer numa família unida e com rituais, tem seus dois lados. Você vive numa enxurrada de amor e sentimentos, mas muitas vezes sofre na mesma proporção.

Logo que entrei na faculdade minha mãe faleceu. Eu tinha 19 anos. Hoje, muita gente me olha quando falo dela como se, depois de 18 anos, tudo fosse apenas uma boa lembrança. Mas não. A ausência me dói como sempre doeu, o tempo trouxe coisas novas, mas não amenizou. Minha mãe era minha melhor amiga. Éramos diferentes e - embora hoje eu entenda e veja muito dela em mim - passei algum tempo tentando buscar nossas semelhanças como se fosse isso que nos conectaria. Mais tarde vi que as nossas distâncias, fossem elas astrais ou na cor do cabelo, eram pouco perto de tudo que aprendi com nossa relação. E justamente por ter vivido com minha mãe de forma tão intensa e importante é que não me permiti perecer mais do que o luto, e não me abalar mais do que a saudade.

Ainda em *"beagá"* fui atrás de seguir minha carreira e logo nos primeiros estágios já fui me encantando por uma certa aura corporativa própria que caracterizou aqueles anos 2000. Reuniões com executivos e executivas que tinham copeiros e mordomos, fumar na escada de incêndio, eventos em hotéis de luxo com gente interessante. Vestir um terninho e conhecer novas pessoas parecia ser um futuro promissor.

Fui criada num núcleo familiar com pai e mãe que batalharam muito e que talvez não tenham conseguido ver as concretizações de algumas coisas que um dia foram seus sonhos materiais. Núcleo esse inserido numa família heterogênea em questões sociais, mas unificada em questões emocionais. Gente rica, gente pobre, gente estudada, outros nem tanto. E todos vivíamos - verdadeiramente vivíamos - juntos. Não se tratava de aturar momentos de festas de final de ano. Não. A gente se reunia à luz da primeira desculpa para tomar um café, ou uma cerveja, como bons mineiros

E, embora eu tenha crescido nesse ambiente um tanto verdadeiro com um pai que me abriu o mundo dos livros e das artes, naquela época pouco se falava de propósito. E, vendo a luta dos meus pais, de alguma forma construí dentro de mim que o sucesso estava em trabalhar para uma grande empresa (que dispensaria apresentações) com um bom salário que me permitiria dormir sem dívidas, morar bem, e pagar boas escolas para meus filhos.

Quando criança eu olhava as minhas vizinhas circulando pelo prédio de roupão indo para a aula de natação, e pedia aquilo a Deus em todas as minhas orações. Eu também queria vestir um roupão e ir à aula de natação. Então, de alguma forma, o sucesso vinha para mim daquela forma: vestido com roupas de banho, óculos e touca de látex.

Mas a vida foi sendo generosa comigo. Consigo me lembrar de muitos momentos em que a mesa virou, aquelas pequenas escolhas que fiz que mudaram o rumo de tudo. Lembro-me quando pedi a meu irmão para fazer um investimento que nos custou muito numa passagem para eu ir à França com uma amiga de faculdade assim que nossa mãe faleceu. Lembro-me de pedir a esse mesmo irmão uma vaga na empresa que ele estava montando, mesmo sabendo que eu mais distraía do que ajudava a equipe de programadores. Lembro-me de ter chegado a um evento organizado por uma associação de empresas, olhar aquele pessoal engravatado e pensar "vou ser um deles". Lembro-me de buscar todas as referências que podia e de deixar de participar de uma festa na faculdade para fazer uma entrevista na tal associação. E assim, sentindo aquele turbilhão todo que passava, observando as coisas de frente, e estando atenta aos meus sentimentos, o tempo foi passando.

Num certo momento, decidi morar em São Paulo. Pedir demissão foi mais fácil do que eu imaginava. Embora eu estivesse me formando, eu já estava contratada numa empresa de logística havia dois anos. Mais uma vez um daqueles momentos em que tudo muda. Colei grau numa sexta à noite. Enchi o carro com minhas malas, cafeteira e torradeira no domingo de manhã. E parti.

São Paulo pode parecer hostil, ainda mais numa época na qual não existia GPS, muito menos *smartphones*. A gente usava guias e *post-its* para se locomover, sempre se perdendo entre as pistas da marginal e precisando fazer retornos de longos quilômetros. Mas o que eu mais me lembro desse período era o som dos eucaliptos no fundo do prédio em que eu morava, o sol da manhã, a brisa, e aquela sensação de voltar para a sala de espera da minha pediatra.

Logo ingressei como vendedora numa empresa de sistemas de desenvolvimento. Eu desconhecia o assunto completamente, e ali foi minha primeira grande escola. E embora eu tenha tido sucesso nas minhas atividades corporativas nessa empresa, eu senti que as relações entre as pessoas são fundamentais para ser, enfim, bem-sucedido. Por mais que tivéssemos formado uma turma interessante, que passava o dia junto e fazia *happy hours* quase diariamente, alguma coisa não se encaixava. Naquela época eu não percebi isso claramente, mas hoje entendo porque não foi difícil pedir demissão e ir ganhar metade do salário em outra empresa para fazer a atividade que eu realmente queria: trabalhar com produtos diretamente para o consumidor, com marcas que as pessoas conheciam. Era o tal "não precisar se apresentar". Você simplesmente diz que trabalha naquele lugar, e acabou.

Como quase todas as decisões sobre minha carreira, a escolha por trabalhar com *marketing* de bens de consumo não veio de uma análise profunda e racional. As oportunidades vinham, a intuição estava à flor da pele, e o caminho foi abrindo-se. Mas uma coisa era certa: em determinado momento entre o final da faculdade e o primeiro ano de São Paulo - ou seja, não mais que 12 meses - eu percebi que minha gratificação morava em ver minhas ações alcançarem o maior número de pessoas possível.

Eu não estava errada. Entrar para o mundo do *marketing* foi uma grande realização que me alimentaria profundamente pelos 15 anos seguintes. O Brasil passava por um momento de grande expectativa em começar um processo de desenvolvimento que nos levaria a figurar em capas de revistas e jornais globais, chamando atenção de especialistas e saindo da imagem de florestas eternas para profissionais em ascensão. E por um determinado período isso realmente aconteceu. E para um profissional de *marketing* testemunhar um período de desenvolvimento humano - aquilo que carinhosamente chamamos de "mercado consumidor" - é fascinante. Mergulhei em pesquisas diversas, fui a muitos fóruns, viajei o mundo inteiro em busca de inovação para aqueles brasileiros que, ou estavam tendo acesso a um mundo de luxo, ou estavam ascendendo da base da miséria. Trabalhando em empresas de alimentos, fiz de tudo. Desde estudos clínicos em grandes instituições de saúde na busca pelo combate ao colesterol, até participar de grupos internacionais de discussão sobre como dar acesso a proteína de qualidade a quem tem fome.

Nem tudo são flores. Como eu disse, quem decide sentir demais às vezes sofre na mesma proporção com que se entusiasma.

Nesse contexto todo veio o primeiro casamento, a primeira filha e o divórcio. As mulheres já desempenhavam um papel importante e só trabalhei em empresas onde aparentemente não havia discriminação. Não me senti excluída, coagida ou que tinha menos oportunidades do que meus colegas homens. Mas a verdade é que a rotina de uma mãe jovem e ambiciosa não era fácil. A cobrança por estar presente, as críticas quanto a ter uma babá o tempo inteiro, a angústia de sentir que estava sempre errada, esses sim eram os sentimentos discriminatórios da época, na minha opinião. Uma promoção não era negada a um funcionário pelo fato de ser mulher, mas ninguém tinha grandes compaixões pela necessidade de ausência por causa de reuniões da escola.

Esse equilíbrio entre uma vida corporativa e familiar era muito mais frágil na década passada. Por mais barulhento que o mundo seja hoje, a própria velocidade das mudanças em si já é uma defesa em prol dos erros e ajustes que uma mulher que decide ser mãe e profissional possa cometer.

Na época em que moldei minha carreira no *marketing* eu vivi numa eterna culpa. Viagens e luxos agradavam como agrada o primeiro gole de um *drink*. Mas os momentos posteriores são de ressaca e vontade de estar em outro lugar. O choro e a sensação de desajuste eram constantes. Contudo, a vida é sábia, e coloca os filhos para crescerem com a gente para que juntos a gente aprenda o que é viver - do lado deles - e o que é ser mãe - do nosso lado.

Mas uma conta ou outra a gente sempre paga. Um divórcio, uma doença, uma amizade rompida. As ações e reações são diferentes em cada esfera da nossa vida, e algumas acabam se rompendo. Mas, como em todo processo de desenvolvimento, se você entende e olha seus sentimentos de frente, você deixa de lutar contra e permite que a tristeza e a frustração se instalem, cumprindo seu papel de aprendizado.

A época do meu divórcio foi de grande transformação. Ali percebi algo que carregaria para o resto da minha vida. Não existia essa coisa de "carreira". Existe vida. E as coisas são indissociáveis. Você não precisa ser amigo de todo mundo, nem precisa fazer do escritório seu local de lazer. Mas o equilíbrio acontece quando se quebram algumas ideias:

1. Não é preciso sofrer para trabalhar. A recompensa não é maior para quem se mata, mas para quem se dedica.

2. Se você faz tudo a que se propõe com o melhor que tem dentro de você, todas as atividades que te rodeiam serão bem concluídas, sejam elas pessoais ou profissionais.

3. A remuneração não é medida apenas pelo dinheiro que cai na conta no final do mês. Mas também pelo que você aprendeu e pela pessoa que se tornou através das interferências da sua rotina - em casa ou no trabalho.

Logo vieram outro casamento e novos desafios. A essa altura com pouco mais de 30 anos, mais uma vez passei por um momento de "virada de mesa". Lembro-me como se fosse ontem quando, na escada de incêndio da empresa em que eu trabalhava - e onde era muito feliz - recebi uma proposta para mudar de segmento e sair do mundo dos alimentos para o mundo da moda. Aceitei. E as minhas três constatações acima sedimentaram-se dentro de mim. Por cerca de cinco anos aprendi e cresci diariamente, abri horizontes e entendi que o caminho até aqui tinha de fato sido rico em me mostrar que não há uma receita de bolo para o sucesso, e que somente se conhecendo bem se vive bem consigo.

Uma das coisas que aprendi nesse período foi o valor da experiência. Nessa época, já na década de 2010, as mudanças de comportamento globais ganhavam um ritmo acelerado jamais visto. A forma de trabalho que aprendi na faculdade já servia muito pouco em termos práticos. Os temas clássicos do *marketing* davam lugar a um misto de tecnologia e capacidade de tomada de decisão. E foram cinco anos de diversão e *glamour* em que eu poderia ter de alguma forma regredido em alguns valores que foram sendo forjados nos anos anteriores. Por vezes me peguei sentada na minha mesa, larga e ensolarada, do alto do 12º andar, bem vestida e feliz comigo, sentindo-me empoderada e pensando "é com isso que o sucesso se parece?". Claro, sempre se pode chegar mais longe. Mas tento o tempo todo contextualizar as coisas olhando-as num prisma que não seja nem muito de baixo, nem muito de cima. De qualquer uma dessas formas, ou será demais ou nunca será suficiente.

Ali, naquele momento, sentada na minha mesa, com um time maravilhoso e abraçando o mundo, ao menos plasticamente me parecia sucesso. Por outro lado, voltando aos aprendizados, também sempre senti, lá no fundo, que um pedaço daquilo era frágil, quase bobo. Na época convivi com pessoas mais velhas, com mais que o dobro do meu tempo em empresas. E percebi que não importa o quão longe você vá nem o quão obsoleto você esteja com a tecnologia: existe uma riqueza na sabedoria do tempo que não tem atalho, é preciso viver. E testemunhei muita negligência perante esse conhecimento, mas aprendi demais. E ganhei coragem para, então, começar a envelhecer.

Parece loucura falar em velhice quando ainda nem cheguei à beirada dos 40 anos. Mas o tempo é diferente para cada um. Veio uma nova filha, novos aprendizados. Uma rotina foi configurando-se na minha vida e, numa viagem a Fernando de Noronha, algo aconteceu.

Mais uma vez, sem grandes planos ou pensamentos, eu simplesmente senti que um ciclo tinha se fechado. Aquela tal carreira já não me servia. Mas, diferente das outras vezes, não fui protagonista. Ouvi uma frase do meu marido que me acompanha, me rege, e me molda: "Por que você está tentando provar que pode chegar lá? Veja bem, você já chegou."

Digo que esse período da minha vida foi o "despertar". Abri o baú das memórias daquela infância, daquela família de que tanto sou saudosa, das escolhas e de tudo que aconteceu na minha vida e senti-me feliz e plena de tudo que me trouxe até aqui. Não se trata da faculdade que o formou, do primeiro carro que você pôde comprar, da bolsa que você leva ou do crachá que você tem. Trata-se de saber quem você é.

Faça um exercício (eu mesma o fiz, durante minha segunda licença-maternidade, e recomendo fortemente): tente se apresentar a um estranho sem mencionar a empresa em que você trabalha, seu cargo e que marcas você gerencia.

QUEM É VOCÊ?

Hoje assumi alguns novos desafios. Ingressei num novo modelo de negócio - que a essa altura da vida não imaginei que seria possível -, com novos chefes, novo estilo de trabalho, novas metas e, principalmente, um propósito em que acredito e no qual durmo e acordo pensando: levar alimentação saudável às pessoas. Decidi ainda empreender, mesmo que isso me leve a acordar eventualmente às 5 da manhã ou trabalhar aos finais de semana para conciliar as duas agendas. E escrever um livro. E escrever em um *blog*.

Pode parecer muita coisa, às vezes não é fácil. Mas, se você soma mais que experiências, mas sim soma sentimentos, os sonhos fluem fácil e acontecem. Vá em busca de você, e aprecie a jornada. O conselho é velho, mas, acredite, funciona.

27

Luciana Resende Lotze

SONHOS, LIÇÕES E REALIZAÇÕES

Luciana Resende Lotze

É atualmente vice-presidente Sênior de Marketing da Visa para América Latina e Caribe. Antes da Visa, ela trabalhou brevemente como vice-presidente Comercial da Stanley Black & Decker, por quatro anos como Chief Marketing Officer da Millicom e por 15 anos na Procter & Gamble, onde gerenciou diferentes categorias e marcas em posições locais, regionais e globais. Ganhou vários prêmios durante sua carreira, incluindo três Leões de Cannes e mais de dez Effies, entre outros, mas seu maior orgulho é sua consistência em crescer negócios e equipes ao longo de sua carreira. É formada em Engenharia de Alimentos pela Universidade Estadual de Campinas (Unicamp).

Desde criança sempre quis escrever um livro. Quando tinha uns oito anos pensava em ser a escritora mais jovem do Brasil. Até combinei com um amigo que desenhava bem que eu ia escrever e ele ilustrar. Nesse mesmo ano, na Bienal do Livro, apareceu uma escritora um ano mais nova que eu, que decepção! A partir daí abandonei a ideia, só que de vez em quando ela voltava a me cutucar, mas sentia que era muita pretensão pensar que teria algo a dizer que fosse de interesse de alguém. Então sempre terminava decidindo que isso era mais uma vaidade e abandonava o projeto.

Até umas semanas atrás, quando uma querida amiga me convida pra escrever este capítulo, para usar esses meus tantos anos de experiência no Marketing para contar algo que possa ajudar os novos talentos. Imediatamente não me vi como escritora, com esses conflitos que descrevi acima, mas como profissional do Marketing, olhando na minha frente um *briefing* claro:

✓ Público-alvo: jovens profissionais do Marketing brasileiro

✓ *Insight*: os profissionais com maior experiência têm algo para contar para os(as) mais jovens

✓ Benefício: ajudar os novos talentos

✓ *"Reason to Believe"*: mais de 20 anos de carreira (Ups, o tempo passa muito rápido!)

✓ Entrega: um capítulo de livro

Pausa... Acabei de me dar conta como esse exercício de *briefing* está arraigado na minha maneira de ver o Marketing. E aqui tenho que confessar algo pra vocês: quando vejo comerciais na televisão, revistas ou *internet*, tenho essa mania de pensar como foi o *briefing*, o que o cliente tinha em mente quando pediu o trabalho para a agência, depois imagino o criativo apresentando a ideia, e posso entender direitinho porque o cliente aprovou. E, apesar de haver uma lógica totalmente plausível por trás de cada uma dessas peças publicitárias, fica também claro para mim quais as que têm boa chance de gerar resultados de negócio, e quais têm poucas chances de ser efetivas.

Sempre tive curiosidade de entender essa lógica por trás das decisões das pessoas e dos consumidores. Que argumentos ou comunicação seriam efetivos para convencer alguém a fazer algo, não só no Marketing, mas na vida em geral. Todos os aspectos da Psicologia do comportamento humano e neurociência me fascinam, e sou uma consumidora voraz de livros que abordam esses temas.

E falando de Psicologia, vale a pena que conte um pouco dos meus pais. Minha mãe é jornalista e publicitária. Publicava um jornal agropecuário, para o qual escrevi vários artigos nos meus anos de adolescência. Ela também tinha uma pequena agência de publicidade com escritório em casa mesmo, e muitas vezes estive fazendo a lição de casa do lado da criativa Zizi (sócia da minha mãe), que ilustrava à mão livre em nanquim as peças publicitárias, e fazia uma tirinha do jornal muito divertida. Com minha mãe ia a sessões de fotografia, a aprovações de impressos na gráfica, e a algumas visitas rápidas a clientes.

Meu pai, por outro lado, era executivo de Marketing de uma multinacional e, enquanto eu aprendia *"on the job"* com a minha mãe, ele era muito mais intencional e usava o tempo das nossas viagens de carro para me ensinar conceitos de Marketing. Explicava se um produto era de repetição de compra ou de penetração, ensinava conceitos de porcentagem falando de *market share*, e por aí vai. Interessante que a lição de que eu mais me lembro é a de público-alvo, como definir, como entender os *insights*. E até hoje eu ainda acho que essa é a parte mais importante na estratégia de comunicação.

MULHERES do MARKETING

Obviamente que essas experiências familiares foram formando, na minha mente, uma base de entendimento muito intuitiva do Marketing. Além da base do Marketing, a outra consequência dessa minha infância de dois pais trabalhando é algo ainda mais importante, especialmente para as mulheres profissionais. Depois de tantos anos de carreira, muitas vezes sendo a única mulher na sala de reunião, fui convidada várias vezes para falar e motivar outras mulheres que trabalham. Nessas sessões, minha audiência sempre expressa o dilema da culpa por trabalhar, e em consequência, dedicar menos tempo à família. Esse conflito, por questões culturais históricas, é muito mais penoso para as mulheres que para os homens; mas eu fui me dando conta de que é um conflito muito menos presente nas filhas de mães que trabalharam durante a sua infância, como é o meu caso, *versus* as filhas de mães que nunca trabalharam.

Eu tinha chegado a essa conclusão por minha própria conta e então fui buscar literatura do assunto, e dito e feito. Pesquisadoras da Universidade de Harvard fizeram um estudo incluindo mais de 30 mil entrevistas com homens e mulheres de 24 países com respostas num período de dez anos, entre 2002 e 2012, e as conclusões são definitivas: mulheres, filhas de mães que trabalharam fora, têm mais chances de trabalhar fora também e ter uma função de supervisão. Elas também tendem a ganhar mais que as filhas de mulheres que nunca trabalharam, nos EUA 23% mais! Por outro lado, os homens de mães que trabalharam fora tendem a dedicar mais horas à família, e contribuir mais com os trabalhos da casa. Esses números são libertadores para as mulheres: indicam que ser uma mãe que trabalha a faz uma melhor mãe para seus filhos, lhes dá mais independência e liberdade! Eu sempre digo nas minhas palestras que esse é um tema que temos de abordar abertamente com os filhos e também com os maridos ou, ainda melhor, com os candidatos a maridos. Se quiserem ler mais sobre o assunto acessem os *links* da Harvard Business School e *New York Times*, incluídos no final deste capítulo[1].

E por falar das influências que são absolutamente definitivas na vida de cada um, meu primeiro trabalho em Marketing foi na P&G do Brasil. Eu estudei Engenharia de Alimentos na Universidade Estadual de Campinas (Unicamp), e os caminhos que me levaram ao Marketing da P&G são bastante tortuosos, mas o que importa é que aí começa oficialmente minha carreira do Marketing.

Viajava para cima e para baixo Brasil afora, porque, além do Marketing de detergentes para lavar roupa, eu também apoiava o time de vendas do Nordeste do País. Eu tinha pedido para ser parte desse time porque estava encarregada de planos de ponto de venda, mas sentia que tinha muito o que aprender sobre vendas e sobre os clientes. Em vendas eu era quase sempre a única mulher, ainda mais no Nordeste. E quase sempre eu terminava criando as apresentações para os clientes, e pouco a pouco fui virando também a apresentadora oficial. Modéstia à parte, eu apresentava bem, mas também fomos descobrindo que a minha presença feminina fazia com que os clientes fossem mais respeitosos nas reuniões e os resultados mais positivos. O outro lado do meu trabalho, o de Marketing de detergentes, também ia de vento em popa, tanto que nesses anos ganhei o meu primeiro Leão de Cannes. Tinha três ou quatro anos de carreira, mas me sentia invencível!

Depois dos anos no Brasil, pedi uma transferência para Miami por motivos pessoais (meu futuro marido) e a P&G foi fantástica em acomodar minha necessidade. Fui trabalhar como gerente para América Latina de marcas globais de perfumes como Hugo Boss, Lacoste, Gucci, Valentino... e depois o trabalho passou a incluir maquiagem com Max Factor e Cover Girl, e finalmente se expandiu territorialmente para toda a América, do Canadá ao Chile, exceto o mercado doméstico americano. Durante esse período liderei os esforços de integração quando a P&G adquiriu a Wella e com ela veio a Cosmopolitan, com sua divisão de fragrâncias que tinha o mesmo tamanho que nosso negócio na P&G. Com essa integração a P&G passou a competir de perto com a Loreal pela liderança do mundo das fragrâncias, e eu aprendi um montão sobre a importância da cultura no desempenho das empresas. Mas, ainda mais importante, foi que durante esse período tive meus três filhos: Lucas primeiro e depois de um ano e meio as gêmeas Gabi e Nina.

As meninas estavam para fazer um ano quando aceitamos uma transferência para Cincinnati, onde fica a sede global da P&G. Nessa cidade trabalhei como gerente de Marketing global para Herbal Essences e depois fui promovida a diretora da categoria de tinturas para cabelo, focada numa marca que se chama Nice'n Easy. A experiência profissional na sede da companhia foi tremenda. Lá tive acesso a treinamentos de alta qualidade, ao mesmo tempo que trabalhava intimamente conectada com R&D (Research and Development ou, traduzindo, Pesquisa & Desenvolvimento), e com o time que desenhava as pesquisas de consumidor mais avançadas.

Depois de Cincinnati minha próxima parada foi o Panamá, que era a sede da P&G para a América Latina. Nesse país, gerenciava os produtos da Wella para a América Latina. Pra mim, o legal dessa posição era que o Brasil era meu principal mercado, e do Panamá tínhamos o controle financeiro das marcas, então, além do Marketing, aprendi muito de gerenciamento de P&L (Profit & Loss Statement ou, traduzindo, o demonstrativo de Lucros e Perdas), e pude fazer mudanças estruturais para melhorar a lucratividade do negócio.

Apesar dos desafios interessantes, fui sentindo nessa época que minha empolgação natural pelo trabalho ia desvanecendo... E estou nesse diálogo interno quando um *head hunter* me liga sobre um trabalho de CMO (*Chief Marketing Officer*) em uma empresa de telecomunicações. A proposta parecia interessante, mas me sentia superfora de forma, afinal eu nunca tinha feito uma entrevista de trabalho desde que havia entrado na P&G, quase 15 anos antes... Em todo caso preparei meu currículo o mais rápido que pude e entrei no processo. Terminei aceitando a oferta uns meses depois.

Comecei a trabalhar como CMO da Millicom (Tigo para o consumidor), uma companhia de capital aberto na Suécia, e pioneira na área de telecomunicações, e que espalhou suas torres de telefonia mundo afora na África e América Latina, em países que nunca tiveram nenhuma estrutura telefônica antes do celular. Meu mundo global era agora composto de oito países na América Latina e seis na África, sendo o mais desenvolvido a Colômbia e o menos o Tchad, um país que na época contava com 10% de penetração de energia elétrica!

Minha passagem por essa companhia foi incrível! Conheci países lindos como a Tanzânia e também outros de certa forma assustadores, como a República Democrática do Congo. Na América Latina, conheci um outro lado do Paraguai que, ao contrário do que pensamos no Brasil, é um país em acelerado desenvolvimento e muito interessante, com baixos níveis de analfabetismo, e onde mais da metade da população fala Guarani!

Mas o mais importante desse trabalho foi que aí comecei de verdade a mergulhar no Marketing digital e de *"big data"*. Desde que eu entrei na companhia namorava a possibilidade de levar o Marketing de *performance* ao próximo nível. O negócio de operadora é perfeito pra isso, porque aí temos a possibilidade de ver transações em tempo real, e então é muito mais fácil associar ações de Marketing com resultados de negócio. E durante os quatro anos seguintes foi esse modelo que construí, 100% estatístico e baseado nos *insights* e comportamento do consumidor. Estava realmente orgulhosa! Outro motivo de orgulho foi haver ganho mais dois Leões de Cannes, junto com Facebook, por incluir as línguas nativas, como Guarani e Swahili, na rede social.

Na minha carreira, por uma razão ou outra, acabei mudando muito de categoria. Fui de detergentes para perfumes, de *shampoo* para telecomunicações, para ferramentas e tecnologia de pagamento, e muitas vezes me deparei com comentários do tipo: "Você não entende muito esses produtos, né?" Ao que eu respondo: "É verdade, por sorte ando me especializando na parte que realmente importa no Marketing, o comportamento humano!"

E é a importância desse foco no comportamento humano que quero ressaltar. Depois de tantos anos, quando olho pra trás, acho que isso fez a grande diferença na minha carreira. Se voltamos pra minha mania de ver uma peça de comunicação e pensar no *briefing*, é desse ponto de vista do comportamento humano que eu faço as perguntas. Que comportamento estamos tentando influenciar? Quais são as barreiras que impedem esse comportamento? A ideia criativa da agência é clara, ou seja, as pessoas vão entender a mensagem facilmente? A mensagem vai chegar a um número suficiente de pessoas pra fazer a diferença e afetar o negócio? São essas perguntas que temos de responder quando desenvolvemos comunicação e definimos estratégia, criatividade e intensidade de meios.

Essa equação de dependência entre estratégia, comunicação e mídia, tão simples e tão complexa como ela possa ser, é o aprendizado mais importante da minha carreira. Em cada novo trabalho percebo o quão difícil é seguir essa lógica simples e complexa em termos práticos. Sempre tenho que relembrar minha equipe sobre esses princípios básicos do Marketing, e à medida que os seguimos, passamos a gerar resultados muito mais favoráveis para nossas marcas.

Ainda assim, estamos sempre à mercê das estatísticas, no Marketing e na vida, tudo que podemos fazer é aumentar as chances de sucesso. Com esse mesmo espírito, espero ter cumprido o *briefing*, e que essas linhas, se não originais, tenham sido claras, e possam influenciar uma porcentagem dos leitores com reflexões positivas e produtivas.

Boa sorte!

---

1. www.nytimes.com/2015/05/17/upshot/mounting-evidence-of-some-advantages--for-children--of-working-mothers.html

www.hbs.edu/news/articles/Pages/mcginn-working-mom.asp

28

Marina Mizumoto

MEU CAMINHO

Marina Mizumoto

Formada em administração de empresas e MBA em gestão empresarial pela FGV-SP (Fundação Getúlio Vargas). Mais de 15 anos de experiência em Marketing em empresas de bens de consumo como Bunge Alimentos, P&G e Lactalis do Brasil. Durante sua trajetória teve uma ampla experiência, liderando diversas marcas, além das áreas de Shopper Marketing, Comunicação. Atualmente com 37 anos, ocupa a posição de diretora de Categoria na Lactalis do Brasil.

MULHERES do MARKETING

Quando aceitei o convite para fazer parte deste projeto, como uma típica marketeira comecei a pensar o que as pessoas buscariam encontrar ao ler este livro. Imaginei que seria descobrir o que me ajudou ao longo da minha carreira até hoje. Então pensei em contar minha trajetória de uma maneira que possa contribuir com o que aprendi para que mais pessoas cheguem ao seu desejado sucesso.

Este é o primeiro ponto muito importante: entender o que é sucesso para você. Minha definição de sucesso nunca foi cargo. Orgulho-me muito da minha trajetória profissional, nunca fui aquela pessoa que tem metas de carreira, como "quero ser diretora antes dos 40 anos" ou "quero ganhar o dobro daqui a cinco anos". Conheci muitas pessoas que tinham bem claras estas metas e que inclusive tiveram sucesso em alcançá-las. Mas o mais importante para mim sempre foi "o caminho". Por isso resolvi contar um pouco do "meu caminho".

Eu poderia dizer que comecei em Marketing aos 17 anos quando tinha de decidir que faculdade seguir. Em determinada ocasião disse a minha mãe: "Quero fazer aquelas promoções de produtos em supermercado. Sabe aquelas promoções leve 3 pague 2, por exemplo? É isso que quero fazer". Minha mãe logo me respondeu: "Isso é Marketing". Desse dia em diante não saí mais do Marketing. Cursei faculdade de Administração com ênfase em Marketing e Estratégia Empresarial.

Minha convicção por uma carreira em Marketing desde cedo certamente me ajudou a me aprofundar em conhecimentos da área. Mas houve alguns fatores muito importantes antes mesmo de eu escolher minha profissão que me preparam para ser a profissional que me tornei. Meus pais tiveram uma influência enorme na minha carreira bem antes mesmo de imaginarem que profissão eu escolheria.

Meu pai sempre foi muito rígido, exigia que eu e meus irmãos tivéssemos notas excelentes. Lembro-me até hoje que durante o jantar ele "tomava a tabuada". Receber parabéns do meu pai era o auge. A gente fazia de tudo para impressioná-lo. Ele tinha esse jeito exigente, mas também tinha um lado muito carinhoso. Quantas vezes eu conversava com ele por horas e ouvia conselhos que levo até hoje. Ele me ensinou que sem dedicação não há resultado, que o grande desafio é superar o meu melhor. Nunca me esqueço do dia que me disse: "Filha, é importante tirar boas notas, mas não se esqueça dos aprendizados da vida. Eles são tão importantes quanto o conhecimento".

Hoje vejo que ele estava me ensinando habilidades essenciais. Ensinou-me a ter comprometimento e persistência. Mostrou-me a importância da superação, de buscar ser melhor e aprender a cada dia. E hoje vejo que quando me falava de "aprendizados da vida" estava talvez até me falando de inteligência emocional. Com certeza essas capacidades foram muito importantes ao longo da minha carreira.

Comecei minha carreira estagiando em empresa de bens de consumo e logo depois em consultoria de marca, onde pude conhecer um pouco mais da profissão que eu havia escolhido. Mas posso dizer que minha carreira começou mesmo em 2003, quando entrei na P&G, grande multinacional com grandes marcas como Pampers, Ariel, Pantene, Gillette, Duracell, entres diversas outras. Sou muito grata aos 12 anos de carreira e oportunidades que tracei na P&G. Embora possa parecer muito tempo, foram anos dinâmicos e cheios de desafios. Pude liderar inovações, desenvolvimento de comunicação, planos de negócios, vivi integrações de empresas e até tive a oportunidade de estruturar áreas novas.

Também lá convivi com grandes profissionais, tive times incríveis, com muitos talentos. Vivi o privilégio de acompanhar o crescimento de profissionais que entrevistei no início da carreira e chegaram a posições de liderança. Inspirei-me em grandes líderes a quem tenho muito a agradecer. Alguns trago como referência até hoje, como meus sempre mentores Gabriela Onofre e Thiago Icassati.

Mesmo em uma mesma empresa, durante esses anos liderei minha carreira. Eu queria ser uma profissional completa, assim, ao longo da minha trajetória tentei influenciar meus próximos passos. Mapeava as habilidades que queria desenvolver e pedia a posição que me proporcionaria esse desenvolvimento.

Liderar a carreira é uma atitude que considero crucial para o crescimento profissional. As minhas melhores posições, as em que eu tive maiores resultados, foram aquelas que pareciam menos fascinantes e assim eram menos desejadas. Aprendi que o profissional faz os resultados e consequentemente o tamanho das suas posições. Não há desafio maior que desenhar suas próprias estratégias, criar seu próprio caminho ou ter que se reinventar.

Ao longo dos desafios que abracei, aprendi que há algumas competências primordiais para o sucesso. Entenda seu negócio mais que ninguém. Isso te permitirá trazer recomendações mais eficazes e assertivas. Resiliência e foco no resultado são também habilidades fundamentais para o sucesso. Lembre que os insucessos também trazem grandes aprendizados.

No lado pessoal, conheci meu marido e depois de alguns anos nos casamos. Sabíamos que queríamos filhos, mas eu não sabia qual seria o melhor momento. Na verdade acho que, se eu planejasse um filho como fiz com a minha carreira, não teria engravidado. Eu tinha 33 anos e então decidimos tentar e ver o que aconteceria. Em menos de um mês engravidei.

Um mês antes de descobrir que estava grávida, meu chefe me recomendou para uma promoção a diretora de Marketing. Agora eu estava na lista para as próximas promoções, à espera de uma vaga. Pensando pelo lado profissional, esse não era o melhor momento para engravidar. Lembro-me bem do dia em que descobri. Senti-me feliz mas cheia de perguntas: "como seria minha vida?", "eu conseguiria seguir minha carreira e ser a mãe que eu gostaria de ser?"

Aí veio a Giulia, minha filha linda. Quando ela chegou mudou meu mundo. Não imaginava o que era ser mãe. Descobri a sensação mais maravilhosa do mundo. Eu sabia que não seria fácil conciliar a maternidade com a carreira, mas tinha certeza que não seria impossível.

Minha mãe foi muito importante como modelo pra mim. Aos 26 anos parou de trabalhar para cuidar dos três filhos. Dedicou-se à maternidade, o que era mais comum naquela época do que hoje. Mas aos 36 anos, quando se separou do meu pai, decidiu voltar ao mercado de trabalho. Tenho certeza que não foi fácil. Mas eu a via sempre dedicada. Voltou a estudar, fez pós-graduação, conciliou ser mãe com uma rotina pesada de trabalho e construiu uma carreira incrível. Recomeçou como vendedora e chegou a diretora. Minha mãe me mostrou que era possível sim ter uma carreira de sucesso sem abrir mão da família.

Após a licença-maternidade, voltei a trabalhar e tudo foi ajeitando-se. Eu me sentia realizada de voltar a trabalhar, mas agora me organizava para buscar a Giulia no berçário. Pulava o almoço se preciso e estava muito mais focada em entregar o que eu precisava. Certa vez uma profissional que era mãe me disse: "Não sei como a gente consegue, mas no final a gente consegue". E descobri que isso é totalmente verdade!

Quando a Giulia tinha menos de um ano, decidi que era hora de mudar de empresa. Recebi uma proposta para ir para a Lactalis, empresa francesa, líder em lácteos no mundo com grandes marcas como Parmalat, Batavo, Président, Poços de Caldas, entre outras. O desafio me encantou, a empresa estava entrando no Brasil e a proposta era para estruturar todo o negócio. Algumas pessoas me achariam louca de aceitar mudar de emprego, saindo de uma empresa em que estava há 12 anos e indo para uma "*startup*" com uma bebê na época de um ano.

Essa foi uma das mais assertivas decisões que fiz. Assumi novos desafios, me adequei a uma organização totalmente diferente da estruturada P&G. Passei a cuidar desde posicionamento de marca até execução do plano no mercado. Aprendi muito e cresci muito. Fui promovida a diretora de Categoria de Marketing com um ano e meio de empresa, com 36 anos. Assumi desafios maiores, conheci novos líderes incríveis.

Sinto-me realizada, fazendo a diferença. Estou criando uma nova história profissional, mas sem abrir mão da vida de mãe. Depois da Giulia, ser uma profissional realizada não seria possível sem conseguir conciliar estar com ela.

Claro que isso só é possível porque meu marido é um parceiro incrível que divide as responsabilidades comigo. Nós dois trabalhamos e nos dividimos para levá-la e buscá-la na escola ou nas reuniões da escola e atividades do dia a dia. Também conto com a flexibilidade no meu trabalho. Muitas vezes, pego a Giulia na escola, dou jantar e banho e depois que ela dorme volto a trabalhar. Essa liberdade não tem preço, pois assim posso estar junto da minha família. Este balanço funciona para mim.

Tenho pouco mais de 15 anos de carreira em Marketing e me considero ainda iniciando minha história. Adoro sentir que pude fazer a diferença e que os resultados são realmente fruto do meu trabalho. É indescritível a realização de desenvolver uma estratégia de negócio, liderar um time nessa direção e ver resultados acontecendo. Essa sensação incrível sempre foi minha maior motivação. As promoções, aumentos de salários sempre vieram depois como reconhecimentos de que eu estava na direção certa.

Você pode me perguntar: "E agora?" Quando olho para frente, meu objetivo continua o mesmo que me motivou desde o início: novos desafios. Enquanto eu me sentir desafiada a fazer a diferença, sei que meu "caminho" ainda continua. A que cargo vou chegar eu não sei. Um desafio de cada vez.

29

Marly Parra

CONSTRUINDO A SUA MARCA

Marly Parra

Tem MBA pela Darden University of Virginia, comanda a área de Brand, Marketing & Communication da EY para a América do Sul, sendo responsável pela Marca, Marketing e Comunicação Corporativa da EY Brasil, uma das Big 4 empresas de consultoria e auditoria.

Criadora do programa EY Winning Women Brasil de fomento ao empreendedorismo feminino pioneiro no País em 2012, inspirando diversas frentes de grupos de apoio à mulher empreendedora.

Premiada internacionalmente pela melhor gestão em diversidade e inclusão de pessoas com deficiência física.

Nomeada em 2017 pela *Revista Forbes* como uma das 40 mulheres mais poderosas do Brasil por suas realizações profissionais.

Empresas onde trabalhou: Philip Morris, Quaker, Grupo Pão de Açúcar, H. Stern, Globo Cabo e J. Macedo.

Comecei a trabalhar aos 17 anos na H. Stern como relações públicas com foco em turistas. Eu sempre tive facilidade para aprender línguas e estudei Inglês, Alemão e Espanhol, o que me ajudou a conquistar meu primeiro emprego tão jovem. Foi um incrível aprendizado em uma grande multinacional brasileira.

O ambiente na empresa era muito agradável, com muitos estrangeiros trabalhando e clientes requintados e educados. Hans Stern, um judeu alemão muito culto, veio com 17 anos para o Brasil, em 1939, fugindo dos nazistas. Ele se apaixonou pelas pedras brasileiras depois de trabalhar em uma empresa de pedras brutas. Vendeu seu acordeão que trouxe da Alemanha e com o dinheiro começou a comprar pedras preciosas em Minas Gerais, diretamente dos garimpeiros, para vender no porto do Rio de Janeiro para os ricos turistas americanos, que chegavam em navios de cruzeiro luxuosos. Em 1945, abriu sua primeira loja no centro do Rio de Janeiro.

Enquanto eu trabalhava na H. Stern, me formei em Marketing na Escola Superior de Propaganda e Marketing (ESPM), me casei e tive meus dois filhos. Cresci profissionalmente, aprendi muito com Hans Stern e sua família, dona Ruth, sua esposa, e depois com seu filho Roberto. Tornei-me gerente e implementei o Marketing voltado para o mercado nacional influenciando a empresa a produzir joias para o gosto das brasileiras. As coleções, até então, eram criadas com foco nos estrangeiros que visitavam o Brasil.

A área de Marketing tem que estar sempre muito ligada à área de produtos e deve elaborar os planos de negócios projetando o volume de vendas, rentabilidade, estratégia de preços, de distribuição, participação de mercado, análise da concorrência e do consumidor, entre outros objetivos. Além, é claro, de gerenciar a marca e a comunicação. O profissional de Marketing precisa se posicionar muito além da comunicação.

Depois de dez anos trabalhando na H. Stern, comecei a questionar qual seria meu futuro em uma empresa familiar. Foi nesse momento que um *headhunter* me convenceu a aceitar a proposta da Philip Morris, uma multinacional americana gigante no mundo. O cargo era de gerente de Marketing de eventos e patrocínios e responsável pelas ativações de todas as marcas da empresa. Logo depois, fui promovida a gerente de grupo de produtos, incluindo Marlboro, uma marca ícone global.

A plataforma de comunicação da marca Marlboro no mundo todo era o *cowboy* e o *slogan* "venha para onde está o sabor, venha para o mundo de Marlboro" sugeria um personagem másculo, forte e livre, sempre montado em seu cavalo. E essa estratégia de comunicação funcionava em todos os países, mas não no Brasil.

O *cowboy* brasileiro não era valorizado e o sertanejo ainda não havia encantado os brasileiros como hoje.

Criamos então uma estratégia diferenciada para o Brasil e convencemos a liderança da empresa nos Estados Unidos que a melhor plataforma para a marca por aqui seria o automobilismo. Afinal, a marca Marlboro já patrocinava três grandes equipes, a Ferrari e a MacLaren com Ayrton Senna na Fórmula 1, e outra equipe muito bem-sucedida na Fórmula Indy, o Team Penske, com o piloto Emerson Fittipaldi.

Criamos então um comercial para a TV, trazendo mais brasilidade para o mundo de Marlboro. O cenário era o Autódromo de Interlagos, mostrando Senna pilotando sua McLaren na pista e intercalando com imagens da bateria e dos passistas da escola de samba Salgueiro, que usava as mesmas cores vermelho e branco da marca Marlboro e do carro de Senna. A música Magnificent Seven, uma tradição dos comerciais do mundo do *cowboy* de Marlboro, foi reeditada no ritmo de samba. O comercial ficou incrível e ajudou a aumentar a participação de mercado da marca.

Paralelamente às ações voltadas para o consumidor final, nossa estratégia de Marketing de relacionamento com clientes era matadora. A Torre Marlboro de três andares e capacidade para 400 pessoas era uma referência no Autódromo de Interlagos.

Durante os três dias da F-1, os clientes da empresa, donos de grandes redes de supermercados, se encantavam com o clima do autódromo e com a visitação aos boxes para ver de perto os pilotos e os motores dos carros. E ainda promovíamos no sábado, na Torre Marlboro, um bate-papo com os pilotos e os convidados.

Itens promocionais como jaquetas, camisetas e bonés com a marca faziam parte do *kit* dos convidados, que uma vez no autódromo se transformavam em nossos garotos-propaganda.

O encantamento pela marca era tal que o público disputava para comprar nas oito lojas Marlboro espalhadas pelas arquibancadas e *paddock* os itens promocionais com o logo Marlboro e saíam orgulhosos "desfilando" pelo Autódromo.

O Marketing de relacionamento com clientes, seja no B2B ou no B2C, é importantíssimo para o crescimento de uma marca.

Após o sucesso da plataforma da F-1, a matriz aprovou a ideia de criar e patrocinar o Marlboro Brazilian Team, um time de pilotos brasileiros talentosos em diversas categorias de *motorsports*. Somente pilotos de muito talento poderiam usar o macacão vermelho e branco e ostentar a marca no peito. Isso virou lenda no mercado. Ter um *"badge"* Marlboro no macacão ou no carro era sinônimo de competência e talento.

Ayrton Senna e Rubens Barrichello na F-1, Emerson Fittipaldi, Raul Boesel, André Ribeiro, Tony Kanaan e Helinho Castro Neves na Indy Car Racing e Gil de Ferran na F-3 inglesa formavam o time vencedor da Marlboro. É..., a Philip Morris se tornou "Marlboro" para o mercado.

O Marlboro Brazilian Team entrou para a história da companhia. Fizemos comerciais, eventos e promoções de vendas.

Como parte de nosso programa de Marketing de relacionamento B2B, levávamos grupos de grandes clientes para as corridas de F-1 e Indy

Car. Silverstone, Mônaco, Indianápolis e outros circuitos recebiam nossos convidados para viverem dias de emoção. Na Indy ainda havia a possibilidade de dar voltas na pista a bordo de um carro em alta velocidade. O *pace car* com pilotos experientes levam para duas voltas com muita adrenalina. Quem esquece tal experiência? Ninguém! Eu amava a empresa. Fiz muitos amigos e viajei para diversos países. Oportunidade excelente que as multinacionais internacionais oferecem aos funcionários.

Foram seis anos de intenso trabalho e, então, o presidente da Philip Morris deixou a empresa e foi para a Quacker/Gatorade, me convidando para ser diretora de Marketing. Eu aceitei na hora, pois trabalharia com um produto que era sinônimo de saúde e prática de esportes. Logo estávamos patrocinando Luciano Huck com seu programa de esportes radicais, antes mesmo de Red Bull "te dar asas."

Tornei-me a embaixadora da marca Gatorade e apaixonada pelos valores e propósito da empresa. Em nossa carreira temos que manter uma linha criativa e ser impactantes no mercado.

Construir o seu estilo, sua marca e seu *networking*. Investir nos relacionamentos profissionais, buscar mentores para ter orientação na construção da sua carreira, e ao mesmo tempo elevar sua autoestima e se motivar para fazer sempre melhor.

Construir sua carreira com consistência, ser fiel à sua essência e manter o espírito de constante aprendizado.

Depois da Gatorade, trabalhei no Grupo Pão de Açúcar como diretora da marca Extra Hipermercados. Mais uma vez, tive uma experiência riquíssima. Trabalhar com Abílio Diniz é um privilégio. Aprende-se muito. O varejo é desafiador, por isso é importantíssimo estudar o mercado, o consumidor e as ações da concorrência. Gerar tráfego e vendas nas lojas deve ser o foco do planejamento estratégico de Marketing. Mais um setor que exige trabalho integrado entre produtos e comunicação. Escolher os produtos que atraiam o consumidor para as lojas com ofertas que não prejudiquem a margem de lucro da empresa é um tremendo desafio.

Depois do Pão de Açúcar, trabalhei em empresas como Globo Cabo, com as marcas Net e Virtua, J. Macedo, com as marcas Dona Benta e Sol, e até tive uma experiência como empreendedora em sociedade com Pedro Paulo Diniz e André Ribeiro na PPD Sports produzindo a Fórmula Renault e a Copa Clio, utilizando minha experiência adquirida com automobilismo na Marlboro. O conhecimento que tenho com produção de grandes eventos sempre me ajudou a criar e operacionalizar eventos de impacto, grandiosos e que constroem imagem de marca.

Hoje sou diretora de Marketing para a América do Sul na Ernst& Young, uma empresa multinacional de auditoria e consultoria com mais de 200 mil funcionários no mundo.

Na EY tive a oportunidade de trabalhar nas Olimpíadas de 2016 pois fomos patrocinadores mundiais. Montamos a EY House no Clube do Flamengo e levamos muitos clientes para os Jogos Olímpicos. Uma incrível experiência de Marketing de relacionamento. A empresa também promove a diversidade e a inclusão. Lançamos o programa Winning Women de fomento ao empreendedorismo feminino, oferecendo mentoria a empreendedoras para alavancarem seus negócios.

O propósito da EY é construir um mundo de negócios melhor. Trabalhar em uma empresa com propósito e valores consolidados, relevantes para os seus clientes e para a sociedade, é muito gratificante. Meu propósito pessoal é promover o capitalismo consciente, com foco em ética, transparência nos negócios, incentivando o respeito e motivando a transformação das pessoas e das empresas.

O lucro é o fim e não o meio. Se uma empresa trabalha com respeito e valorização de suas pessoas, seus fornecedores, clientes e comunidade onde está inserida, com certeza terá uma marca admirada e respeitada. O *brand equity*, ou "*branding*", como preferem alguns, é hoje o principal valor de uma empresa. Não basta ter um produto vencedor, uma propaganda vencedora, se a empresa não preservar os seus valores e propósitos, mantendo a coerência, a cultura e a postura. Somente assim poderá assegurar a sua prosperidade.

30

Paula Costa

PAIXÃO POR ENTENDER AS PESSOAS

Paula Costa

Formada em Administração pela FGV-SP (Fundação Getúlio Vargas), com MBA na Fundação Dom Cabral, iniciou sua carreira como *trainee* de Marketing na Kraft Suchard do Brasil. Desenvolveu sua carreira na Unilever, onde ficou por 15 anos. Foi responsável pelo desenvolvimento de marcas como Omo, Persil, Dove, Axe, Sunsilk, Becel e Close Up. Liderou o plano de inovação sustentável da Unilever na área de sustentabilidade corporativa por dois anos e meio. Após seis anos em Londres, assumiu a diretoria de Marketing da Samsung da divisão de celulares e computadores pessoais.

Em 2013, tornou-se Chief Marketing Officer da L'Oréal no Brasil e em 2015 acumulou a função de General Manager da Divisão de Luxo da empresa. Nesse mesmo ano, recebeu o prêmio Women to Watch, da publicação *Meio e Mensagem*.

Desde agosto de 2017 é vice-presidente para AL da Electrolux.

Nasci em São Jose dos Campos, uma cidade do interior de São Paulo com muitas indústrias e centros de excelência. Meus pais, um engenheiro de Santa Catarina, e minha mãe, uma economista carioca, encontraram-se em São Paulo e foram atraídos pelas oportunidades que a cidade oferecia. Meu pai trabalhando inicialmente pelo ITA e minha mãe pelo Inpe, eram um casal bastante atípico: ambos trabalhavam, em uma época onde eu praticamente era a única na escola a ter uma mãe executiva (fato do qual sempre tive um enorme orgulho). Não éramos ricos, meus pais trabalhavam muito para dar a mim e ao meu irmão uma vida confortável, e mais do que tudo, o melhor que podiam pagar em ensino. Isto foi sempre um valor muito importante em casa: a orientação de que nada vem sem esforço e dedicação.

Cresci com a liberdade que hoje em dia parece raridade para as crianças: subia em árvores, ficava o dia todo na rua após a escola e adorava ter o maior número de amigos e bichos em casa quanto possível. Sempre fui boa aluna: não era uma opção não ser (rsrs). Meus pais eram extremamente amorosos mas deixavam bem claros nossos deveres. Além disso, eu gostava de estudar. Sempre fui uma ávida leitora (lembro da alegria de ler minhas primeiras palavras e deixar todo mundo doido lendo em voz alta todas as placas do caminho). Cinema também sempre foi uma paixão. Música então nem se fala: todos fanáticos, e de um ecletismo que ia de ABBA, passava por MPB e acabava em música clássica! Lembro de tardes maravilhosas na varanda da nossa casa com muita música.

Não à toa, o meu destino após o colegial foi São Paulo. Prestei Teatro, Medicina e Administração... e onde passei foi Administração. Acabou sendo uma escolha por eliminação que resolveu minha indecisão. Passei em Administração Pública na FGV, que na época como vantagem era de graça para os alunos. Pensava em ser diplomata e esta vantagem adicional viabilizou minha ida, pois sustentar dois filhos em São Paulo longe de casa nunca foi simples.

Fui no primeiro ano morar com uma amiga em um apartamento pequenininho na Alameda Itu. Tinha 17 anos e descobrir o mundo de São Paulo foi quase inebriante. Uma quase *nerd* caipira descobriu também manhãs infindáveis de truco no diretório acadêmico e tudo que as divertidas baladas universitárias podem oferecer. Pela primeira vez morando sozinha, os estudos ficaram em segundo plano: o que me rendeu duas dependências, entre cinco matérias no primeiro semestre. Ficar no fundão da classe até que era bem legal! Só meu pai que não achou muita graça. E após um "papinho" sobre meu desempenho, no segundo semestre resolvi balancear um pouco mais. Não fui nunca mais a melhor aluna como costumava ser, mas me salvei de ser a pior.

Já no segundo ano, comecei a trabalhar para ajudar um pouco nas contas de casa e consegui um estágio incrível no Citibank, à época o sonho dos estagiários de administração. Fiquei um ano, aprendi muito, mas descobri que banco não era pra mim. Fui cumprir então o estágio obrigatório na área pública que meu curso exigia. O estágio era na Secretaria de Estado de Cultura. Imaginei um estágio cheio das coisas que eu mais amava: cinema, teatro, música, inclusão.... Pois bem, a experiência foi uma catástrofe, e talvez o estágio mais curto que se tem notícia: fiquei literalmente duas horas e não voltei nunca mais. A burocracia, no limite da falta de respeito para alguém ávida por aprender, foram insuportáveis. O estágio se resumia a carimbar frequência de funcionários da Secretaria e o Coaching disponível era sobre se eu tinha carimbado reto ou torto! Meus sonhos de virar diplomata evaporaram-se rapidinho: o serviço público (ou ao menos o pior exemplo de serviço público) tinha sido muito decepcionante. Acho que este foi um aprendizado muito definidor: saber de cara o que não é aceitável e fazer algo a respeito, pois sempre temos escolhas. Tenho absoluta urticária com "burrocracia", e acho que os bons líderes são o que fazem algo para desimpedir o caminho de seus times. Livrar as empresas desta praga, hoje em dia endêmica nas grandes organizações, é um grande desafio.

Entrei como estagiária na consultoria do meu querido professor Tadeu Masano, com larga atuação em Marketing através de mapeamento geográfico. Susana Figoli foi minha primeira chefe e lidou incrivelmente bem com a impetuosidade curiosa daquela estagiária. Mal sabem eles que seus trabalhos exemplares me inspiraram a definir Marketing como minha opção de carreira.

Até que surgiu uma grande chance: ir para fora estudar. Em Viena, como estudante de intercâmbio com a GV, estudando administração e alemão na WU (Wirtschafts Universitat), ouvindo falar pela primeira vez sobre *internet*, e mais do que tudo, batalhando para realmente conseguir tudo o que eu queria. A grana que eu tinha dava para duas semanas.... Arranjei um emprego de *baby sitter* e não tive dúvidas, morei seis meses junto de uma família maravilhosa de diplomatas austríacos, o que foi uma bênção de sorte. Entendi também o quanto culturas podem ser diferentes: o cemitério ao lado era ponto de encontro de famílias e os passeios regados a orquestras, foram provas do mundo diferente do Brasil em que eu estava. Não falava uma palavra de alemão quando fui... e continuei sem falar fluente! Saí de lá falando pouco e continuei estudando no Brasil. Hoje consigo pedir uma cerveja com classe.

Ao voltar, finalmente concluí a GV e ao final de semestre, parti para a escolha famigerada de processos de Trainee. Passei na então Kraft – Phillip Morris, e fui alocada na Kibon. Foi incrível trabalhar com uma marca icônica brasileira em um segmento tão gostoso (e eu engordei horríveis 5 kg, tomando Magnums todos os dias). E lá, além de sair com uma bagagem de treinamento muito robusta, conheci meu futuro marido.

Fui então contratada como gerente júnior de marcas na Unilever. Iniciei um ciclo de 15 anos extraordinários que me transformaram na profissional que sou. Galguei diversos postos no Brasil, sempre tendo a honra de trabalhar com profissionais do calibre de Ricardo Grau, Ana Paula Paz, Maria Inez Murad, Andreia Salgueiro, Fabio Prado, Vinicius Prianti. Me surpreendi com a importância da marca na vida sofrida de milhares de mulheres ainda quase inteiramente responsáveis por muitas das tarefas do lar. Foi em Omo que peguei gosto pelo entendimento profundo de motivações dos consumidores, e nunca mais larguei. Marketing para mim não é só propaganda e sim entender as pessoas, e é isto o que realmente me motiva.

Aos 30 anos, fui então convidada para assumir uma diretoria em Londres. Meu sonho: voltar a morar fora, desta vez como executiva expatriada e não mais *baby sitter*. Eu, de mala e cuia, sem conhecer ninguém, cheguei em Londres e logo fui abraçada pela comunidade brasileira da empresa, que me rendeu amigos para a vida toda. Se eu me esbaldei ao chegar em Sampa, imagine em Londres, uma meca de cultura e diversidade inigualáveis. Fui para ficar dois anos e fiquei seis. Só Deus sabe qual teria sido minha vida se não tivesse ido!

Ao fim do primeiro ano, no auge da minha adaptação, crescimento e alegria com toda aquela mudança, recebo o telefonema mais doloroso da minha vida. Meu pai tinha tido um enfarte fulminante e tinha falecido. As 12 horas de voo pareceram 12 anos. Ainda choro ao lembrar do choque da notícia. Passei três semanas no Brasil em modo "vamos resolver as coisas" para aplacar a dor. Pensei em voltar imediatamente e desistir de tudo, mas minha mãe, do alto da sua sabedoria e coragem, me incentivou a não desistir de algo que estava sendo tão transformador para mim pelas inevitáveis fatalidades da vida. Continuei o que tinha começado, e agradeço a ela todos os dias pelo apoio sempre incondicional. Meu marido, hoje ex, também foi peça-chave para que eu conseguisse continuar: ele se mudou pra Londres comigo nessa ocasião (até então estávamos na ponte aérea) e foi de uma grande generosidade no momento da decisão mais difícil da minha vida.

Lidei com as pessoas mais diferentes e times extraordinários, até assumir o negócio de Personal Care da Inglaterra, o segundo maior do mundo. Eu só me lembro deste período como a fase de maior crescimento profissional e pessoal da minha vida. Viajei o mundo todo pela empresa e fora dela.

Ao fim dos seis anos, voltei ao Brasil e veio aquela sensação de "cachorro que caiu da mudança". Precisava experimentar coisas novas e o desafio do mundo em explosão dos *smartphones* da Samsung foi muito atraente. Sair da área de conforto e de uma empresa maravilhosa que admiro até hoje foi muito difícil, mas eu já tinha me acostumado a ouvir a vozinha interna que dizia "cavalo encilhado não se deixa passar: monte! "

E lá fui eu de novo. Encarar a diretoria de Marketing da Divisão de Celulares e TI da Samsung, onde eu era a única mulher em cargo de liderança, foi uma doideira. A cultura coreana é incrivelmente diferente, mas depois que se consegue ler os códigos de honra deles, as coisas ficam mais fáceis. Meu chefe brasileiro Michel Piestun, e o time incrível que construímos, também fizeram a experiência muito feliz, fazendo a Samsung no Brasil ser a companhia do grupo com maior transformação de imagem de marca do mundo no período. Ganhamos um prêmio interno entre todas as operações do mundo, fomos Top of Mind pela primeira vez e celebramos juntos outras tantas conquistas legais. Dávamos incentivo a ideias malucas e inovadoras, que aliviavam o outro lado da pressão implacável de uma companhia movida a performance. Fiquei quase dois anos, mas ainda me lembro com orgulho do *e-mail* e do meu jantar de despedida oferecido pelo então presidente coreano da Unidade, Mr. Juan Kim, que até então nunca tinha sido afeito a demonstrações de emoção.

Mais uma vez, os ventos da mudança sopraram e me levaram para o clima quente do Rio de Janeiro. Fui convidada a ser Chief Marketing Officer da L'Oréal em 2013 e obviamente topei. A vida na praia em um lugar cheio de lembranças de adolescência, em um segmento fascinante como beleza não me deixaram dúvidas. O desafio do primeiro Board a gente nunca esquece! Um ano depois do início, a L'Oréal me dava mais responsabilidade, a Gerência Geral da Divisão de Luxo. Quem diria: de sabão, passando por celulares a marcas como Lancôme e Armani! Realmente um privilégio. Ainda me lembro das reuniões na França, onde o apuro estético francês refletia-se até nas roupas chiquérrimas dos funcionários. Mergulhei fundo na oportunidade: me apaixonei ainda mais pela área digital e liderei transformações em ambos os cargos das quais tenho muito orgulho. A cereja do bolo foi ter sido eleita "Women to Watch" pelo mercado em 2015, um reconhecimento pelo qual sou muito grata e que me deu acesso a uma rede de líderes mulheres admiráveis, que se apoiam mutuamente. Reafirmei o valor de sempre buscar olhar para fora para ver o que outras pessoas interessantes estão fazendo.

Sempre que me perguntam o que é ser mulher no mundo dos *boards* majoritariamente masculinos, a resposta é clara: não é nada fácil. A mulher tem uma certa desvantagem na largada, pois é mais difícil criar relacionamentos sem a cumplicidade do papo sobre futebol ou a cervejinha no fim de expediente. Mas não é impossível. Requer uma boa dose de resiliência para se provar e não se tornar a "mimimi" do grupo. De uma forma geral, há muito o que conquistar, desde isonomia salarial ao melhor entendimento das dinâmicas específicas que tanto nos influenciam, como família e filhos. Só assim realmente as mulheres terão mais chances. A mensagem que homens e mulheres são iguais a meu ver é muito equivocada, pois não somos. Merecemos sem dúvida direitos-base iguais, mas com reconhecimento das diferenças. Deveríamos concentrar talvez a discussão mais na maravilha que é todos nós sermos únicos. Viva as diferenças, sem estereótipos! Acho uma afronta quando teimam em caracterizar mulheres como o sexo frágil e os homens como o gênero "agressivo, empreendedor". Muitos e muitas teimam em repetir que as mulheres são mais sensíveis, ou mais "orientadas às pessoas" ou que "não lidam bem com números". Balela, que somente enfraquece o papel das mulheres e de homens de negócio. Conheço mulheres e homens extraordinários que têm estilo de gestão completamente diferentes e que em nada se encaixam nessas descrições reducionistas. Para mim, trata-se de um equívoco de comunicação sobre o tema que devemos combater, principalmente em Marketing.

No ano passado, recebi então uma proposta intrigante: assumir a Vice-Presidência de Marketing da América Latina da Electrolux. Nas últimas fases da entrevista me apaixonei pela cultura sueca da companhia e pela oportunidade de mais uma vez construir um "dream team", desafio aceito há quase um ano e que me fez muito feliz. Mudar de novo, deixar os times que tinha formado e tanta gente legal que conheci.... Mas aprendi que devemos sempre estar abertos a oportunidades e a mudanças, para que elas venham até nós e que nos conduzam com mais facilidade e leveza. Óbvio que sorte ajuda, mas como dizem, "quanto mais eu trabalho, mais sorte eu tenho". E na vida pessoal, os ventos da mudança também sopraram maravilhosamente fortes, e vou me casar novamente em 2019.

Por fim, aproveito aqui para deixar meu agradecimento aos maravilhosos times e pares com os quais tive o prazer de trabalhar, não só nas empresas, mas nas agências e veículos com os quais trabalhei. Muitos deles, viraram amigos para toda a vida, tamanha a honra que tive de trabalhar com gente tão talentosa. (Não posso citar todos os nomes, pois além de serem muitos, seria horrível correr o risco de deixar de fora qualquer uma das pessoas que me ensinaram tanto ao longo destes anos). Mas vocês sabem quem são!!!! Minha gratidão e o meu eterno "muito obrigada" por me impulsionarem sempre.

31

Priya Patel

SONHAR E CRESCER

Priya Patel

Tem mais de 23 anos de experiência na área de Marketing de empresas de bens de consumo, como Unilever e Kimberly-Clark. Sua última posição foi como membro do *board* da Kimberly-Clark Brasil como diretora de Marketing das Categorias de Cuidados Adultos e Femininos (marcas Plenitud e Intimus). Graduada em Administração de Empresas pela Fundação Getúlio Vargas (FGV) e MBA pela Fundação Dom Cabral. Suas grandes paixões são viajar, receber os amigos e cozinhar. Deseja conciliar seus conhecimentos de Marketing com a formação de Chef de Cuisine no Le Cordon Bleu em Paris, sua mais nova empreitada. Seu maior legado nesta vida são seus filhos, Ananda e Nilan, que fazem e continuarão fazendo um mundo melhor. Acredita que sonhar grande e sonhar pequeno exigem o mesmo trabalho, então, por que não sonhar grande e se dedicar a isso?

priyapatel.br@gmail.com
(11) 99206-2991

Uma pessoa com nome e traços físicos indianos, nascida na África do Sul, naturalizada brasileira de coração e com alma italiana... Prazer, essa sou eu, Priya Patel!

Essa mistura grande de raças originou-se quando meu avô paterno decide, durante a II Guerra Mundial, pegar um navio cargueiro da Índia para a África do Sul. No porão do navio, não importava se corria riscos de sofrer um bombardeio, o mais relevante era buscar uma vida melhor, com mais oportunidades para a família.

Empreendedor nato, abriu um mercadinho e com o tempo este começou a crescer, e assim meu avô pôde trazer minha avó para Johannesburg. E lá nasceu meu pai, assim como minha mãe. Os dois se casaram bem jovens, de casamento arranjado. Isso mesmo, aquelas cenas de casamentos arranjados de filmes de *Bollywood* aconteceram na minha família, mas com final feliz. Os dois aprenderam a se amar muito, a se respeitar, a apoiar um ao outro até os últimos dias de vida do meu pai. Um casamento bem-sucedido de 45 anos, com três filhos e cinco netos como frutos dessa jornada.

Sou a filha mais velha. Minha mãe engravidou no Brasil, mas, como estava há apenas um ano no País, preferiu me ter na África do Sul. Voltei com apenas três meses de idade, por isso me considero e sou brasileira de coração. Como meus pais vieram parar no Brasil? Essa é uma longa história que resumidamente demontra mais uma vez a busca por melhores oportunidades e por dignidade.

O *Apartheid* foi cruel com minha família. A discriminação acontecia também com os indianos. Irrequieto, sonhador e também um grande empreendedor, meu pai escolheu o Brasil pelo momento que o país vivia, o chamado "milagre econômico" dos anos 70, que anunciava o crescimento do Brasil e daqueles que aqui estivessem. Outros critérios para a escolha foram o povo acolhedor e o clima parecido ao da África do Sul (ninguém merece aquele frio rigoroso, certo?).

A vida no Brasil foi muito difícil no começo, com muitas tentativas frustradas de negócios próprios, até que o ramo de lojas de roupas foi o que pareceu mais promissor. E assim cresci, entre cabides e roupas até meus 18 anos. Trabalhava desde muito pequena, não tinha as gostosas férias que todos os meus colegas de escola desfrutavam. Minha irmã e eu detestávamos a 1ª semana de aula porque a professora sempre pedia para escrever uma redação sobre as viagens nas férias. A nossa realidade era trabalhar. Poderia escrever como era ser etiquetadora de roupas, empacotadeira, caixa, crediarista, vendedora, mas, com certeza, não seria tão interessante quanto as redações dos colegas de classe. Então eu inventava, viajava nos sonhos e na redação, sem ter saído da loja...

O lado bom é que desde a minha infância sabia que queria estudar Administração de Empresas. Na faculdade, sempre havia a piada de que Administração era curso para quem não sabia o que fazer. No meu caso, eu sabia muito bem e não me arrependo até hoje!

Só depois de muitos anos consegui perceber na minha vida profissional corporativa o quanto toda a experiência nas lojas do meu pai me trouxe como grande diferencial: a resiliência, a persistência, a responsabilidade, a paixão e o olhar para o cliente/consumidor (afinal, o freguês é quem manda!). Meu pai sempre me dizia: "Minha filha, sonhar grande ou pequeno dá o mesmo trabalho, então sonhe grande e corra atrás!".

Um desses sonhos realizados foi sair de Campinas, cidade do interior paulista onde morávamos, para estudar Administração de Empresas na Fundação Getúlio Vargas (FGV) em São Paulo. O outro sonho foi estagiar no concorrido Citibank, onde trabalhei por dois anos. Percebi que instituição financeira não era meu mundo e aí veio um sonho maior, ser *trainee* da Unilever.

A Unilever foi uma grande escola para mim, onde aprendi muito do que conheço de Marketing e onde trabalhei por 16 anos. Comecei como trainee de Finanças mas logo parti para uma carreira sólida em Marketing, passando pela tradicional carreira de gerente júnior, pleno, sênior e chegando a três diferentes posições de Diretoria de Categorias de Produtos.

Para aqueles que querem Marketing, ressalto que precisam gostar de liderar e desenvolver pessoas, liderar processos, terem visão de onde querem chegar, estarem à frente das grandes decisões, exporem-se a todo momento, seja nas infindáveis apresentações como nas claras opiniões que emitem, e serem eternos curiosos e aprendizes deste mundo que muda com tanta velocidade, onde a conectividade acelera tudo. A flexibilidade, a versatilidade e a adaptação às contínuas mudanças são essenciais para o profissional de Marketing. E as mulheres têm um destaque e participações especiais nessa área, principalmente com sua sensibilidade em compreender o outro, entender o consumidor e por suas inteligências emocionais.

Durante o período na Unilever, a vida me proporcionou as minhas maiores experiências pessoais: casei-me com 23 anos, fiz meu MBA na Fundação Dom Cabral, nasceu minha linda filha Ananda quando eu tinha 29 anos, quase quatro anos depois nasceu meu querido filho Nilan, separei-me com 35 anos... Tudo muito cedo na minha vida. Todos esses acontecimentos foram muito intensos e importantes para formar a pessoa que sou hoje. Meus filhos são o meu maior legado e o que tenho de mais importante nesta vida.

Senti dificuldade de conciliar harmoniosamente os diferentes papéis de uma mulher: sempre quis ser uma excelente profissional, mas, ao mesmo tempo, não conseguia me dedicar a ser excelente mãe, excelente esposa. O meu lado mulher então nem ganhava espaço. A falta de conhecimento inicial de como lidar com todos esses papéis e a imaturidade causaram isso. Mas a experiência, o tempo e as tentativas e erros foram me trazendo essa maior maturidade, autodesenvolvimento, e hoje sinto que consigo equilibrar todos os meus papéis de uma forma mais feliz.

Neste processo de aprendizado de tudo acontecendo ao mesmo tempo e agora, recebi um convite da Kimberly-Clark para fazer parte do *board* da empresa. Era um desafio maior, com escopo de trabalho mais amplo, numa empresa menor e com menos investimentos. Naquele momento, o que mais me interessava era viver novos ares, conhecer novas pessoas, encontrar novas formas de trabalho. O NOVO me arrastava para esta oportunidade. E assim fui... Foram sete anos de muitos desafios, conquistas maravilhosas e principalmente o aprendizado de vivenciar uma cultura organizacional voltada para o cuidado às pessoas como forma de se atingir a alta *performance*.

Também aprendi que em empresas menores, um pouco menos estruturadas nos processos e nas interfaces entre as diversas áreas, o tamanho do cargo/posição depende exclusivamente da sua liderança, do seu *accountability*, do seu amor de dono. Numa estrutura mais enxuta, é muito gratificante ver o resultado concreto do seu trabalho, sua verdadeira contribuição, pois você claramente faz a diferença.

Para chegar a essa posição, os meus maiores desafios foram inovar e reinventar sempre, assimilar a forte pressão pelos resultados, mas tentar ao máximo não transmiti-la ao time para com isso conseguir o melhor de cada membro, comunicação transparente com todos, e principalmente o *walk the talk*, ou seja, ser um exemplo através das minhas ações alinhadas aos meus discursos, para com isso conquistar a confiança e credibilidade das pessoas.

Nas duas empresas em que trabalhei, as competências e resultados esperados para as mulheres e para os homens eram os mesmos. Sinto que as mesmas oportunidades foram dadas aos dois gêneros. Isso sempre foi uma grande preocupação dessas empresas. No entanto, ainda a equidade de gêneros e raças é algo a ser conquistado e as mulheres devem se unir mais e ajudar umas às outras para acelerar esse processo. Juntas conseguiremos atingir isso! O *network* é fundamental para nos unirmos e nos ajudarmos.

Adorei trabalhar o Marketing através de marcas com claros propósitos: Omo (a importância do brincar, experimentar, como parte do desenvolvimento infantil), Dove (a valorização de todas as diferentes belezas femininas, ajudando a romper os estereótipos pré-estabelecidos), Huggies (a relevância do abraço para o desenvolvimento dos bebês), Intimus (a valorização das mulheres e de suas conquistas) e Plenitud (o resgate da dignidade e da autoestima de adultos com escapes de urina, que deixaram de viver plenamente por vergonha).

Além de entregar ou superar resultados financeiros, liderar times, desenvolver pessoas, o fato de trabalhar com marcas com missões genuínas engrandece a alma. Quando percebemos a diferença que causamos nas vidas das pessoas, o impacto positivo do nosso trabalho, isso faz tudo valer a pena! Vale a pena *versus* a pressão que sentimos no dia a dia, o stress, as intermináveis reuniões, as horas em que estamos longe da nossa família. Tudo compensa quando mudamos a vida das pessoas para melhor!

Aos futuros profissionais de Marketing e aos que já estão trabalhando na área, certamente todos perceberam o quanto o mercado para quem atua em Marketing é cheio de oportunidades e de formas distintas de trabalhos. Cada profissional terá a sua carreira, no seu tempo, adequada ao seu perfil. Mas acredito que alguns aspectos são comuns a todos: encontrar uma atividade que dê um claro propósito ao trabalho é o caminho certo para que a paixão transborde em tudo que fazemos; estar rodeado de pessoas com os mesmos valores que você para que o convívio seja prazeroso, de crescimento e de desenvolvimento mútuos; e, por fim, celebrar cada pequena vitória ao longo da jornada e não esperar apenas pelas grandes conquistas, pois isso tornará o caminho mais gostoso, com diversos momentos de reenergização e otimismo!

No meu caso, depois de 23 anos na área de Marketing de empresas de bens de consumo, rumo a um novo sonho: a formação de Chef de Cuisine no Le Cordon Bleu, em Paris. Esse sonho nasceu de uma grande paixão que tenho por receber os amigos em casa e cozinhar para eles. Daí vem um pouco da minha alma italiana: cozinhar muito, falar com as mãos à mesa (já me trouxe vários constrangimentos ao derrubar taças de vinhos), rir alto, ser bem passional.

Outro *hobby* que tenho é viajar, desejo fazer a volta ao mundo. Estou num bom caminho de já conhecer vários países dos cinco continentes (afinal, preciso recuperar o tempo que não viajei durante a infância e adolescência). Imaginem unir estes dois *hobbies:* cozinhar e viajar. Mais um sonho!!! Mas para isso serão oito meses intensos de estudo em Paris, onde tenho certeza que minhas habilidades de Marketing contribuirão imensamente para os meus próximos passos na área de gastronomia atrelada, é claro, com viagens e o que cada país pode oferecer de único e de melhor em termos de ingredientes e sabores. Ficarei muito feliz em compartilhar com vocês essa nova fase da minha vida e os muitos novos sonhos que virão!

Não poderia finalizar o meu capítulo sem AGRADECER a toda proteção espiritual que tenho e às pessoas que mais contribuem para o meu desenvolvimento. São os meus eternos torcedores: à minha família maravilhosa, em especial minha mãe, Indira, e meu falecido mas sempre presente pai, Pankaj, meus queridos filhos, Ananda e Nilan; ao meu amor, Flávio, meu ex-marido, Sachin, e meus amigos mais próximos! Amo vocês!!! Obrigada de coração!!!

32

Rafaela Passos

OS DEGRAUS QUE CONQUISTEI

Rafaela Passos

Graduada em Publicidade e Propaganda com MBA em Marketing e Gestão de Varejo na Fundação Getúlio Vargas (FGV) e LCCI na Cavendish College, Londres.

Vivência de mais de 15 anos em Gestão de Marketing. Desenvolveu várias campanhas para inauguração e expansão de mais de dez empreendimentos da Iguatemi, além de ajudar a elevar a marca de 33º para 18º no *ranking* de Marcas Mais Valiosas do Brasil.

Responsável pela reestruturação do departamento de Marketing da JHSF, *head* da área e professora da FGV.

Empresária focada em projetos de transformação digital.

rafaelapassosmkt@gmail.com
www.linkedin.com/in/rafaelamarketing

Quando a Tatyane Luncah, coordenadora deste projeto, me convidou para fazer parte deste livro, "Mulheres no Marketing", a primeira pergunta que veio a minha cabeça foi: "Tem certeza?" Mas em dois segundos já comecei a contar a minha história e toda a dúvida se dissipou.

Nasci e cresci em Santa Catarina, um estado maravilhoso com muitas praias lindas que fizeram parte da minha infância, mas foi mais precisamente na universidade que entendi que teria de bater asas e voar mais alto. Venho de uma família de classe média, com muito amor, e minha mãe sempre me apoiou nesses sonhos de seguir carreira seja onde for.

Sempre gostei muito de lidar com pessoas, mas ao mesmo tempo era muito ligada aos números. Lembro-me de estar indecisa entre fazer Engenharia de Alimentos ou Publicidade, no mínimo engraçado. Foi quando decidi seguir no ramo da Comunicação.

Fiz faculdade de Publicidade e Propaganda em Blumenau, Santa Catarina, mas já olhando as oportunidades fora. Era concursada na agência da própria universidade, o que me proporcionou uma primeira quantia para já começar a sonhar com meus objetivos futuros.

Na própria agência tive meus primeiros ensinamentos a respeito do mundo publicitário, o quanto ele é difícil e nada glamoroso como parece nesses festivais de Cannes, mas também tive o meu primeiro contato com o Marketing e Planejamento e nesse momento meus olhos começaram a brilhar por essa profissão.

Recordo-me que antes de me formar tive uma conversa com meu pai e contei que tinha guardado dinheiro suficiente para ir aos Estados Unidos da América por alguns meses estudar e trabalhar, mas, se ele pudesse me ajudar, conseguiria ir para Londres, na Inglaterra, o que seria muito melhor para minha profissão.

Ele me ajudou com parte do dinheiro, curso e passagens, para qualquer problema saber que tinha como voltar para casa imediatamente, pois era muito apegado às filhas. Nesse momento entendi que minhas decisões não afetavam somente a mim, mas envolviam, sim, todos que eu amava, pois pais nunca deixam de se preocupar, mas no final recompensa muito ao verem os degraus que conseguimos alcançar.

Sempre fui muito determinada, acho, aliás, que esta é a palavra que me define, seja no aspecto profissional ou pessoal. E, sim, dei conta de Londres, fiquei um ano e meio fora. Fiz o que quase todos os que viajam com aquela idade fazem, trabalhei em cafés e *pubs* para custear minha estadia e continuação dos estudos. Mas dei muito duro, confesso que não era fácil, tinha dias em que deixava as pernas "de molho" naquelas banheiras inglesas para diminuir o cansaço. Consegui voltar com os cursos realizados na área a que me propus, muito feliz e com uma bagagem cultural imensa.

Retornando ao Brasil, mergulhei cada vez mais nos estudos para aprofundar o meu conhecimento em Marketing. Fiz dois MBAs na Fundação Getúlio Vargas (FGV), um deles em Marketing, e foi onde tive certeza que era esse caminho que queria seguir. Isso me proporcionou inclusive um fruto muito bacana mais para frente, quando me tornei professora de Marketing na FGV.

Essa experiência me fez ficar muito mais madura, pois, nos meus apenas 20 e pouquinhos anos, lecionar para uma classe de executivos já experientes foi uma tarefa muito árdua, mas ajuda você a entender que podemos vencer os obstáculos da vida se estivermos preparados. Estudava muito antes de ir lecionar cada aula, mas posso dizer que saí de lá vitoriosa e respeitada.

Nunca achei que teria problemas em sala ou fazer qualquer outro trabalho porque sou mulher, vejo e entendo que muitas mulheres são discriminadas em suas carreiras, o que acho muito injusto e por isso é importante lutarmos contra, mas essa nunca foi minha preocupação, talvez pela criação que tive da família, em que as mulheres têm muita força. Mas também trilhei caminhos muito difíceis sim, tive chefes que não foram fáceis, empresas que não me valorizaram, mas dessas situações confesso que tirei uma lição muito importante para minha carreira, especialmente como gestora, que foi aprender o que não fazer. Acredito que nas dificuldades tiramos as lições mais importantes e é o que me fez crescer e carrego comigo até hoje.

Trabalhei por um tempo na empresa familiar JRGAS e passei por outras, também importantes na minha vida. Mas, quando estava em uma agência como atendimento, foi quando conheci uma pessoa que creio ter feito muita diferença na minha carreira, que me convidou a trabalhar e conhecer o mundo do Marketing para Shopping Centers.

Era um chefe muito enérgico, exigia sempre o melhor de seus colaboradores, mas ao mesmo tempo sabia ensinar, ouvir e reconhecer. Ensinou-me os principais passos nesta profissão, como fazer eventos e muitas outras coisas, mas principalmente que não somos os donos da verdade e sabemos tudo, era humilde, por exemplo, em reconhecer que números não eram seu forte no momento e nos deixava opinar e muitas vezes ensiná-lo sobre o assunto.

Após fazer parte desse time por um tempo, lecionar na FGV, entendi que estava na hora de mudar, foi quando a minha determinação entrou em cena novamente. Santa Catarina é fantástica para morar, possui qualidade de vida, mas ser vista lá como profissional e conseguir brilhar em um grande centro não é fácil. Resolvi fazer então uma loucura e escrever um *e-mail* diretamente para o presidente da Iguatemi Empresa de Shopping Centers com meu *curriculum vitae* e informando que gostaria muito de fazer parte desse time. O resultado não poderia ser melhor, fui chamada para uma entrevista e logo em seguida já integrava o departamento corporativo de Marketing da Iguatemi.

É claro que mudar assim de Estado, de vida, sem amigos na nova cidade não foi fácil, porém, não posso dizer que foi difícil, afinal, estava fazendo o que mais amava. Na empresa fazia parte do Marketing Institucional, onde cuidávamos de três pilares principais, sendo o primeiro relacionado a assuntos que envolviam a marca Iguatemi, desde gestão de crises (quem não se lembra dos rolezinhos nos *shoppings?*), mudança de marca, PR (Public Relations), entre outros. O segundo pilar relacionado a Novos Shoppings e Expansões, em que inaugurei e fiz a expansão de mais de dez empreendimentos do grupo. O terceiro pilar focava a realização de grandes eventos em nome do grupo Iguatemi, como SP Arte e Bienal.

Assim, trabalhei na Iguatemi durante cinco anos, foi uma experiência única e muito enriquecedora. Adquiri, compartilhei muitos conhecimentos, fui gerente de Marketing interina de vários *shoppings*, o que me deu um aprendizado de gestão sob pressão, porque ao se tornar gerente durante três meses e negociar com a equipe para entregar todos os seus KPIs (Key Performance Indicators, ou indicadores-chave de desempenho) é uma tarefa no mínimo desafiadora. Cuidei de grandes orçamentos, decidindo como investir no Marketing, viajei muito, abri novos mercados, fiz amigos especiais, trabalhei e trabalhei.

No segundo ano em São Paulo e na Iguatemi, diante de uma fase de muita dedicação ao trabalho, conheci o meu amor, uma pessoa companheira demais. Em toda minha trajetória, sempre gostei muito de sair com amigos, fazer bagunça, mas nunca tinha dado muito espaço para me apegar a alguém, acho que acreditava que iria atrapalhar meus planos e não daria conta de tudo. Estava enganada sobre isso, quando você realmente encontra alguém que te entende, tudo se encaixa. E, no meio de toda essa definição da minha nova função, que contarei em seguida, estava planejando meu casamento - e que loucura é montar uma festa de casamento, acho que dá mais trabalho do que tratar dos meus assuntos de Marketing.

Voltando ao profissional, após todos os anos na Iguatemi fui convidada para reestruturar o departamento de Marketing da JHSF (detentora do Shopping Cidade Jardim, entre outros), uma proposta muito tentadora. Estava em um momento com enorme necessidade de mudança, mas, apesar do fato de a Iguatemi ter sido uma escola incrível, os caminhos e cargos para crescimento profissional estavam cada vez mais difíceis de alcançar internamente.

Na JHSF consegui aplicar o que vinha almejando, onde trabalhei inicialmente com a família proprietária, depois passei a responder diretamente para o presidente. Montei todos os processos, normas, área digital, revisitei e elaborei planejamentos e estratégias.

Montei equipes e pude finalmente iniciar a aplicação do que acho uma gestão eficiente, de respeito e voltada para o crescimento profissional do funcionário, pois no fundo sinto que essa é uma das principais funções de um bom gestor.

Mas, como em várias empresas, planos mudam e o presidente que deu espaço para a implementação das minhas ideias acabou saindo e o anterior voltou a fazer a gestão da empresa. Com ideias e pensamentos divergentes, além de uma nova estrutura que na minha percepção trilhava cada vez mais para um modelo diferente do que acreditava, acabei saindo da empresa. Frustração era a sensação na época, mas esta experiência me deu uma certeza muito grande, que eu era totalmente capaz de estruturar, executar e trazer resultados como *head* de um departamento. Nada acontece em nossas vidas por acaso, tudo tem um sentido, mas não podemos ficar sentados esperando, temos que ir atrás de nossos objetivos.

Em meio a tudo, meu querido pai nos deixou uma tristeza imensa, vindo a falecer. Ele, como empreendedor nato, nos deixou a empresa, mas eu nunca tinha na verdade pensado em empreender. Minha irmã, cunhado e mãe tocavam os negócios já há quase três anos após o ocorrido. Tentei ajudar a fazer a gestão da empresa a distância com minha irmã, sem deixar o Marketing de lado. Mas negócio familiar não é fácil, foi quando resolvemos dividir a gestão sem causar danos à marca e ela seguir tocando a empresa e eu fazendo o que mais amo.

Nunca deixei de estudar e aprimorar cada vez mais meus conhecimentos, ainda mais fazendo parte desta profissão que vem mudando muito. Quando comecei na carreira, era muito mais fácil, Marketing era feito em grandes linhas, definir planos para três, cinco e dez anos, aprovar campanhas, fazer eventos para chamar público, incentivar as vendas, a mídia era TV, rádio, jornal, entre outros. Hoje, com a transformação digital, precisamos pensar em tudo com um novo olhar, os resultados são muito mais mensuráveis, o profissional de Marketing precisa ter o domínio da tecnologia, da matemática, os anos de experiência já não contam mais como antigamente, o que vale é o que você aprendeu nos últimos meses.

Preocupa-me ver profissionais de Marketing hoje não se preparando para a revolução que chegou e está chegando e tenho certeza que no futuro bem próximo haverá falta de pessoas preparadas para essa demanda. As faculdades continuam ensinando o Marketing antigo *"by the book"*, como iremos treinar e capacitar esses novos profissionais? Acredito inclusive em uma transformação nas universidades para alimentar essa necessidade. Cursos de extensão da graduação, onde os professores são profissionais ativos deste novo mercado, estão conseguindo ensinar muito mais do que uma pós-graduação.

As empresas podem até estar procurando profissionais que possam fazer essa transformação, mas muitos CEOs não sabem nem ao certo o que significa e o que deveria ser feito. Para uma transformação digital ser robusta e eficiente, a real vontade tem de vir da cúpula, de cima, dos responsáveis, caso contrário irá falhar.

Vivemos em um mundo com conteúdo sendo produzido, cada vez mais, em redes sociais, *blogs* e *sites*. Empresas causando *"disruption"* de mercado como Airbnb e Uber, com clientes cada vez mais exigentes e onde não adianta mais só a experiência, é necessário ter excelência. Concorrência ficando cada vez maior e também diferenciada, pois agora com a *internet* você tem concorrentes indiretos de outros setores que já viraram diretos. Um novo Marketing em que não se fala mais só em ferramentas, *apps*, *sites* e sim em plataformas.

Novos cargos estão surgindo que podem até concorrer com o Marketing, por exemplo o *"growth hacking"*, que é uma espécie de Marketing + tecnologia através de experimentação, com foco no crescimento rápido das empresas, sendo *startup* ou multinacional.

Diante dessa mudança, evolução, loucura toda, não queria mais entrar em uma empresa que não estivesse pensando neste futuro transformador. Recebia contatos de *headhunters* para trabalhar em empresas, mas, ao analisar, a maioria era no formato "tradicional", a angústia foi crescendo por não querer seguir novamente em um modelo de que tinha acabado de sair. Foi quando surgiu a ideia de ajudar as empresas a se transformarem digitalmente. O medo de largar a função de executiva para empreender em um formato muito novo para mim é claro que existe, mas não podia deixar tomar conta de meus pensamentos.

E aqui estou eu, em meio a um plano de negócio, montando bases e diretrizes para fazer essa ideia decolar, ser bem-sucedida e principalmente conseguir ajudar empresas a entender toda essa mudança necessária. Se me perguntarem do amanhã, não sei exatamente ao certo se estarei nesta empreitada nova ou ainda voltarei a ser executiva numa empresa trabalhando em Marketing. Mas o que tenho certeza é que, seja o que decidir, vou me jogar de cabeça e coração, como em tudo que sempre fiz na vida.

E acho que isso é a grande lição que tiro da minha vida quando olho para trás. Determinação, muito amor, mas principalmente foco nas novas tendências e caminhos que sua profissão e vida podem tomar.

33

Sandra Martinelli

O PAPEL DO MARKETING NO FUTURO DE ANTÔNIA

Sandra Martinelli

Brasileira, casada, uma filha. 30 anos de experiência na área de Marketing.

Presidente executiva da ABA – Associação Brasileira de Anunciantes, desde setembro de 2014. Em sua carreira profissional foi diretora de Atendimento da Ogilvy PR, diretora de Marketing do Unibanco, *head* de Marketing Integrado do Santander e diretora de Estratégias de Ativação da Grey.

MBA pela Dom Cabral, pós-graduação em Propaganda e Marketing pela ESPM e graduação em Comunicação Social, com habilitação em PR. Integra o Executive Committee da WFA – World Federation of Advertisers – e é membro do Mulheres do Brasil e dos conselhos do IVC e do CENP.

Seus prêmios mais recentes são Hall *of the fame* de Marketing, em 2017, e Prêmio Marketing Citizen 2018.

sandramartinelli@aba.com.br

Acredito fortemente no poder do Marketing para transformar uma sociedade. Ao longo do tempo, no entanto, observo o crescimento do uso negativo da palavra 'poder'. Na leitura das notícias, nos comentários das redes sociais, na conversa com as pessoas, esse verbo tem sido reduzido ao domínio da força. Não é esse poder que me interessa e, para falar a verdade, tenho medo do seu uso na maioria das vezes. O poder ao qual me refiro é aquele de influenciar pessoas positivamente, a possibilidade de colaborar com o diálogo, de provocar mudanças salutares com muito bom senso. Esse é inspirador. E, para mim, é esse o papel do Marketing.

Algumas mudanças são realizadas por amor, outras pela dor. A dor de perder consumidores em um mundo cheio de vozes e opiniões, de não poder mais se apegar somente à grande sacada criativa na campanha publicitária ou de não conseguir acompanhar os voos provocados pela tecnologia.

Algumas lideranças se perderam nesse caminho, não souberam se ajustar a tais demandas. Empresas foram pressionadas por um público altamente engajado, que no início dos anos 2000 ampliou sua voz em canais próprios de comunicação.

Ao imaginar minha filha Antônia adulta, torço para que ela não tenha pleitos tão básicos como os atuais. Questões de gênero, de diversidade racial ou do papel da mulher na sociedade deverão ser lembradas como algo ligado ao longínquo início do século 21. Da mesma forma como hoje olhamos para o movimento sufragista, mulheres que lutaram para ter direito ao voto em meados do século XIX.

Pré-adolescente, Antônia não consegue compreender neste momento a dimensão das questões hoje em debate. Mas ela tem algo mais enriquecedor: o exemplo dentro de casa. O melhor ensinamento que alguém pode ter. Quando me lembro de Poços de Caldas, minha cidade natal, enxergo naquela pequena estância turística de Minas Gerais a origem de quem sou. Dentro de uma casa modesta, estava um casal que lutava aguerridamente para dar educação de qualidade para suas duas filhas. O mundo poderia ser pequeno ali, mas nunca apequenado, como diz o filósofo Mario Sergio Cortella. Usar uniformes de segunda mão ou ver a mãe fazer pastel para pagar a mensalidade da escola não fazia de nós alguém menor. Frequentar boas escolas e pensar em um futuro melhor para as próximas gerações sempre foi objetivo de vida dos meus pais.

Assim como hoje antevejo uma carreira internacional para Antônia, independentemente da sua área de atuação, meus pais sabiam que Poços não estava nos meus planos profissionais. Desde bem pequena sonhava ir além.

Cursei Relações Públicas em Santos, no litoral de São Paulo, e em seguida subi a Serra do Mar em busca de realização pessoal e profissional.

Misturei tudo no mesmo pote e não sabia mais onde terminava uma e começava a outra Sandra. Trabalhar de 12 a 15 horas por dia não me incomodava. Naquela época, a palavra propósito não estava em alta, mas eu sabia exatamente quais eram os meus: amar o que eu fazia, ter prazer na entrega e paixão pelo bem feito. Como dizia Confúcio, escolha um trabalho que você ame e não terá que trabalhar um único dia em sua vida. Para mim, não se trata de uma frase de efeito para constar de redes sociais. Era o meu pensamento.

Pode ser que Antônia não se torne funcionária de uma empresa multinacional quando adulta. Talvez prefira seguir na carreira esportiva, artística ou abrir seu próprio negócio. São imensas as novas oportunidades para quem nasceu digital, àqueles que temos de explicar como era a vida antes dos smartphones. Nessas horas lembro-me da minha curiosidade quando mamãe me contava como era a vida sem televisão.

A partir de 2022, as mulheres devem ocupar 30% das vagas nos conselhos das empresas estatais. A lei, aprovada pelo Senado brasileiro em 2017, vai parecer algo desnecessário para Antônia, que até lá já terá visto diversas executivas em postos de comando em empresas públicas e privadas. Mulheres que não abriram mão da gravidez porque as empresas finalmente entenderam a importância de seus funcionários terem famílias bem estruturadas, onde pais e mães compartilham todas as responsabilidades. Levar filhos aos médicos ou participar de uma reunião na escola serão, definitivamente, tarefas para homens e mulheres e apoiadas pelos empregadores. Ser multitarefa serve para ambos os sexos.

Nem quero imaginar que Antônia ainda terá de ouvir a reclamação de que suas colegas ganham menos do que os homens. Segundo o relatório Getting to Equal 2017, da Accenture, a situação já estará resolvida em um futuro próximo nos mercados emergentes. O estudo prevê que as universitárias formadas em 2020 nesses países poderão ser a primeira geração a eliminar as diferenças salariais entre gêneros. O fim das disparidades salariais poderia estar resolvido até 2044 nos mercados desenvolvidos, diz a Accenture, caso houvesse engajamento de empresas, governos e universidades.

Guardarei para Antônia ler, no futuro, um estudo de 2016 do Instituto Global McKinsey sobre a participação igualitária das mulheres no mercado de trabalho global. Se isso acontecesse, o PIB mundial poderia crescer U$ 28 trilhões por ano até 2025. A mudança dos estereótipos femininos e masculinos era, em 2017, uma pauta relevante para a Organização das Nações Unidas (ONU) Mulheres. Foi nesse ano que eu testemunhei no festival Cannes Lions 25 empresas se comprometerem a participar da agenda global para enfrentar os estereótipos de gênero nos anúncios e campanhas publicitárias. Elas concordaram em criar campanhas de Marketing e Propaganda com igualdade de gênero.

Antônia não percebeu na infância, dentro de casa, a distinção de função e atitude de um homem e de uma mulher. Quebrei barreiras sem medo, abri portas e encarei qualquer possível impedimento. Sentei em grandes mesas de reuniões e fui respeitada por homens e mulheres incríveis. Tenho ao meu lado um marido, Maurício, que me impulsiona, apoia e compartilha dessa maneira de viver. Esse homem, que tenho a sorte de ter ao meu lado nestes últimos 13 anos, é "um muro de ânimo emocional, uma mão sempre dada na hora certa, um conselho apropriado para meus desafios".

Quero muito que Antônia conheça alguém tão decisivo em sua carreira profissional quanto Robert Wong foi para mim. Presidente de uma das maiores empresas do mundo em recrutamento e seleção nos anos 1990, a Korn/Ferry, Wong enxergou naquela jovem de 28 anos uma paixão por desafios. Estremeci ao trocar no meu cartão de visitas o cargo de diretora da Ogilvy PR, onde tinha iniciado a carreira seis anos antes, como assistente, pelo de superintendente de Marketing no Unibanco, uma das maiores instituições financeiras do Brasil naquele momento.

Meus pares eram, em sua grande maioria, homens na faixa de 40 anos. Era observada em tempo integral por todos e segui em frente sem medo. Em três anos, aos 31, me tornei diretora de Marketing do Unibanco, uma das mais jovens, onde fiquei quase 15 anos. Nosso time esteve envolvido em campanhas memoráveis, como Unibanco 30 Horas e Casal Unibanco.

Gravidez e ascensão profissional da mulher, para muitos, são processos antagônicos. Antônia demorou a chegar, embora eu tivesse tentado ser mãe por 20 anos. Sabia que eu seria capaz de conciliar tudo, daria um jeito, mas ela teimou em aparecer quando menos esperava, aos 43 anos. No mesmo dia em que descobri essa incrível surpresa, eu embarcava atônita para a Espanha para uma reunião de dez dias do Santander. Voltei e continuei a trabalhar no Santander, onde atuei por sete anos como head de Marketing Integrado. Os 58 quilos saltaram para 84, as roupas não serviam mais e até de havaianas fui trabalhar às vésperas do parto. Claro que sozinha seria difícil administrar esse processo, mas quando a gente aprende a compor com colegas, clientes, gestores e equipes fica tudo melhor e possível.

O que aconteceu depois foi uma evolução natural, em que o mundo ganhou nova dimensão. Até a busca por conhecimento alcançou outras proporções, como um legado a ser deixado para alguém. De minhas qualidades, uma delas pode ser encarada por algumas pessoas como fraqueza. Puro engano. Dizer "não sei" não nos diminui profissionalmente. A humildade é fator crítico de sucesso. Buscar as melhores respostas é o que nos fortalece.

Acho que Antônia vai rir quando, em alguns anos, olhar a minha estante de livros. Vai perceber que em 2018 eu tentava entender aquilo que ela já estará vivendo lá no futuro: realidade virtual, robôs, transporte autônomo, internet das coisas, celulares implantáveis ou usos variáveis do 3D.

Quando preciso de dica de leitura, além de pedir sugestões aos amigos, confiro a lista indicada pelos CEOS mais respeitados do mercado. Siga os bons, me dizia um professor na faculdade. Peter Drucker terá sempre um lugar especial na minha prateleira, acho que por muitos anos ainda.

Gratidão, empatia e admiração, aliás, são ingredientes vitais para quem quer avançar na carreira. Nunca deixarei de agradecer a Ogilvy, por exemplo, por pagar meu curso de pós-graduação em Marketing na Escola Superior de Propaganda e Marketing (ESPM). Já o Unibanco foi responsável por bancar meu MBA na Fundação Dom Cabral. E no Santander tive a imensa felicidade de atuar durante cinco meses na sua matriz, em Madri. Nunca achei que essas empresas tivessem obrigação de custear meus estudos e sou muito grata a elas por isso.

Ao longo do trajeto profissional, muitas pessoas me inspiraram - e me inspiram até hoje. Entre elas, Armando Pompeu, Celso Barata, David Ogilvy, Dom Emílio Botín, Indra Nooyi, João Branco, João Campos, Joaquim Francisco de Castro Neto, Julio Ribeiro, Lalá Aranha, Luiza Helena Trajano, Madonna Badger, Marco Simões, Mayana Zatz, Michelle Obama, Mirella de Castro, Ronald Assumpção, Solange Ferrari e o embaixador Walther Moreira Salles.

A mesma inspiração que encontro todos os dias nos mais de 50 altos executivos que lideram a Associação Brasileira de Anunciantes (ABA), integrando sua Diretoria Nacional, Conselho Superior e liderando seus comitês.

E, desde que nasci, tenho em minha mãe, Regina, e meu pai, Janes, a minha maior inspiração. Eles que, ao longo de seus 59 anos de união, construíram e nos ofereceram, a mim e a minha única irmã Sílvia, um lar estruturado, de luta, carinho e apoio.

Das figuras midiáticas, sempre sonhei conversar longamente com Oprah Winfrey. Tenho certeza que sairia do encontro renovada, cheia de planos e ideias. Fico só imaginando o que me diria uma mulher que ao receber o prêmio Cecil B. DeMille, no Globo de Ouro 2018, encerrou o discurso assim: "Quero que todas as garotas assistindo aqui, agora, saibam que um novo dia está no horizonte. E quando esse novo dia finalmente amanhecer, será por causa de muitas mulheres magníficas, muitas das quais estão aqui neste auditório esta noite, e alguns homens fenomenais, lutando para garantir que se tornem os líderes que nos levam ao tempo em que ninguém nunca mais terá de dizer 'Eu também'".

É isso! Quero que Antônia e todos de sua geração, hoje pré-adolescentes, entendam que para realizar seus sonhos dignamente terá sido preciso trilhar um longo caminho. Como presidente executiva da ABA, cargo que assumi em 2014, convivo diariamente com homens e mulheres responsáveis por mais de 70% dos investimentos em publicidade no País. São mais de 130 anunciantes, muitos deles com presença global. Em 2017 e 2018 desenvolvemos uma agenda positiva, com foco em 2020, e assumimos a assinatura "Com você, a gente faz diferença". Defendemos um Marketing responsável, protagonista e agregador, por meio de dezenas de eventos, iniciativas, ações e guias.

Essa inquietação não é só minha ou da Diretoria da ABA. Pude perceber isso claramente em eventos recentes da World Federation of Advertisers (WFA) em Marrakech, Kuala Lumpur, Toronto e Tóquio, realizados entre 2015 e 2018. Como integrante do *board* da WFA, tenho oportunidade ímpar de interagir com lideranças responsáveis por 90% do investimento mundial em mídia, algo próximo a US$ 1 trilhão/ano. Fazemos questão de também levar a esse fórum nossas pautas relacionadas a questões como desenvolvimento profissional, advocacy, conteúdo e outros temas da atualidade.

Esse intercâmbio de informações e inquietudes me abastecem não apenas para o desenvolvimento do trabalho à frente da associação. Fico feliz em circular por aeroportos e hotéis, carrego minha mala com prazer. A trabalho ou com a família, não importa. Sou ainda mais feliz durante as viagens, com muita inspiração no retorno. Assim, não haverá nenhum problema em visitar Antônia constantemente, mesmo que sua vida esteja sedimentada muitas milhas além de nós. Só torço para que ela também goste o suficiente do Brasil para nunca abandonar suas raízes. Assim como eu me abasteço frequentemente em Poços de Caldas, desejo que ela voe alto, mas mantenha raízes e carinho por sua terra natal.

Porque, como disse Leonardo da Vinci, "Para estar junto não é preciso estar perto, e sim do lado de dentro".

34

Silvana Balbo

UMA CARREIRA COM PROPÓSITO

Silvana Balbo

É natural de Ribeirão Preto (SP). É casada e tem dois filhos.

Graduada em Administração de Empresas pela Universidade de São Paulo (USP) e com MBA em Marketing pela Escola Superior de Propaganda e Marketing (ESPM).

Atua em Marketing desde 1996, com experiência em diversos segmentos: indústria (Unilever), serviços financeiros (Credicard) e varejo (GPA e Carrefour). Participou da construção do reposicionamento de Omo no final da década de 90, responsável pelo reposicionamento e trabalho de Brand Experience de marcas como Diners, Pão de Açúcar e Extra e com experiência em Fidelidade e CRM no varejo. Desde junho de 2015 é diretora de Marketing do Carrefour.

ANTES DE COMEÇAR

Aprendi com o meu pai que a melhor maneira de demonstrarmos o que sentimos e compartilharmos o que pensamos é escrever. Nas datas mais importantes, durante os 32 anos que tive o privilégio de conviver com ele, este era considerado o seu maior presente: uma carta, falando sobre o que eu estava vivendo e o quanto ele era importante pra mim.

Receber o convite para escrever este capítulo me fez resgatar um pouco dessa paixão e me fez pensar que, assim como ele, outras pessoas poderão considerar um presente as experiências que abordaremos aqui.

Enquanto pensava sobre o conteúdo e o que gostaria de deixar como legado, algumas coisas me pareceram fundamentais: a sinceridade e o desejo de dividir não apenas aquilo que me diferencia, mas também as barreiras e dificuldades que eu encontrei; o equilíbrio e a relevância de todos os meus papéis além do profissional; e a humildade, trazendo não apenas a minha perspectiva, mas também a das pessoas que conviveram comigo de perto.

EU NASCI ASSIM...

Nasci em Ribeirão Preto, no interior de São Paulo, em 1974.

Meu pai era descendente de libaneses, nascido em um navio inglês quando seus pais chegavam ao Brasil, fugindo da guerra. Foi uma criança irreverente, estudou em colégio interno no interior de São Paulo e acabou se encantando por Ribeirão e pela minha mãe quando se formou em Medicina. Lá, se estabeleceu como médico e político. Visionário e idealista, sempre fez muito pelas pessoas e as colocava acima do sucesso e do dinheiro. Para ele, os valores eram o maior patrimônio que alguém pode ter.

Minha mãe também teve uma origem humilde. Descendentes de italianos, seu pai e seus 11 tios trabalharam por décadas em uma grande fazenda até conseguirem comprar seu primeiro pedaço de terra e, com muito esforço e disciplina, construíram suas próprias usinas, podendo oferecer à minha geração uma vida mais confortável. Minha mãe nunca mudou sua essência. Simples, humana e muito amorosa, dedicou-se especialmente aos filhos e investiu muito na nossa formação.

Posso dizer que aproveitei muito meus pais:

Ele, sempre foi uma grande inspiração – inteligente, racional e questionador, me estimulou a gostar de aprender e a me interessar por tudo, de política a religião. Não posso negar o quanto sua "régua alta" me fez evoluir, embora tenha agravado muito meu perfeccionismo.

Dela, herdei a garra, mas também o coração mole e a preocupação com os sentimentos dos outros. Ao falar de mim: "Silvana é a caçula dos meus três filhos. Desde cedo, aprendeu a competir com os irmãos e detestava perder: nas brincadeiras, nos jogos, na piscina e até nas aulas onde a irmã mais velha tentava ensinar matérias muito adiantadas para ela. Sempre foi estudiosa, caprichosa, aplicada e, já no primário, era representante de sala".

Quando olho para trás, vejo que passei a minha infância tentando ganhar dos meus irmãos e conquistar meus pais e, nesse processo, acabei conquistando boas notas e muita responsabilidade na escola.

Mesmo apaixonada por alimentação saudável, por influência do meu pai, prestei Economia e me mudei para São Paulo.

Aqui, tive a chance de começar uma nova história. Sem me agarrar a um sobrenome conhecido, tive que aprender a me virar. Andava com o extinto Guia São Paulo (um livro pesado com todas as ruas, linhas de metrô, ônibus e afins) e tentava sobreviver à cidade grande. Minha meta era construir a minha carreira, ter meu próprio dinheiro, ser reconhecida pelo meu esforço. Meu motorista agora era o "Seu" Antônio, que passava com um "Mercedes" lotado, na Brigadeiro Luis Antônio, às seis horas da manhã.

COMO O MARKETING CRUZOU MEU CAMINHO

Sempre comento que a entrada na faculdade foi meu primeiro choque de realidade. Até chegar ali, fui mimada e paparicada por professores, diretores e até os meus colegas que me consideravam a amiga "CDF" dos cadernos impecáveis. Adorava estudar, aprender e as boas notas sempre vinham como consequência.

Na faculdade, descobri que eu não era extraordinária. Quem sentava do meu lado era tão bom ou melhor do que eu. Percebi que dominar qualquer matéria não era mais o suficiente para se destacar; era preciso se comunicar, ser articulado, saber lidar com os outros. Nas escolas onde havia estudado, valorizavam o indivíduo e não a sua interação com os demais. O importante eram as notas e não o seu convívio social, a capacidade de persuasão, o quanto gerava empatia etc.

Comecei a trabalhar no segundo ano da faculdade e vi o quanto não ter desenvolvido essas habilidades desde cedo me fariam falta.

Meu primeiro estágio foi em um pequeno banco de investimentos. Trabalhava com *"private banking"* e achava muito frustrante perceber que a aparência contava mais do que o conhecimento para convencer alguns clientes. Já havia sido efetivada no banco quando um grande amigo da faculdade me indicou para uma vaga de estágio na Unilever. Troquei o escritório suntuoso na Brigadeiro Faria Lima pela fábrica na Vila Anastácio e, ao invés do investimento de clientes milionários, minha meta era melhorar a negociação na compra de sebo bovino para produzir sabão.

Na área de Supply da antiga Gessy Lever, comecei a entender a diferença entre trabalhar pelo dinheiro e se identificar com o que se faz. Meu chefe era um homem simples, organizado, empolgado e comprometido. Estabelecemos um plano anual de trabalho e, depois de três meses, ele me chamou para um primeiro *feedback*. O objetivo era me dizer que eu já havia cumprido o plano. Lembro-me até hoje das suas palavras: "Como gestor, eu poderia ficar com você por mais nove meses e teria muita tranquilidade. Como executivo desta empresa, sei que você tem potencial para fazer mais e quero te indicar para uma posição efetiva". Fui aprovada na nova posição e passei a atender uma das divisões de Marketing, desenvolvendo promoções, ações em lojas do varejo e *merchandising*. Era o meu primeiro contato com uma das áreas de Marketing mais cobiçadas no mercado e minha motivação em atendê-los era altíssima. Em dois anos, a área estava estruturada, atendíamos todas as marcas da nossa Divisão e recebi o convite que mudaria toda a minha trajetória: ser assistente de produto e atuar diretamente em Marketing.

Maria Inez Murad, uma das grandes gestoras dessa época, me descreveu assim: "Conheci Silvana no início da sua vida profissional. Desde o primeiro momento, algumas características me chamaram a atenção. A primeira delas foi o altíssimo comprometimento com o *business* e com o seu autodesenvolvimento. Sempre buscava oportunidades para receber *feedback* e ouvia com muita atenção. A segunda característica era o foco no resultado. A terceira, era a 'mão na massa'. Isso tudo somado a uma ética inquestionável faziam com que a Silvana se destacasse nos trabalhos mais simples".

A Unilever me fez despertar para a importância de ouvir. Meus primeiros *feedbacks* foram duros e apontavam para a necessidade de rever a forma, de não "atropelar" os outros para chegar aonde eu queria e de saber separar a vida pessoal da profissional. Uma das minhas primeiras gerentes, Patricia Salvadego, me disse um dia: "Você é uma profissional brilhante, mas fala demais sobre a sua vida pessoal e isso pode comprometer a sua imagem".

Depois de quatro anos memoráveis na Unilever, passava por um período pessoal turbulento e acabei deixando a empresa para assumir um cargo mais sênior que me permitiria ganhar mais. Tenho que dizer que este é um dos meus maiores arrependimentos profissionais: tomar uma decisão por dinheiro. Mesmo sendo por necessidade, jamais faria isso novamente.

AMADURECIMENTO PESSOAL E PROFISSIONAL

Aos 25 anos e recomeçando a minha vida pessoal, fui conhecer um novo segmento – o de cartões de crédito. A Credicard era uma *"joint venture"* formada por três sócios: Itaú, Unibanco e Citibank, sendo este último o sócio gestor da empresa. Não entendia nada sobre cartões e muito menos sobre tecnologia e a área onde eu havia sido contratada como gerente sênior era de Desenvolvimento de Produtos. Em seis meses, ainda entrava nas reuniões e mal entendia o que estava sendo discutido com os técnicos.

A VP de Marketing me chamou para uma conversa e disse: "Na minha carreira, poucas vezes me deram a opção de escolher. Tenho duas opções para te oferecer: uma gerência na área de Portfólio ou a gestão da marca Diners". Mesmo com o pouco autoconhecimento profissional que eu tinha na época, fui capaz de identificar que me realizaria mais cuidando de uma marca e que poderia continuar a trajetória iniciada na Unilever, onde havia me apaixonado por estratégia e *branding*.

Em seis anos na Credicard, tive muitos desafios e aprendi muito. Cuidar de uma marca com poucos recursos e baixa prioridade para o negócio me ajudaram a desenvolver muitas das habilidades que eu precisava. Paulo Régis, a quem eu chamava carinhosamente de "Neighbor", conseguiu resgatar dessa época a Silvana que eu me tornei: "...uma mulher forte, direta e determinada que, mesmo cuidando de um produto que não era foco da empresa, conseguiu conquistar destaque e relevância. Com sua maneira serena e cativante, sem atropelos ou puxadas de tapete, Silvana se tornou, sem dúvida, uma inspiração e uma referência para nós".

Tinha aprendido com os *feedbacks* na Unilever e os desafios na Credicard a dosar melhor a forma e isso me deu muito orgulho. Por outro lado, minha vida nessa época se resumia ao trabalho. Em 2003, com 29 anos, fui diagnosticada com câncer. Desde pequena, era fascinada por esportes e alimentação saudável e não conseguia entender como podia ter acontecido comigo. Enfrentar a doença não foi fácil e me fez repensar tudo: meu estilo de vida, meus valores, minhas relações. "Neighbor" foi um dos poucos a me visitar no hospital. Era jovem, dedicada, com uma boa condição financeira, mas estava sozinha.

Fui buscar respostas em tudo que me indicaram: autoconhecimento, espiritualidade, nutrição, amizades. Entendi que a doença era um presente, pois me deu a chance de recomeçar, quando ainda teria muito tempo pela frente. Entendi que ela era mais uma forma que Deus encontrou de me mandar um recado e dizer que não poderia mais viver daquele jeito, pois seria infeliz.

Tuneko Kuwada, minha psicóloga desde aquela época, descreve bem o que aprendi: "Acompanhei a Silvana nos momentos mais decisivos e de transformações vitais na direção de sua história de vida, no contato com a sua vida interior, mas sempre cuidadosa com os valores humanos, considerando os anseios e angústia dos que a cercam. A doença a fez equilibrar melhor sua capacidade de autocrítica com o prazer de usufruir a vida, estabelecendo e mantendo vínculos mais significativos".

MEU PROPÓSITO

Um dos grandes *insights* que tive durante os meses lidando com os sintomas e sequelas da doença foi trabalhar com algo que realmente tivesse a ver com o meu propósito: a alimentação.

Foi em busca desse propósito e por afinidade com as causas e valores que a empresa tinha naquela época que aceitei uma proposta do GPA para lançar Taeq – sua marca de bem-estar. Luciana Celani, que me acompanha como *"coach"* e trabalhava como gerente de seleção no GPA, lembrou o processo: "Conheci a Silvana por indicação de um amigo em comum, em função de uma vaga em que trabalhava, na época do GPA. Ainda muito jovem, Silvana tinha uma evidente potência de desenvolvimento e já contava consistentes histórias de realização, com uma visualização de futuro surpreendente para alguém tão jovem. Numa época em que pouco se falava sobre trabalho com propósito, a Silvana já falava disso com mestria e domínio. De trabalhar por uma causa, por algo capaz de mudar o mundo e que fosse ligado ao bem-estar, vida com qualidade e conexão consigo própria. De certa forma, fomos todos disruptivos ao contratar alguém do mercado financeiro para o varejo, mas a Silvana nos convenceu, do tanto que queria essa oportunidade e do quanto seria capaz de realizar. Fomos contagiados por aquela fala certeira incendiada pelo seu brilho nos olhos e a vontade de fazer acontecer".

Com essa paixão, passei nove anos no GPA. Lá, consegui entender como faz diferença trabalhar com aquilo que gostamos, com causas com que nos identificamos e que podem engajar outras pessoas por uma vida e um mundo melhores. Talvez não por acaso, o GPA acompanhou fases importantes da minha vida pessoal: enquanto estava lá, me casei e tive meus dois filhos. Vivi o dilema de conciliar tudo isso com o ritmo do varejo e aprendi que a família traz mais variedade na nossa lista de pendências na mesma proporção em que potencializa os momentos felizes e inesquecíveis que nos proporciona.

Depois de passar anos procurando alguém que fosse parecido comigo, descobri que era o temperamento oposto ao meu que poderia me completar. Com o meu marido, conheci a minha melhor versão porque sozinha eu vivia estressada... (risos).

A OPORTUNIDADE NO CARREFOUR

No início de 2015, recebi um convite que viria coroar minha experiência no varejo e assumi a diretoria de Marketing do Carrefour. Um desafio que me trouxe muito frio na barriga no começo, mas muita satisfação até hoje.

Na minha primeira posição oficialmente como diretora, percebo a cada dia a importância de ouvir, compartilhar, respeitar, entender. Mais do que nunca, vejo o quanto a competência técnica precisa se somar à habilidade com pessoas ou, como costumamos dizer: "O QE é tão importante quanto o QI".

O QUE APRENDI ATÉ AQUI

Do caminho que percorri, alguns aprendizados que podem ser úteis para você:

• Busque o equilíbrio entre os seus diferentes papéis. Nos momentos mais difíceis, é a sua vida pessoal que lhe dará suporte e forças para continuar;

• Uma boa carreira começa com um bom autoconhecimento. Ter consciência sobre os seus pontos fortes, suas fraquezas e seu propósito de vida serão fundamentais para direcionar todos os seus passos;

• *Feedbacks* positivos são prazerosos, mas só os negativos o farão evoluir.

- Busque-os com disposição de ouvir e refletir;
- Dificilmente você será muito eficiente sem uma boa dose de organização e disciplina;
- Na maior parte das situações, a forma é tão importante quanto o conteúdo;
- Quando tiver um péssimo chefe, use esta experiência em uma lista do que não fazer;
- Sucesso não se faz sozinho: nos momentos de glória, todos estarão do seu lado; nos momentos mais difíceis, é o seu time que o ajudará a levantar-se;
- Antes de ser um bom profissional, tente ser um bom ser humano.

Tenho certeza que ainda tenho muito a fazer e que esta jornada aumentará muito a minha lista de aprendizados.

Agradeço a Deus, à minha família, aos meus times e a todos que me ajudaram a chegar até aqui.

35

Simone Vidal

MARES CALMOS NÃO FAZEM BONS MARINHEIROS

Simone Vidal

Formada em Letras, pós-graduada em Comunicação com módulos em Marketing. Há 18 anos apaixonada pela área de relacionamento com o consumidor, e há 15 atua como gestora nos segmentos: telefonia, indústria de alimentos e varejo. Na Ferrero, foi *head* de relacionamento Brasil e Argentina, e responsável pela construção da área. Como coordenadora de relacionamento do Grupo Boticário, foi responsável pela implementação de automação: robôs Thaty e Berê.

Proprietária da empresa Diálogo sem Fronteiras, atua como palestrante e consultora em SAC. Atualmente *head* de relacionamento na Tok&Stok.

Ao longo da carreira, auxiliou empresas a receberem diversos prêmios de excelência: Consumidor Moderno, ABT, Época Reclame Aqui, IBRC.

Começo esta narrativa falando de minha infância, o que é sempre algo inspirador. Para contextualizar, vim de uma família simples e complexa, meu pai sofria de alcoolismo e eu tinha nove anos quando ele faleceu. Diante desse fato, sempre fomos vistos como pessoas destinadas a ser menos, a não alcançar grandes conquistas, mas, não quero parecer pessimista, pois a história é feliz, aliás, essa é uma lição que aprendi: **a felicidade está no caminho e não no final.**

A atitude de uma mulher mudou a nossa história, a "Dona Janina", minha mãe, que deu conta de quatro filhos e da nossa sobrevivência e crescimento. Eu, a caçula, comecei trabalhando com ela muito cedo. Para vencer, como minha mãe diz, foi faxineira, tricoteira, costureira. Até que se achou na culinária, e nossa vida mudou financeiramente quando começou a vender quitutes em empresas, depois na beira da praia, e, assim, conseguiu abrir um quiosque, simples, mas atraía pessoas que vinham de longe para apreciar a boa gastronomia.

Na juventude eu era muito inquieta, fazia desfiles de moda, queria empreender, e, como sou apaixonada por roupas, customizava peças, criava conceitos: usava calça de cintura baixa antes de a moda surgir. Logo, comecei a vender roupas, as de que havia enjoado. Hoje isso daria um "*match*" com a *internet*. Fiz parte de grupos de canto na igreja, estudei teatro, fiz *jazz* na Cia Shopping Popular, e me apresentava em eventos.

Essas inspirações me acompanham até hoje e, para resumir esta parte de minha narrativa, diria que **não é a condição social que te define, mas suas atitudes. Você não escolhe onde nascer, mas está em suas mãos escolher o lugar aonde chegará.**

Eu diria que até chegar à área de relacionamento com consumidores no Marketing, foi um longo caminho, mas que está sempre em construção. Na prática, comecei a gostar de Marketing em 2006 na empresa de telefonia multinacional Tim Celular, no contato direto com a área com o objetivo de olhar além da venda. Porém, consolidei minhas experiências quando estruturei a área de relacionamento na empresa Ferrero do Brasil, em 2008. Essa organização sempre teve um posicionamento *"premium"*, mas isso não bastava, precisávamos evitar as crises para proteger a imagem das marcas, o que foi decisivo para estabelecer relacionamento, especialmente em redes sociais, oferecendo aos consumidores experiências inesquecíveis.

Ao tomar gosto por assuntos de construção de marca fui atrás de uma especialização que pudesse me trazer, além da prática, a parte acadêmica. E ao estruturar a área estando na estrutura de Marketing compreendi que as áreas de relacionamento são Marketing.

Nesse contexto, de nada adianta seguir os 4 Ps (Produto, Preço, Praça e Promoção) do Mix de Marketing se na primeira dúvida ou problema o cliente tiver a pior experiência com o atendimento. O atendimento é a continuidade dessa construção, inclusive no conceito *revenue center*. Não há mais vender e sim servir.

Quanto ao papel das mulheres no mercado de trabalho e em cargos executivos, afirmo que elas são responsáveis por um olhar inspirador e mais humano no comando. Porém, o índice da liderança feminina ainda é muito baixo no Brasil.

Estamos longe de mudar este cenário, mas sou otimista que podemos. Com a nova geração *"millennials"*, as mulheres tomarão cada vez mais espaços, pois são disciplinadas, especialmente nos estudos, e estão buscando profissões que antes eram ocupadas por homens. Da mesma forma, mais conscientes da desigualdade, procuram pelo esforço suprir questões sociais. São ótimas mediadoras, e como gestoras têm um olhar humano para as questões práticas. Igualmente, não se intimidam em colocar a mão na massa, e fazem várias atividades ao mesmo tempo sem prejudicar as entregas. Nesse contexto, o gestor do futuro deverá ter uma visão holística entre a empresa e o bem-estar das pessoas, logo, as mulheres saem na frente, e tais atitudes separarão chefes de líderes.

Para chegar ao meu cargo atual, superei diversos desafios, que enfrentei *"step by step"*. Fora as questões que assombram todas as mulheres que ocupam cargos de liderança, algumas situações me marcaram: passei para o cargo de executiva de contas e não pude ocupá-lo por ser mulher. Quando fiquei grávida sofri a pressão de sair em licença-maternidade, e não me orgulho do que fiz, mas trabalhei todo o período. Várias vezes deixei meu filho doente em casa e também não fui a eventos da escola porque era a única mulher da área, enquanto os homens estavam disponíveis *fulltime*.

Dentro do Marketing, sofri diversos preconceitos por ser líder de time de atendimento ao cliente, e escutei coisas como: *"Para trabalhar no SAC não precisa estudar"*; ou *"Se fecharmos a área não saberemos das reclamações"*; ou ainda, *"Não se compare ao fulano, você é apenas uma profissional de SAC"*. Mas foram esses desafios que me fizeram mais forte e me incentivaram a estudar e me desdobrar para provar o valor desse trabalho nas organizações.

Conciliar a vida pessoal com a profissional, então, é muito difícil. Não dou conta de tudo, e pronto, mas faço o melhor que posso!

Sou *workaholic* e adoro trabalhar, procuro sempre me atualizar e isso requer tempo. Assim, priorizo eventos e as relações. No trabalho e em casa emprego o tempo da melhor forma, sendo 100% produtiva.

Por outro lado, me identifico com o texto da blogueira Rafaela Carvalho: "Temos que assumir que não, não damos conta, e, nesse sentido, tentamos suprir ausências, nos desdobramos como podemos, mas precisamos aprender a relaxar, pois não vamos conseguir ser 100% em tudo, ninguém é, mas podemos fazer da melhor maneira aquilo que conseguimos".

Há também a questão da tecnologia que interfere em nossa vida. Os seus avanços ao longo das gerações foram essenciais para a melhoria da qualidade de vida. Por outro lado, a disponibilidade da informação rápida nos tornou reféns de estar 100% conectados, e para as empresas isso representa: perda de produtividade; exposição das marcas e concorrentes mais fortes *versus* a ânsia de buscar estar à frente. Essa soma faz das empresas espaços de competição cada dia mais agressivos e ambientes de trabalho nocivos.

Vivemos a era da automação, e com *RPA* (*robotic process automation*) temos um novo conceito nas organizações, que substituirá *commodities* por robôs. O objetivo é gerar ganhos com produtividade e permitir ao humano mais tempo para trabalhos analíticos e para o lazer. Porém, o perigo é a distorção de valores daquilo que não pode ser automatizado, as relações humanas, por exemplo.

Muito se fala em humanizar os robôs, logo, trago a reflexão de que, se estamos tornando os robôs mais humanos, como estamos tratando as pessoas? Pouco se fala em capacitação de times. Sem falar do novo formato de empregos que se estabelece no País e a falta de preparo, pois provavelmente haverá profissões que muito em breve não existirão e haverá procura pela especialização.

Então, para quem está cursando ou pretender cursar uma faculdade, em primeiro lugar aconselho que procure fazer um curso com que se identifique, para isso já existem alguns testes para a tomada de decisão. Por outro lado, já não há um único caminho e estudantes optam por mais de uma formação acadêmica.

Para o Marketing, independentemente do gênero, embora tenho visto a presença feminina nas lideranças tomando espaço, o profissional deve apoiar as bases em ensinamentos sólidos, dentre alguns, confio nos princípios de Kotler, que fala em estabelecer relações para que sua marca se torne única, e que seja recomendada, e esse é o segredo de empresas de destaque neste século.

Acredito que pelo "estrelismo" da profissão infelizmente muitos profissionais sentem-se a própria marca, e alguns aproveitam o sucesso para fazer carreira, apenas. Porém, para se diferenciar esse profissional precisa enxergar o consumidor de forma genuína, comunicar-se com o público a partir das necessidades do outro, pois as relações de consumo mudaram e o consumidor trocará marcas que não tiverem propósito presente nas ações.

Para quem quer ser bem-sucedida em sua carreira, seja ela qual for, minha dica é que seja você mesma, siga o lema *"let it be"*, e conheça suas fraquezas para desenvolvê-las, se torne uma mente mediadora e isso a fará diferente. Infelizmente, em 12 anos de gestão, tenho a impressão que há empresas que não resolvem conflitos, gerando um ambiente superficial. E, provavelmente, foram as características femininas de fazer a "DR" que levaram as mulheres que hoje ocupam cargos de presidente a aumentar a produtividade de seus times e obter resultados fantásticos, pois através do diálogo se constrói, se engaja, e se disseminam boas práticas.

Outro ponto primordial é conhecer, desenvolver habilidades. É indiscutível que pela sensibilidade ganhamos espaço, mas com fatos e dados provamos nosso valor e consistência.

Somos capazes e por isso não gosto da ideia de criar projetos de integração das mulheres a cargos de lideranças. Por outro lado, será um longo caminho se não houver algum incentivo do governo e apoio da mídia para as ações acontecerem. Também gosto do debate, de expor a situação, tornando-a pública. Somente dessa forma as empresas mudarão o *mindset* à medida que conseguirmos provar que há um incômodo e podemos muito mais.

Os ponteiros da melhora do indicador mostram que estamos evoluindo e isso foi conquistado pela atitude de bravas mulheres que se provam todos os dias na luta pelo seu espaço.

Devemos transformar os pontos de interrogação em atitudes e para isso podemos buscar inspiração em profissionais bem-sucedidas, por exemplo. Para mim, a inspiração pode vir de meios externos, mas deve estar dentro de cada um, e sem dúvidas há pessoas que nos inspiram.

A grande profissional de Marketing Dirce Ventura e também Patricia Nogarolli; as profissionais de recursos humanos Maria Schneider e Janaína Kamide, exemplos de competência e honestidade.

Minha mãe, que me ensinou que vale a pena ser honesta, meus irmãos, que desde cedo tiveram que trabalhar duro para cuidar de mim como se fossem meus pais. E meu marido, Cleverson Vidal, um homem humilde, de coração grande, que mudou a minha história, e que todos os dias me lembra o quanto eu sou forte e posso ser mais.

Há também leituras inspiradoras, entre as quais as obras de Philip Kotler: "Administração de marketing"; "Marketing 3.0 e 4.0"; "Lógica do Consumo", de Martin Lindstrom; "Descubra seus pontos fortes", por Donald O. Clifton; "O ponto da virada", por Malcolm Gladwell; "Comportamento do Consumidor", por Karsaklian, e ainda conteúdos TED.

Apesar de não conseguir fazer tudo que gostaria, o meu melhor tempo é com meus filhos Giovani (8), Gabi (18), e meu marido, Cleverson. Além disso, amo o mar e sempre que posso estou na praia. Acredito que há situações que nos roubam energia, assim, precisamos de um lugar para estar que nos renove.

Sou louca por viajar, já conheço alguns países e tenho um objetivo de conhecer um novo lugar por ano, sair com a mochila vazia e voltar cheia de experiências. E nesse contexto: **"Um passarinho quando aprende a voar sabe muito mais de coragem do que do voo",** autor desconhecido.

Meus planos para o futuro incluem me conhecer mais a cada dia, afinal, não se planta maçã e se colhe pera, maçãs serão sempre maçãs. Aos 40 começamos a olhar para o mundo diferente, para ser feliz agora. Então, o objetivo é esvaziar a mochila para caber nela todos os sonhos, e experiências que couberem.

Pretendo estudar sempre, e abrir uma empresa de consultoria em assuntos relacionados ao comportamento do consumidor, e na construção de operações de *contact center*.

Também não deixei de lado a ideia de uma lojinha virtual para venda de peças exclusivas, a partir das viagens. Acredito muito em destino e que as coisas acontecem quando têm de acontecer: *let it be*...

Para finalizar, primeiro gostaria de agradecer à Tati Luncah e à Editora Leader pela oportunidade.

Para as leitoras minha mensagem é: seja humilde, não perca as origens, tenha fé e acredite que você pode fazer o que quiser, lute como uma garota, por você e por todas as mulheres que são discriminadas.

Trabalhe duro, isso muda o mundo. Estude, se especialize. Esteja rodeada de pessoas do bem, e de nível intelectual superior a você, isso abrirá seus horizontes. Abra sua mente para viajar, pois os livros são ótimos, mas aprendemos 90% na prática. Se líder, seja gentil com as pessoas, as ajude a crescer, dê autonomia e verá até onde cada um pode ir. Seja sincera, mas não "sincericida", as pessoas não estão preparadas para escutar tudo o que você pensa, e o que você pensa tem mais a ver com você do que com os outros. E, no meio disso, nunca se esqueça de ser feliz, no fim, será como você se sentiu e fez sentir que marcará seu tempo com as pessoas nesta aventura que é viver.

36

Stephanie Christian Saeta

OS VALORES DE UMA JORNADA DE EVOLUÇÃO

Stephanie Christian Saeta

Nascida em Goiânia (GO), mais velha de três irmãs.

Profissional com 13 anos de experiência em Marketing e Business em grandes multinacionais de bens de consumo como Coca-Cola, Unilever e S. C. Johnson Wax e também na Enova Foods, empresa investida de Private Equity. Atuou em diversos mercados como Brasil, América Latina e Europa e morou em diversas cidades e países como Brasília, Rio de Janeiro, São Paulo, Madri, Jerusalém e Tel Aviv.

Formada em Engenharia Mecatrônica pela Universidade de Brasília (UnB), e com cursos focados em digital, inovação e tecnologia na Hyper Island e na The Hebrew University (Universidade de Jerusalém, Israel), é apaixonada por aprendizado e desenvolvimento.

Iniciou em outubro de 2018 sua mais nova jornada como aluna do MBA de Inovação e Empreendedorismo na Tel Aviv University (Sofaer GMBA). Seu objetivo é mergulhar no ecossistema da nova economia na Start-Up Nation, Israel.

Venceu um câncer de mama aos 32 anos de idade, em 2017. Ama viajar e conhecer novas culturas.

Sucesso. Algo muito almejado e cuja definição é muito particular de cada indivíduo. Para mim, sucesso é evoluir. A cada dia e em todos os aspectos da minha vida.

Respeito e empatia são valores fundamentais que me guiam nessa jornada. Curiosidade e vontade de ir além me motivam. Aos 33 anos, vejo que a vida é sim cheia de surpresas, que não a controlamos como gostaríamos. Mas, a cada dia que passa, escolhemos com mais consciência os caminhos que queremos seguir.

Muitas pessoas estão acostumadas a se apresentar como "sou fulano, trabalho com...". Era assim que eu também me apresentava, mas, após alegrias, conquistas, decepções, reviravoltas e um câncer vencido, tive muita clareza de que profissão e trabalho nem sequer começam a definir uma pessoa. As pessoas vão muito além disso.

Aqui dividirei com vocês alguns dos principais acontecimentos e aprendizados que me marcaram: minha **curiosidade**, minha **carreira**, a **mudança**, o **câncer**, o **machismo** e o **futuro**.

CURIOSIDADE LATENTE

Na adolescência, comecei a me interessar por tecnologia e por isso escolhi estudar Engenheira Mecatrônica, saindo de casa aos 18 anos para estudar no Distrito Federal, na Universidade de Brasília (UnB). Mas a faculdade não me encantava. Muitos números, ferramentas, computadores, circuitos elétricos. Pouca interação humana.

Por obra do acaso, caí de paraquedas em Marketing. Inscrevi-me no que havia sido anunciado como estágio em Engenharia (por um engano da agência de recrutamento), mas já na última etapa, na entrevista com a gestora da vaga, descobri que se tratava de uma vaga de Marketing no escritório regional da The Coca-Cola Company. Fiquei surpresa e ela me perguntou por qual razão eu queria o desafio. Respondi simplesmente "quero porque não conheço nada de Marketing". Apesar da minha ingenuidade, minha clara curiosidade e determinação levaram minha primeira chefe (e eterna mentora e inspiração, Ana Cristina Maia) a apostar em mim.

MINHA CARREIRA ATÉ AQUI

Assim iniciei minha carreira em uma verdadeira escola de Marketing, a Coca-Cola. Foram dois anos de estágio em Brasília até que decidi morar fora. Escolhi ir para a Espanha, comprei as passagens, me matriculei em um curso de um mês de Espanhol, e só. Frio na barriga.

Ao chegar em Madri, em agosto de 2007, comecei uma busca alucinada por trabalho, não conseguiria ficar só "turistando", além de não poder bancar esse luxo. Queria conhecer a área de vendas e em outubro comecei a trabalhar na S. C. Johnson Wax (Ceras Johnson) em uma vaga de gestora comercial. Atendia como promotora as contas *key-accounts* (Carrefour, El Corte Inglés, Caprabo, Makro) e como vendedora algumas redes menores de perfumarias e distribuidores.

Tinha 22 anos, mulher, brasileira, mal falava espanhol, trabalhando em um meio totalmente masculino e machista. Os interlocutores eram homens, gerentes de loja ou donos de negócio, já com mais de 20 anos só de experiência e com o dobro da minha idade. A maioria me ignorava nos primeiros contatos.

Aprender a lidar com esse público, conquistar um espaço, respeito, ser ouvida... foi um imenso desafio. Um dia a dia bem pesado e cansativo, mas que me ajudou a entender que cada um tem seu "caminho de acesso". Buscava avaliar o que poderia motivar essas pessoas e tentar acessá-las dessa forma. Uns davam abertura ao sentir que eram reconhecidos por um bom trabalho, então eu buscava algo em sua loja que acreditava ser diferenciado e partia daí. Outros gostavam de ser desafiados... eu questionava se algumas execuções não seriam melhores de outra forma. Tentar forçar qualquer coisa antes de estabelecer esse vínculo acabava em oportunidades perdidas e barreiras levantadas.

Adorava fazer acontecer. Mas também sentia falta dos porquês. Queria saber a razão pela qual um produto fora lançado... por que deveria estar onde estava, por que era azul e não verde, por que funcionava na Europa e não no Brasil. Percebi então que precisava estar em uma posição estratégica. Influenciando as descobertas e decisões. E, claro, as tornando realidade. Em paralelo, a Coca-Cola me convidou a voltar ao Brasil para trabalhar em Shopper Marketing.

Em agosto de 2008 fui para o Rio de Janeiro. A partir daí, foram cinco anos de Coca-Cola, nas áreas de Shopper Marketing, New Business e Branding / Marketing. Comecei como analista de *shopper* e cheguei a gerente de Marca logo antes de deixar a empresa. Tive a oportunidade de trabalhar com diversas marcas e categorias de bebidas (refrigerantes, sucos, águas, energéticos – Coca-Cola, Fanta, Crystal, Del Valle, Burn etc.), regiões geográficas – Brasil, América Latina e Global -, posicionamento e planos de marca, planejamento e execução de canais de vendas, grandes eventos – Copa do Mundo da FIFA 2010 e 2014.

Foram anos de muita dedicação e aprendizado. Uma empresa com diversos *stakeholders* onde desenvolvi habilidades de liderança e engajamento. Aprendi que Marketing é bem complexo e abrangente. Que não se resume a uma propaganda ou a uma embalagem... que está totalmente ligado ao negócio, e que define a sua direção. Em *branding*, mergulhava no DNA da marca, nas questões mais subjetivas e emocionais possíveis, e em *shopper* e *new business* no que de forma mais prática poderia mover o ponteiro de vendas.

Em 2013 já sentia necessidade de expandir meu horizonte... e nesse momento surgiu a Unilever. Mudei-me para São Paulo, local onde sempre quis morar. Foram dois anos de experiência com um excelente aprofundamento em *business*, especialmente por ser um modelo de negócio que tem dentro da mesma empresa todo o P&L (Profit and Loss Statement, ou, na tradução, demonstrativo de lucros e perdas) nas mãos (diferente da Coca-Cola em que ele é compartilhado com os fabricantes). Foi também minha primeira experiência na categoria de *home care* e de *foods*.

Em 2016, um mundo novo se abriu quando ingressei na Enova Foods (empresa de alimentos e bebidas). Não sabia até então o que eram empresas geridas por *private equity*. Basicamente, o objetivo dos fundos de investimento em geral é comprar empresas de pequeno ou médio porte com potencial de crescimento, profissionalizar, crescer o negócio e vender a um grande grupo.

Cheguei em uma empresa desestruturada e desorganizada, mas com muito potencial. Meu principal desafio era desenhar o plano estratégico e visão 2020 da empresa. Em quais categorias focar? Deveríamos investir em planos de curto ou longo prazo? Focar em Marketing, execução, ou ambos? Eu não me sentia mais um pedacinho de algo gigante, mas uma peça gigante dentro de algo menor. Era o "meu negócio", me sentia empreendedora. Precisava me preocupar desde a estratégia até o fluxo de caixa da empresa. Tinha que encontrar um equilíbrio entre rapidez, agilidade, organização e processos e, além de tudo, influenciar um time sênior de acionistas e conselheiros do *board* para assegurar que teríamos os recursos e apoio necessários para realizar ações transformacionais no negócio.

Uma das primeiras iniciativas foi o desenvolvimento de uma nova marca (literalmente do zero) de *health and wellness* para gerar valor agregado para a empresa. Busquei profissionais com grande potencial e perfis bem diferentes entre si para integrarem a equipe. Assim, com uma rede de pesquisa, *branding* e *design* e um time de alta *performance*, nossa nova marca nasceu: &JOY Snacks, gerando resultados incríveis tanto de *share* de mercado quanto de comunicação.

A MUDANÇA

No começo de 2018, iniciei um novo caminho. Já há algum tempo sentia necessidade de mudar alguns aspectos da minha vida, dentre os quais, o profissional.

Busquei pessoas, empresas, eventos, cursos, qualquer coisa que me ajudasse a aprender mais sobre o universo digital dentro da nova economia. E após um curso de Digital Transformation na Hyper Island, um fórum da Singularity no Brasil, reuniões e encontros dos Exponentials (um grupo de milhares de pessoas cujo objetivo é usar a inovação para melhorar o mundo), fui selecionada para um curso de tecnologia na Hebrew University (Universidade de Jerusalém). Trata-se de um programa que seleciona 25 profissionais de todo o mundo (empreendedores, executivos, pesquisadores) para estudar, de forma integrada, tecnologias como Inteligência Artificial, Visão Computacional, Bioengenharia e Empreendedorismo dentro do ecossistema de *startups* de Israel.

Após dois meses nesse programa, meu horizonte se ampliou ainda mais. Como consequência, em outubro de 2018, embarquei para um MBA de inovação e empreendedorismo na Tel-Aviv University (Sofaer GMBA), em Tel Aviv, Israel, para me aprofundar em novos modelos de negócio, e fazer parte das transformações de mercado e de formas de trabalho que ocorrem de uma forma exponencial. Meu objetivo é impactar de forma mais dinâmica e abrangente a vida das pessoas, independentemente da indústria ou segmento em que eu atue.

O CÂNCER

Minha mente sempre foi inquieta. Mudanças sempre me acompanharam. Mas um acontecimento em particular me fez enxergar novas vontades e necessidades.

Setembro de 2016. Feliz por ter ficado "desesperada" a ponto de correr para o médico ao sentir um caroço que parecia não ser nada. Mas era. Câncer de mama aos 31 anos. Probabilidade de 1,8% de acontecer. Nunca me perguntei "por que comigo?"... Afinal, por que não?

Foram cinco meses de quimioterapia, três cirurgias, ao menos 80 agulhadas. Muitas mudanças físicas, impactos emocionais, limitações no dia a dia. Mas também uma jornada de muito aprendizado e respeito pela vida, da qual levo algumas lições:

• Respeito pela vida é exatamente o respeito pelo próximo. Empatia, se importar e se colocar no lugar do outro, é o que nos torna humanos.

• Câncer não é o maior ou menor problema do mundo. Ele é sim imenso pra quem passa por ele (direta ou indiretamente), mas não se deve julgar ou minimizar outros problemas. Tudo é relativo. Durante as químios, a perda dos cabelos não era nada perto da busca pela cura. Hoje em dia, adoro poder "reclamar" que meu cabelo ainda não está longo como gostaria... Significa que o "pior" já passou, e que posso pensar no que antes era algo "pequeno".

• Nada está 100% sob nosso controle. Precisamos aprender a lidar com os obstáculos que surgem em nossos caminhos.

• Precisamos viver da forma que mais nos inspira e motiva. Cerque-se somente do que lhe faz bem. Isso inclui trabalho e pessoas.

MACHISMO

Fiquei em dúvida sobre compartilhar ou não um momento muito delicado da minha vida profissional, mas não poderia deixar de falar, em um livro dedicado às mulheres, sobre os desafios do machismo. Acredito que o objetivo deste livro é justamente mostrar a realidade pela qual passamos.

Resumidamente, em uma das empresas pelas quais passei, um chefe recém-chegado, bastante incomodado com o fato de eu ser mulher e mais nova do que ele, agia de forma bem constrangedora e opressora. Não somente em conversas a sós, mas especialmente em reuniões em que meus pares - todos homens - estavam presentes, as "piadas" e "brincadeiras" a meu respeito eram constantes. "Você não é feminista não, certo? Nada mais chato que mulher assim... sabe o que parece, né?", "Pessoal, se o projeto der errado, é culpa da garotinha aqui...", "Você é muito novinha, não sabe de nada..." – apesar de a minha idade ser praticamente a mesma de meus pares homens; "Que cara é essa? O que fez essa madrugada? Tá com uma cara de usada!"; ... e por aí vai, infelizmente...

Incomodavam-me ainda mais as "piadas" constantes com outras minorias, como negros e *gays*. Não era piada. Era desrespeito. E de repente, em um trabalho que amava, eu não conseguia me sentir inspirada, especialmente quando a nova liderança agia de uma forma contraditória aos meus valores. Não me sentia em um ambiente construtivo. Não acreditava que aquele era um bom lugar para desenvolver pessoas, inclusive meu próprio time.

O que eu fiz? Sempre fui bem honesta comigo mesma e com os demais, por isso, deixei clara a situação, dando o *feedback* construtivo (buscando melhorar a relação de trabalho). Mas foi em vão.

O que essa experiência me ensinou? Que o preconceito existe sim, em todos os níveis e locais. E que tão ou mais importante que o lado intelectual e desafio profissional do trabalho são as pessoas que o cercam. Mas, felizmente, os bons são a maioria. E, por isso mesmo, agradeço a tantos pares, chefes, colegas e equipes que sempre foram tão humanos comigo e com todos ao meu redor. Fizeram parte da imensa maioria com a qual convivi, que independentemente de qualquer característica (cor, raça, gênero, crença) sempre agiram com respeito e valorizaram as características únicas que enriquecem cada ser humano.

O PRESENTE É MEU FUTURO

Como disse no início, há muito ainda o que viver e aprender. O hoje é um verdadeiro presente. Minha paixão é buscar ir além. Aprender, compartilhar, trocar. Seja no Marketing ou qualquer outra área... Empresa, negócio próprio, ou qualquer tipo de atividade, pessoas são o início, o meio e o fim. Por mais que o mundo evolua cada vez mais em digital e inteligência artificial, nada saudável e sustentável pode ser construído sem respeito e empatia. Essa é a base do meu passado, presente e futuro.

37

Tatiana Brammer

SIM, PODEMOS!

Tatiana Brammer

Formada em Comunicação Social pela FAAP e MBA em Marketing pela ESPM, tem em sua trajetória profissional experiências em empresas nacionais e multinacionais na área de Marketing. Desde 2010 trabalha na Kellogg´s como diretora de Marketing Mercosul e atualmente desenvolve projetos especiais e de planejamento estratégico com a equipe comercial.

Casada com o Carlo, com quem divide a vida há 25 anos, e mãe de Felipe e Beatriz, suas maiores inspirações e alegria de viver.

Como projeto pessoal se dedica ao voluntariado do Grupo Mulheres do Brasil, faz parte do conselho deliberativo do Ibramerc Live University e é mentora na *startup* Boomera.

tbrammer@terra.com.br
linkedin.com/in/TatianaBrammerArello

Sou de família paulistana, sempre vivi em São Paulo, cidade que eu amo mesmo com todos os problemas de uma grande metrópole. Quando surgiu a oportunidade de escrever este capítulo sobre a minha vida no livro, confesso que posterguei bastante minha decisão. Nunca tinha parado para fazer uma retrospectiva de minha trajetória, mas ao começar a escrever vi que poderia ser divertido.

Desde minha adolescência gostava de pensar em coisas diferentes, dividir meu tempo com pessoas, aprender sobre algo inusitado e assim experimentar algumas aventuras no mundo da curiosidade e da inovação.

Quando criança fiz aulas de *ballet* clássico, mas devo confessar que nunca foi meu forte. Um belo dia, na academia de dança de uma tia minha muito querida, conheci uma professora incrível e comecei a fazer aulas de sapateado. Encantei-me! Achei-me! Algo que misturava a graça da dança com certa diversão e descontração. Dediquei-me muito, suava e batia como louca aquelas plaquinhas dos sapatos. Até que um dia, aos 15 anos, fui convidada para dar aulas para crianças de cinco a dez anos, não só na academia de minha tia, mas também em outra academia bem conhecida naquela época.

Foi uma experiência incrível, que hoje relembrando consigo perceber algumas características minhas bem evidentes, como **coragem** ao aceitar o desafio de sair da frente do espelho e virar de frente às alunas pequeninas ansiosas por aprender algo diferente. A **persistência**, pois era algo que eu não dominava, não sabia como preparar uma aula, como escolher as músicas certas, mas me empenhei muito no planejamento e preparação de cada aula dada e, por fim, a **paixão** que me deu a chama e a energia para seguir em frente, assumir mais uma responsabilidade num período em que o estudo também me exigia muito, mas entendi aquilo como uma oportunidade única de me descobrir em outras frentes de atuação.

Foram quase dois anos incríveis, muitas conquistas e realizações. Ver as carinhas felizes das crianças e o apoio genuíno das mães reconhecendo o meu trabalho foi algo ímpar. Porém, a evolução da vida me fez rever os planos, pois estava terminando o colegial e precisava me dedicar ao vestibular.

Nunca fui aluna nota 10. Sempre tive que estudar e batalhar bastante para atingir os objetivos. Terminei o colegial com 16 anos e fiz seis meses de cursinho. Após um período de dúvidas como muitos adolescentes na hora de decidir, escolhi fazer faculdade de Comunicação Social na Fundação Armando Alvares Penteado (Faap). Lá eu descobri várias áreas de interesse, como o mundo das descobertas da inteligência e pesquisa de mercado, pois era capaz de melhor entender as aspirações, desejos e vontades de pessoas que se transformavam em *insights* valiosíssimos. Também me apaixonei pelas aulas de Marketing e conhecer a magnitude de Kotler, que uso até hoje, o dinamismo das marcas e o mundo de oportunidades de poder conectar pessoas a empresas.

Logo ao terminar a faculdade, resolvi me especializar. Comecei o MBA de Marketing na Escola Superior de Propaganda e Marketing (ESPM). Ainda hoje me lembro de minha linda mãe comentando sobre o brilho nos meus olhos cada vez que eu queria contar um *case* analisado, uma técnica nova estudada ou cada apresentação feita. Realmente vi que estava na minha praia.

Meu primeiro emprego como estagiária foi na empresa de Embalagens ITAP, que me proporcionou muito conhecimento na área de comunicação. Depois, com a venda da operação para a Dixie Toga eu pude entrar no mundo de Marketing efetivamente, com o modelo de B2B (Business to Business).

No último semestre do MBA eu estava determinada a buscar experiências em empresas de bens de consumo e acabei recebendo a proposta de assumir a posição em Marketing na Kellogg's para cuidar de algumas marcas de cereais infantis. Pulei de alegria... Que oportunidade! Foi nessa fase que comecei a viver na prática tudo o que estudei e vi na área acadêmica. Uma delícia tornar cada vez mais conhecido o cereal do tão querido tigre Tony.

Fiquei por lá durante seis anos e sem esperar recebi a proposta para assumir uma parte do Marketing do Mercado Externo na empresa Perdigão. Quando soube que seria para brincar de "War" e desbravar territórios como Oriente Médio, África e algumas áreas da Europa, não pensei duas vezes... Foram aguçadas novamente as três características que me motivam: coragem, persistência e paixão pelo novo.

Foram quatro anos incríveis. Aprendi muito. Venci desafios como o de aprender a me comunicar e fazer negócios no mundo árabe. Quebrar alguns mitos e preconceitos, vivendo experiências *in loco* com uma cultura oriental completamente diferente da nossa. Lidar com frustrações de não conseguir ir para a Arábia Saudita por não estar acompanhada de meu marido (temas culturais...). Definir portfólio, posicionamento de marca, estudar linguagens e códigos visuais com aplicações corretas ao mercado muçulmano. E até escutar mães árabes em grupos de pesquisa para entender suas aspirações, relações familiares e visões culturais sobre a relação humana e a importância do momento da refeição para a construção do vínculo familiar. Com esse conhecimento, conseguimos desenvolver uma campanha de comunicação com a agência global de ATL, superbacana, totalmente criada e executada nos Emirados Árabes, adaptada ao período de Ramadan, seguindo suas peculiaridades, mas totalmente alinhada com a estratégia global da companhia.

Muitas viagens, horas de voo, mas carreguei uma bagagem riquíssima que trago até hoje em meus aprendizados e pensamentos da vida.

Um deles que foi crescendo a cada vez que eu pisava em solo árabe era entender o papel da mulher nesse contexto social e profissional. Até então, nunca tinha parado para pensar nisso, mas, com o fato de ver o papel e a atuação da mulher de forma tão diferente da nossa, comecei a ler e questionar alguns porquês. Com relação ao mundo árabe, li, estudei e entendi que era uma cultura muito diferente da minha e o máximo que eu deveria fazer era seguir aprendendo e respeitar as diferenças culturais, mas, quando virei meu foco para o Brasil me dei conta do quanto ainda vivemos numa sociedade machista e cheia de preconceitos quando o assunto é mulher.

Em 2010 retornei à Kellogg's com a responsabilidade de assumir a diretoria de Marketing no Mercosul e ajudar a equipe da liderança a desenhar um plano estratégico de crescimento da unidade de negócios. Trabalho encantador que tanto me orgulha e me completa como profissional. Demos um grande passo de expansão e a empresa deixou de ser apenas de cereal e passou a ser multicategorias.

Há alguns anos, fui convidada para ser líder no Brasil de um programa de diversidade e inclusão da companhia muito bacana chamado WOK - Women of Kellogg, que tem como objetivo desenvolver pilares de crescimento e desenvolvimento de mulheres para assumir cargos de liderança. Nesse processo, minha aspiração em fazer algo diferente cresceu, se uniu a algo que eu já tinha plantado na época de Perdigão em como empoderar mais as mulheres, como atuar para definitivamente diminuir as diferenças e fazer um mundo mais igual.

Foi quando surgiu a oportunidade de me juntar ao Grupo Mulheres do Brasil, como voluntária e trabalhar em causas com o objetivo de fazer um Brasil melhor. Já são três anos atuando e aprendendo muito a cada dia.

Analisando-me como ser humano no mundo, certo dia me deparei com algo no mínimo curioso...

Ruiva: apenas 1% da população; canhota: 10% da população; hipotireoidismo descoberto na gravidez: 5% das mães, mas devo dizer que o percentual que me deixa perplexa é o número da desigualdade e inferioridade que mulheres sofrem no Brasil e no mundo. Não dá para acreditar que coleciono mais de 20 anos de experiência no mundo corporativo e a estatística ainda não reflete o mínimo aceitável que é de equiparidade salarial e mulheres em cargos de liderança.

Entendo que já foi dado um passo, mas ainda faltam muitos para alcançarmos o ideal. Segundo um estudo feito pela E&Y, se a evolução continuar nesse ritmo, levaremos 80 anos para chegar à igualdade.

Fiquei pensando: por que será que toda essa vontade de atuar, ser mais protagonista veio à tona depois dos meus 35 anos? E a resposta, certamente, foi a maternidade. Fui mãe aos 28 anos do Felipe e aos 32 anos da Beatriz e certamente foram minhas maiores e melhores realizações. Eu sabia que teria uma grande responsabilidade de não só criá-los e educá-los, mas principalmente deveria atuar para oferecer a possibilidade de eles viverem em um mundo mais igual e menos injusto.

Ao ver aqueles seres mais lindos crescendo e desabrochando, veio o amor, a vontade de proteger para sempre, de querer que tudo de melhor que podemos oferecer seja deles, mas o fato de não vir com uma bula, um manual de instruções, às vezes dá um nó na cabeça. Como conciliar esta tarefa nada fácil com a vida profissional que vai evoluindo e trazendo mais desafios conforme os anos vão passando?

Acho que um dos meus maiores desafios foi entender que não temos de ser perfeitas em nossos diversos papéis, mas sim aprender a dividir os tempos entre ser profissional e ser mãe, esposa, filha, mulher. Não tem nada errado em ter que abdicar de algumas horas em casa para estar presente numa reunião importante, assim como também não tem problema coordenar sua jornada para poder sair um pouco mais cedo para levar seu filho ao pediatra.

Não é fácil e levei um tempinho para ver que era possível conciliar a vida pessoal, social e profissional, desde que eu não carregasse a culpa como um peso nas minhas costas, principalmente quando faço o que gosto. Resolvi assumir que essa fase da vida devemos encarar como um *videogame*, em que cada fase que passamos fica mais difícil, porém, estamos mais preparadas e com mais cancha para enfrentar o novo e no final tudo dá certo!

A tecnologia certamente nos favorece e muito em lidar com essas múltiplas jornadas. No meu caso tenho o privilégio de ter um marido superparceiro e apoiador e contar com uma mãe que é uma verdadeira guerreira, que está sempre muito presente. Obrigada, minha mãe, quando eu crescer quero ser igual a você!

Enfim, terminando este capítulo da minha trajetória, pude reviver bons momentos e lembranças que coleciono na minha vida e posso dizer que a vida é um aprendizado contínuo. São mais de 20 anos atuando profissionalmente, e sinto que minha vontade de continuar crescendo, me desenvolvendo como profissional e como ser humano cresce a cada dia.

E, para cada ciclo novo que se abre, minha receita mágica é misturar muito bem os três ingredientes-chave para o sucesso:

Coragem para encarar novos desafios, ser curiosa, sempre seguir seu instinto da razão;

Persistência para não desistir na primeira barreira, buscar referências, acreditar no seu potencial, pois a persistência é amiga da conquista;

Paixão para se realizar profissional e pessoalmente. Quando algo não dá mais o brilho nos olhos, se questione. Faça com que a chama se mantenha acesa e nunca afaste a mente do seu coração!

As responsabilidades são muitas, as expectativas grandes, os desafios gigantes, mas o melhor é saber que somos privilegiadas, temos a capacidade de sermos polvo nas múltiplas funções, com um coração sem tamanho e a sabedoria de que sim é possível fazer tudo isso e ser muito feliz!

Um superabraço e bora ser feliz!

38

Tatyane Luncah

O QUE A GENTE FAZ PODE MUDAR O MUNDO

Tatyane Luncah

Empresária por paixão, *coach* e comunicadora por natureza. Um de seus propósitos de vida é empoderar mulheres através de suas iniciativas. Participou de um dos principais programas de Mentoring do mundo, o EY Entrepreneurial Winning Women Brasil. É coordenadora do Comitê Vozes do Empreendedorismo no grupo Mulheres do Brasil e integrante do grupo de empresárias Lide Mulher. Ganhadora do Prêmio 2016 da Promoview como uma das "10 mulheres mais influentes da década no Live MKT". Nas redes sociais, compartilha conteúdo sobre liderança e empreendedorismo feminino, dá dicas inspiradoras em seu Canal no YouTube, além dos *insights* dos seus dias que parecem ter 48 horas. Especialista em Comunicação, Eventos Corporativos, Gastronomia, Trade Marketing e Marketing Digital, há 18 anos lidera a equipe do Grupo Projeto, uma agência de eventos e comunicação, com a missão diária de ser "O Braço Direito" em projetos desenvolvidos para os seus clientes.

Antes mesmo de pensar em seguir a sua carreira, você provavelmente pensou em qual transformação traria para o mundo. Viver sem um propósito é o mesmo que seguir um caminho sem direção e, pra mim, mudar o mundo através do meu trabalho passou a ter uma grande importância.

Comecei aos 11 anos de idade trabalhando na feira, na barraca do pai de uma amiga, vendendo pastéis, é fato que meus pais não compreenderam tão bem. Minha família era de classe média, nem baixa, nem alta, e eu apenas queria o meu próprio dinheiro. A partir dali, eu nunca mais parei.

Foi atendendo aos clientes na feira que percebi que gostava de agradar o meu público final. Sabia fazer e fazia com muita alegria, sempre preocupada com o conforto e bem-estar de cada um deles.

Aos 14 anos me tornei *office girl* numa indústria de molas. Depois do primeiro mês, fui promovida, passando para o departamento de vendas e atendendo como primeiro cliente a gigante marca Autolatina, que é a junção da Ford com a Volkswagen. Foi um ano de grandes aprendizados, naquele momento nasceu a paixão em atender multinacionais e outros grandes e importantes clientes.

Com 15 anos fui trabalhar como elenco de apoio no SBT. Foi uma época muito interessante, em que pude vivenciar um mundo cheio de *glamour*, participando de sessões de foto, desfilando e fazendo recepção em feiras e eventos.

Depois desse período, continuei minha carreira em uma agência de eventos, onde vivenciei algumas das situações mais difíceis pra mim, como mulher, no mercado de trabalho. Em um ambiente totalmente machista, contaminado pela arrogância de alguns, senti na pele o que é se dedicar todos os dias e mesmo assim "ser isentada de oportunidades" sem motivo algum.

O que pareceu desafio tornou-se combustível. Naquele momento, decidi que me dedicaria ainda mais para fazer deste mercado mais justo, empoderando mulheres para que elas sejam reconhecidas por suas competências.

Como eu não gostava da maneira que as agências tratavam seus colaboradores, tive o *insight* de que poderia fazer algo de valor, tanto para quem trabalhava na agência quanto para os seus clientes. Pra mim era fácil compreender o que cada cliente queria, quais eram suas necessidades e o que eles esperavam como serviço ideal. Por outro lado, também entendia que engajar o time de colaboradores e prestadores de serviço fazia parte da entrega de um serviço impecável.

Aos 21 anos, abri o meu primeiro negócio. A decisão veio através de uma conversa informal com meus pais, irmãos e o meu primo Tom. Eu tinha experiência e não tinha dinheiro. Mas tinha um carro e o sonho de empreender.

Vendi meu carro, aluguei uma sala de 28m2, contratei uma assistente e bingo! Ali nascia a Projeto Eventos, uma agência especializada em organização de eventos corporativos.

Minha mãe foi a minha primeira colaboradora, acreditou e ainda acredita muito em mim, sempre foi o meu maior exemplo de trabalho em minha família. Ela me traz a inspiração para acreditar sempre em um trabalho honesto, comprometido e melhor todos os dias. Meu irmão mais velho veio trabalhar comigo depois de quatro anos de empresa e hoje é o meu sócio.

Meu irmão mais novo, aos 16 anos, também iniciou sua carreira aqui no Grupo Projeto. Depois vieram as cunhadas e por último o meu sobrinho. Posso dizer que não somos uma empresa familiar, somos uma família empreendedora, todos têm suas responsabilidades e, acima de tudo, acredito na meritocracia a todos colaboradores.

"Eu farei a transformação". Essa foi a decisão que eu tive após 13 anos trabalhando e empreendendo na área de *live marketing*, ou *marketing* ao vivo, como gostamos de falar aqui na agência.

Em 2014, depois de passar por um período péssimo, fim de um ciclo de um longo relacionamento, onde me deparei com a dor da depressão, pensei: E agora? Quem sou eu? O que eu vou fazer? Qual a minha missão? Qual o meu propósito? O que eu vim fazer aqui nesse planetão que é tão lindo, mas tão cheio de desafios e superações?

E fazendo diariamente essas perguntas, me questionando sobre todas as áreas da minha vida eu descobri a minha missão que é linda e gostaria de compartilhar com vocês.

Não sou adepta a medicamentos, então fui em busca do autoconhecimento e da minha autocura. Eu sabia o motivo pelo qual tinha entrado naquele estado, mas precisava me conhecer melhor para poder sair dessa armadilha que pega milhares de pessoas no mundo - a depressão. Resolvi ir direto na ferida e encarar de frente, estudei muitas religiões e também Filosofia, Teologia, Cabalah e por fim cheguei ao Coaching. Eu estava desesperada procurando a cura dessa doença da alma e foi ali, no curso de formação de Coaching, que parei para olhar dentro de mim, e ver quem realmente eu era, quais os meus valores, propósitos, o que fazia sentido para mim e o que eu tinha para oferecer como ofício e em gratidão para o mundo.

Em um ano tive inúmeras respostas e a mais inabalável delas é que com a nossa profissão podemos sim mudar o mundo. Seja através de experiências, experimentações, sensações, emoções ou até mesmo pela disseminação do conteúdo de propósito.

Ao longo desses 17 anos abrimos várias outras empresas, a Titanium Log, CRM inc, Gaia Gifts, Scenografia, Crono Digital, Nix Ideias e Agência Coligada, cada uma delas focada em um serviço e ao mesmo tempo complementares.

Esse modelo de negócios foi uma forma de atender aos nossos clientes oferecendo serviços no estilo "360º".

Hoje nos intitulamos "Grupo Projeto, o seu braço direito". E é assim, de uma maneira simples e objetiva que os nossos clientes nos enxergam. O Grupo vive um novo momento de posicionamento e trabalho diário para nos mantermos cada vez mais firmes no mercado.

Minha missão é trabalhar com eventos, e isso também é uma causa verdadeira, porque quando eu faço um evento ele não é o foco e sim a consequência.

Marketing significa fidelizar clientes, crescer neles e conquistá-los a cada dia. Isso eu já fazia de forma intuitiva todos os dias e acabei descobrindo ali que seria marqueteira.

O sonho de toda marca é transformar os seus clientes em fãs, e eu posso ajudá-los nisso.

A minha missão como organizadora de eventos está além de executá-lo com excelência. O meu evento precisa ser vivo, porque o mundo é ao vivo e, acima de tudo, ele precisa corresponder fielmente ao propósito do meu cliente.

Uma empresa farmacêutica não quer ser reconhecida por vender remédios, mas sim como uma marca que seja sinônimo de saúde. E qual o meu papel nesse contexto? Promover o real conteúdo de transformação, um evento que traz mais cor pra vida das pessoas que até o momento estava cinza.

Ao invés de vender remédios, uma simples vivência como a dança, por exemplo, pode transformar e curar. Afinal, o propósito será o mesmo, cuidar de vidas.

E se recuperarmos flores que seriam jogadas no lixo depois da festa de casamento, repaginarmos-las e entregá-las em asilos? Uma ação simples, que além de levar inspiração, pode ser associada a uma marca e despertar mais emoção e conexão com seus clientes.

Dentre os meus maiores clientes estão as construtoras e incorporadoras, o desafio é sempre trabalhar com a emoção dos compradores, porque não é só a compra de um apartamento, é a realização de um sonho. E além disso, eles são responsáveis por construir um empreendimento de alma, onde cada morador carrega o sonho de ser feliz todos os dias de sua vida, esse tem que ser o melhor lugar para ele morar.

E assim como a vida não se repete, não repetimos as nossas ações. É trabalhando com esse pensamento que lidero para promover sempre as mais inovadoras e melhores experiências.

Hoje sabemos que um evento não é o foco e sim a consequência do trabalho que realizamos. O modelo de negócios que criamos morreu e tivemos que queimar o nosso passado e nos reconstruir de dentro para fora. Nossa missão agora é fazer eventos com alma, que tenham emoção, que tenham os 5 sentidos, trazendo as sensações sinestésicas por meio da experiência. Esse é o *branding* ao vivo, em cores e com o coração.

> *"Para fazer Live Marketing você precisa entender o outro, é como um processo de Coaching, você deve colocar a sua alma e juntos apontar o caminho a seguir."*

E foi com o mesmo propósito de transformar pessoas que criei o Multiconnection, um evento de empoderamento de carreiras exclusivo aos meus clientes e parceiros.

Em conversa com uma amiga durante o evento, discutimos o quanto era grande a participação das mulheres nos cursos de graduação em Marketing, em contrapartida apenas 12% destas mulheres conseguem chegar aos cargos de liderança da área.

Com esse número em mente, surgiu a ideia de reunir a história de grandes representantes do Marketing em uma obra que pudesse chegar a essas estudantes e inspirá-las para o futuro de suas carreiras.

Seja persistente! Muitos "nãos" surgirão diariamente, mas se ontem não deu certo, amanhã pode dar. Foque no poder do agora, foque nos seus objetivos, na sua meta e no resultado. Vejo muitos empreendedores focando em algo a longo prazo, ou algo que não é tão usual. Fique atento para ver se o seu negócio é lucrativo.

"Se ontem não deu certo, hoje pode dar."

Você precisa amar verdadeiramente a sua ideia, o seu negócio, as pessoas que trabalham com você e os seus clientes. Se você tem paixão, não reclame, muitos não têm. Paixão verdadeira precisa ser de ambos os lados e é necessário fazer com que seus clientes sintam o mesmo pela sua empresa.

"Ter paixão nos negócios é sentir as borboletas na barriga a cada conquista."

Como o caminho só se faz caminhando, não pare nunca.

Deixo aqui pra você o meu desafio: comece! E depois me conta aonde você chegou.

Sucesso sempre.

39

Vanessa Vilar

LIDERANÇA COM PROPÓSITO

Vanessa Vilar

Advogada, registrada na Ordem dos Advogados do Brasil (OAB), com mais de 18 anos de advocacia, especialmente em assuntos relacionados ao Direito do Consumidor, Marketing, Publicidade, Mídia e Digital, Contratos, Propriedade Intelectual, Assuntos Regulatórios, Direito Ambiental, Antitruste e Contencioso. Possui MBA pela Fundação Dom Cabral e pós-graduação em Direito Empresarial pela PUC (Pontifícia Universidade Católica de São Paulo). Nos últimos 15 anos, trabalha para a Unilever, atualmente como diretora Jurídica para o Brasil e América Latina. Desde agosto de 2015, é presidente do Comitê Jurídico da Associação Brasileira de Anunciantes (ABA), entidade criada em 1959 para representar, defender e apoiar anunciantes e negócios de comunicações, representando atualmente cerca de 70% de todo o investimento publicitário no Brasil. A ABA é membro da WFA – Federação Mundial de Anunciantes e cofundadora do Conselho Nacional de Autorregulamentação Publicitária (Conar). É membro da Associação Brasileira de Propriedade Intelectual (ABPI), Instituto Brasileiro de Estudos de Concorrência, Consumo e Comércio Internacional (Ibrac) e conselheira do Conar.

(11) 94986-8604
www.linkedin.com/in/vilar-vanessa-8106637/
vanessavilar@gmail.com

Posso contar minha história, até agora, através de cinco grandes temas, na minha pirâmide de *Maslow*: (i) família, a base de tudo; (ii) *skills* técnicos associados à curiosidade para aprender; (iii) visão global; (iv) *networking* e liderança em redes; e (v) propósito.

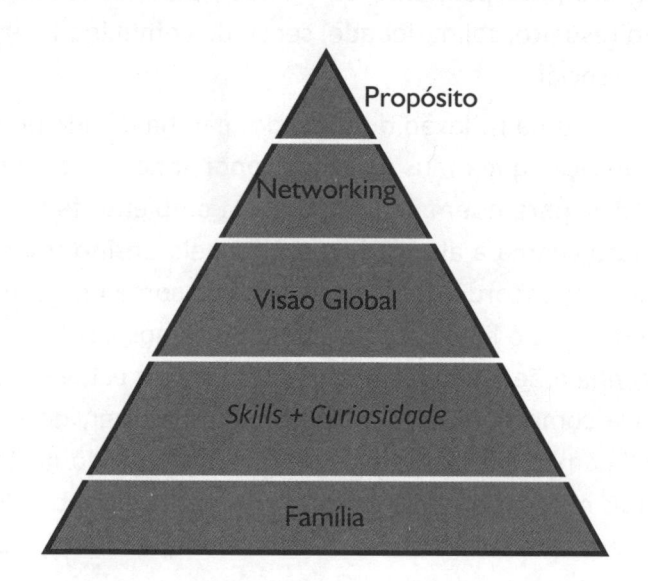

- Propósito
- Networking
- Visão Global
- Skills + Curiosidade
- Família

FAMÍLIA - A BASE DE TUDO

Inicio minha história a partir da história da minha família, mais especificamente, da minha mãe, mulher guerreira e independente, sensível, psicóloga de formação e nítida vocação, que me ensinou a acreditar que tudo é possível, quando ética, dedicação e garra estão presentes no coração. Sem dúvida, ela foi uma grande fonte de inspiração e teria um orgulho imenso desse artigo, que é apenas o começo da jornada.

É curioso voltar no tempo para fazer uma retrospectiva da própria vida, das memórias e dos valores com os quais fui criada, e que são a fundação do que sou hoje. Mais curioso ainda é refletir que meus pais, que sempre optaram pela educação e cultura, como forma de mudar o mundo, ainda que seja limitado ao seu próprio mundo, me matricularam na única escola católica apenas para meninas da cidade onde nasci. Claramente era uma das melhores escolas da cidade, mas não era uma escolha óbvia para quem conheceu minha mãe, libertária por natureza, e que também havia estudado em outra escola católica apenas para meninas (o que sem dúvida era muito mais comum em sua época do que nos idos dos anos 80). Como uma boa escola tradicional, ensinava não apenas Português e Matemática (*hard skills*), mas principalmente os valores que toda sociedade deveria prezar, como respeito, solidariedade, senso de comunidade, família e responsabilidade social.

Voltando a uma reflexão do passado, não há dúvida que fui privilegiada pela educação que meus pais me proporcionaram, com muito sacrifício, claro. Mas, para quem cresceu em um ambiente familiar de muito diálogo, de fato chama a atenção a escolha pelo ensino tradicional. Tanto assim é que me recordo de diversas festas e comemorações escolares, quando entoávamos o hino do colégio e assistíamos a celebrações de Dia das Mães, minha mãe, que trabalhava, mas sempre estava presente, pois se desdobrava como podia, fazia questão de me dizer, desde muito pequena, que "mamãe não é santa, nem rainha ditosa do lar", expressões comuns de tais músicas e celebrações. Certamente ela sabia do poder das palavras e queria que eu crescesse de forma independente, e para o mundo, como dizia.

E foi nesse ambiente escolar que comecei a exercitar algum tipo de liderança, curiosamente. Por viver em um lar seguro, onde respeito e diálogos eram a norma, naturalmente comecei a me posicionar na escola, até porque era bastante estudiosa e dedicada, e tinha um bom relacionamento com minhas amigas e professoras. E em função dessa vontade de defender ideias, interesses das alunas e buscar um ambiente de maior abertura e diálogo na escola, por volta dos oito, dez anos de idade, comecei a ser eleita representante de sala – que naquela época era bem importante para mim. E foram vários anos consecutivos na "política escolar", vez como presidente de chapa, vez como vice, vez como secretária. Posso dizer com orgulho que a "plataforma de governo" defendida na época era bastante popular, pois era uma voz que não temia represálias, por acreditar que com respeito e honestidade tudo poderia ser dito. Foi nessa ocasião que fiz meu primeiro discurso, e porque não, minha primeira – e única – campanha publicitária. Já começava, sem saber, a viver meu propósito de justiça, que tratarei mais adiante.

E foi nesse contexto que me desenvolvi, que cresci, que aprendi a defender ideias, e ouvir *feedbacks*, nem sempre tão positivos, mas que fazem parte de todo processo de amadurecimento. E minha mãe foi fundamental na construção dessa base, que às vezes parece uma fortaleza, de tamanha solidez. Essa atitude me deu forças, para, por exemplo, sair de minha cidade e vir estudar em São Paulo – mesmo meu pai sendo ligeiramente contra, pois não achava necessário. Ela literalmente brigou por isso, pois realmente acreditava que os filhos são criados para o mundo, e que meu mundo poderia ser maior do que a minha cidade natal. Ela me apoiou incondicionalmente, mesmo na primeira gripe longe de casa, quando sua vontade era vir me buscar correndo. Ela me mostrou que podemos estar juntas e unidas, mesmo distantes fisicamente. Ela me apoiou em todos os riscos calculados assumidos, e tentou me mostrar que não controlamos tudo, e que isso pode ser uma excelente fonte de boas e inesquecíveis surpresas. E, o mais importante, que a vida é finita, e cada minuto compartilhado com aqueles que amamos é o que realmente vale e importa nessa caminhada.

Apesar de breve, pois o câncer a levou no início de julho de 2017, com apenas 62 anos, sua vida foi intensa, e sua luta contra a doença trouxe a todos ao seu redor ainda mais ensinamentos, além de reforçar os sentimentos de força, esperança e fé. E, para mim, a certeza que seu legado é digno de ser compartilhado, e que o lindo laço de amor que nos uniu estará sempre presente em meu coração.

Hoje, a família que estou construindo com meu marido, Alessandro Conte, continua sendo a base de tudo. O alicerce que me traz forças e coragem para seguir em frente. Estamos juntos há 12 anos, e não poderia deixar de lhe agradecer pela parceria e mentoria – ele é um dos grandes responsáveis pelo estímulo constante em minha carreira, por me desafiar a sair da zona de conforto, por também me fazer acreditar que posso ir longe, e que estará ao meu lado para me apoiar nos momentos felizes, de sucesso e celebrações, mas principalmente quando preciso de um ombro amigo. Temos sorte de havermo-nos encontrado nesta vida, pois nos completamos. De fato, não poderia concordar mais com a Sheryl Sanderberg quando diz, em seu livro *"Lean In"*, que o sucesso de uma mulher na vida profissional está intimamente associado ao parceiro que escolhe para sua vida. É, sem dúvida, um fator crítico de sucesso na carreira você ter em seu companheiro uma fonte de inspiração, parceria e compreensão, para as longas horas no escritório e ausência de casa em função de viagens e cursos. Admiro-o ainda mais pelo fato de estar construindo esse ambiente igualitário entre homem e mulher, onde ambos podem ir em busca de seus sonhos e objetivos profissionais, sem ter tido o mesmo exemplo em sua casa. Se posso deixar desde já um conselho para as jovens profissionais que almejam crescer na carreira, não hesito em reforçar as palavras de Sheryl Sanderberg: escolham parceiros que as apoiem e torçam pelo seu sucesso!

SKILLS TÉCNICOS ASSOCIADOS À CURIOSIDADE PARA APRENDER

O mundo está cada vez mais automatizado, homens "que trabalham como máquinas" estão sendo substituídos por máquinas. Mas isso não é novo, no mínimo, ocorre desde a 1ª Revolução Industrial do início do século XX. Hoje, vivemos a 4ª Revolução Industrial, a era onde máquinas e humanos interagem, a era da *internet* das coisas (*"IOT, internet of things"*), o que só tende a aumentar, de forma exponencial. Vamos ver de forma cada vez mais natural o uso da automação para substituir trabalhos repetitivos e que agregam pouco valor às corporações, assim como o uso da inteligência artificial (ou melhor dizendo, cognitiva) para facilitar nossa interação e compreensão desse mundo focado em meta-dados.

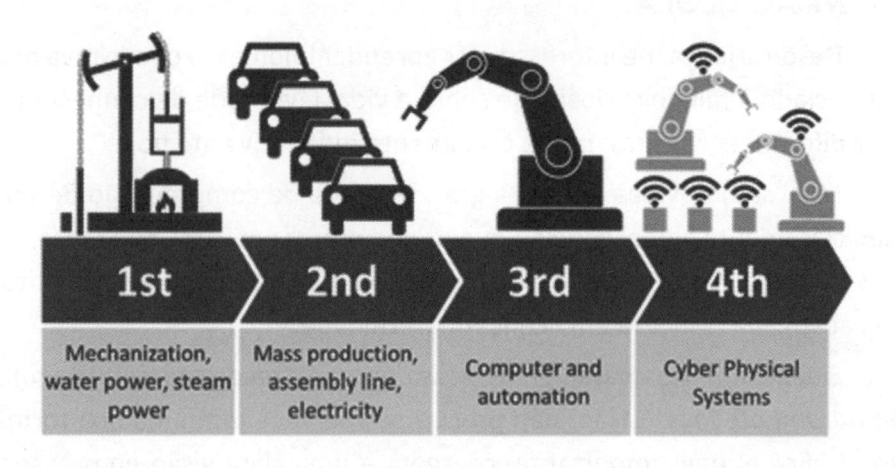

The 4 Industrial Revolutions (by Christoph Roser at AllAboutLean.com)

Consciente da competitividade do mundo corporativo, e com uma imensa curiosidade para aprender cada vez mais, busquei aperfeiçoamento não apenas na técnica jurídica, que é a base indispensável na formação de um advogado, mas, principalmente no MBA, da Fundação Dom Cabral, que me transformou como pessoa e como profissional. Lá pude compreender e ter a mais absoluta certeza que um grande profissional deve ser, acima de tudo, um grande ser humano, pois são eles que podem fazer mudanças positivas neste mundo, que é cada vez mais volátil, incerto, complexo e ambíguo (em inglês, *VUCA, volatile, uncertain, complex and ambiguous*).

Não existe uma receita de bolo para o sucesso, e considerando essa nova realidade, em minha modesta opinião, a única saída é você se destacar como ser humano: o capital intelectual será cada vez mais valorizado, nas relações humanas, no acolhimento, na sensibilidade para ouvir e entender o outro, no aperfeiçoamento de *soft skills*, que podem diferenciar um currículo de outro. Sendo mulher, esse desafio é ainda maior, pois você precisa lutar contra o viés inconsciente. E, como líder, essa é uma missão que abracei, para que o gênero ou rótulos sejam irrelevantes na jornada profissional de futuras gerações.

VISÃO GLOBAL

Desde criança me interessei por aprender idiomas, o que estava muito associado à minha curiosidade sobre a vida, e vontade de conhecer novas e diferentes culturas, o que certamente me motiva até hoje.

Mas, sem dúvida alguma, a grande virada na compreensão de uma visão claramente global ocorreu quando fui morar em Paris, na França, em um *secondment* promovido pela empresa na qual trabalho, para substituir uma advogada francesa em licença-maternidade.

Quebrei muitos paradigmas nessa época: *"advogado é uma profissão puramente local"*. Não, não precisa ser, se você tem uma boa formação jurídica e, mais importante, coragem e uma clara visão empresarial, de antecipação de riscos ao negócio. *"Você é do leste europeu?"* Não, sou brasileira, do outro lado do Atlântico, da segunda maior operação da empresa no mundo, atrás apenas dos Estados Unidos da América, naquela época. Nessa operação de cerca de mil funcionários administrativos no escritório, só havia dois estrangeiros, e eu era uma delas (a única mulher estrangeira).

Essa visão global permitiu ampliar meus conhecimentos na cultura global empresarial, e, pessoalmente, me fez aprender a viver sozinha, a crescer, a identificar as alegrias nas pequenas coisas da vida, e certamente, a superar toda e qualquer dificuldade.

Nessa época, poderia escolher entre ser feliz com o pouco que tinha, e explorar todas as lindas oportunidades que uma vida europeia pode dar a quem tem curiosidade e vontade, ou ficar me lamentando pelas dificuldades e pelo que dava errado, pois nada nessa vida são apenas flores. Escolhi ser feliz e crescer, pessoal e profissionalmente. Fiz grandes amigos. Recebi um dos melhores *feedbacks* da minha vida: vai lá e faz, você pode, você é capaz, você consegue! Carrego esse exemplo de liderança comigo até hoje.

NETWORKING E LIDERANÇA EM REDES

Muito antes do advento das redes sociais, Aristóteles já dizia que o ser humano é um ser social. Hoje em dia, essa realidade é inegável, já que vivemos na era da hiperconectividade e hiperinteratividade.

A capacidade de interagir e influenciar nunca foi tão valorizada. Precisamos inovar e criar, e nos relacionar em redes, pois ninguém faz nada sozinho. Como já dizia Clarice Lispector, "Quem caminha sozinho pode até chegar mais rápido, mas aquele que vai acompanhado, com certeza vai mais longe".

Nessa jornada, entendo que devemos valorizar quem passa pelo nosso caminho, auxiliando o crescimento do outro, dando oportunidades para o aprendizado, e encontrando pessoas com as quais podemos aprender. Nesse aspecto, sou uma pessoa de sorte. São incontáveis os exemplos de homens e mulheres que cruzaram meu caminho, que gentilmente me deram presentes na vida, através de exemplos de liderança que lembrarei para sempre. Também aprendi com antiexemplos, que sempre recordarei para jamais repetir ou deixar que ocorram novamente.

E tenho muito orgulho das pessoas que passaram por meu time, que seguem crescendo e se desenvolvendo, e que muitas vezes me dizem "me pego falando como você". Espero que tenha sido um bom exemplo, pois eu aprendi com todos eles, e sou muito grata por essa valiosa oportunidade.

PROPÓSITO

Como já adiantei acima, meu propósito está ligado à justiça, talvez, inconscientemente, tenha escolhido estudar Direito e ser advogada para viver esse propósito. Hoje posso dizer que sou feliz por viver meu propósito diariamente, em uma empresa que valoriza a ética e que coloca o consumidor no centro de tudo que faz. E meu papel é exatamente esse, assegurar que o negócio possa viabilizar suas propostas de Marketing, em total respeito ao consumidor e à sociedade em geral, através de uma concorrência acirrada, porém justa e leal.

Entendo, portanto, que o papel do Marketing e dos profissionais dessa área é fundamental para termos uma sociedade mais justa, que não reforce estereótipos do passado, para que as mulheres possam ser retratadas com maior respeito e dignidade. Iniciativas como a *"The Unstereotype*

Alliance" são extremamente relevantes, pois se valem da publicidade como uma força para o bem, que lideram mudanças positivas na erradicação de estereótipos nocivos baseados no gênero.

Que a nova geração de publicitárias e publicitários una forças para se valer da magnífica criatividade que possui para empoderar as mulheres, auxiliando a criar um mundo mais justo. Quem sabe não conseguimos encurtar os 118 anos que levarão para mulheres terem as mesmas oportunidades profissionais que os homens? Contem comigo nessa jornada!